L'ORDRE
DU MONDE

DENIS LÉPÉE

L'ORDRE
DU MONDE

TIMÉE-ÉDITIONS

© Timée-Éditions, 2007
ISBN-978-2-266-17931-7

Pour Suzanne, Gabrielle et Louis

Tout est arrangé d'après le nombre.

PYTHAGORE

*Le mensonge n'est pas dans les discours,
mais dans les choses.*

ITALO CALVINO

*La question est de savoir
ce que les bâtiments souhaitent être.*

LOUIS I. KAHN

1

Carthage – 99 avant notre ère

Assis à l'arrière du bateau, le visage masqué par la capuche de son manteau, le passager semblait indifférent aux manœuvres de l'équipage. Tandis que les hommes couraient en tous sens pour préparer l'accostage sous les aboiements du maître de pont, il gardait les yeux fixés sur le promontoire dominant l'ancien port et la rade où trônaient encore les ruines de l'arsenal. Le navire venait de doubler le cap de Carthage et le site de l'ancienne rivale de Rome apparaissait tout à coup à leur vue. Dominé en son centre par la masse imposante de la colline de Byrsa, il ne laissait paraître aucune trace d'activité humaine. Rien ne troublait la couleur uniforme du paysage, mélange de la roche blanche et de l'ocre du sable.

Plissant les paupières pour être moins ébloui, l'homme sentait monter la chaleur, plus étouffante à mesure que le navire ralentissait en s'approchant de la côte. Le soleil était loin du sommet de sa course, mais une brume courait déjà sur la pierre, brouillant les contours et les formes. Un éclat vif au sommet de la falaise attira son attention. Il essaya de détailler l'endroit

11

où le rayon s'était reflété sur du métal et crut distinguer une silhouette.

— Tu es certain que c'est ce bateau-là ? interrogea l'un des soldats.

Debout sur le quai, à l'écart des hommes de la capitainerie, ils observaient la manœuvre d'approche. Tous deux portaient, sur leurs baudriers et leurs jambières de cuir trempées de sueur, les insignes en bronze des légions romaines.

L'autre lui jeta un regard ironique. Il essuya son front ruisselant et, avec un soupir, entreprit de remettre le casque surmonté d'un panache rouge qu'il tenait jusqu'alors sous son bras.

— Et quel autre ? laissa-t-il tomber en fixant la mentonnière de cuir. Qui serait assez fou pour venir ici ?

— Qui que ce soit, puisse-t-il se hâter, soupira son compagnon. Ou nous allons être rôtis avant le soir…

— Et qu'il reparte vite. J'ai l'impression que nous sommes là depuis des mois ! Seul l'Enfer sait ce qui a pris au consul de vouloir faire halte dans ce lieu maudit et y attendre cet architecte mandé par le Sénat. Nous devrions déjà être en route pour Rome.

— Dépêchons-nous, répondit le premier en s'engageant sur le quai de pierre.

Les hommes du port venaient d'agripper les cordages lancés depuis le pont du bateau et s'affairaient à le haler contre la jetée.

Les deux soldats sautèrent à bord dès que le navire fut immobilisé.

Traversant le pont sans prêter garde aux matelots, ils s'approchèrent de l'homme toujours assis à la poupe, dissimulé par son manteau de toile. Immobile et silencieux, il semblait occupé à dessiner des figures avec un petit bâton.

— Est-ce toi, l'architecte qui se nomme Marcus Vitruvius Pollio ? demanda le soldat.

L'homme acquiesça sans lever les yeux.

— Nous avons ordre de te mener au consul sans délai.

Le soldat tourna la tête et désigna le haut du promontoire que l'homme observait quelques instants auparavant.

— Il est là-haut, dans les ruines.

Le soleil touchait au zénith lorsque les trois hommes débouchèrent sur le plateau qui dominait l'ancien port et la ville morte, jusqu'aux faubourgs populaires de Mégara. Vitruve s'arrêta un instant pour respirer et contempler le spectacle. Depuis cette hauteur, on distinguait les contours des fondations du théâtre, de l'aqueduc, des citernes, des thermes, et du mur entourant la nécropole des souverains puniques. Cinquante ans auparavant, les cohortes romaines avaient assiégé et brûlé la cité, avant de détruire méthodiquement pierre à pierre tous les édifices et de saler les ruines afin d'être certain que rien jamais n'y repousse : Carthage l'insolente, celle qui avait osé se dresser face à la puissance romaine pendant plus de deux cents ans et l'avait fait vaciller sur son trône, ne devait jamais renaître de ses cendres.

Il semblait à Vitruve entendre l'écho des cris des habitants choisissant de se jeter dans les ruines en flammes plutôt que de se rendre à ses conquérants, et la voix de la femme d'Hasdrubal, le dernier général carthaginois, maudissant son mari qui venait de demander grâce, avant d'entraîner ses enfants et un millier des derniers combattants dans l'incendie de l'arsenal.

Le soldat romain le tira de sa rêverie.

— Hâtons-nous. Le consul attend.

13

*****

Le consul Marius repoussa d'un geste négligent l'outre d'eau que lui tendait son aide de camp et se tourna vers le petit groupe qui venait de surgir en haut du chemin de pierre.

— Enfin, murmura-t-il en se dirigeant vers eux.

Les cailloux brûlants roulaient en craquant sous les semelles de ses cothurnes. Tête nue, vêtu d'une simple cuirasse de cuir et d'un pagne blanc, les cheveux couleur de fer presque rasés, le consul ne paraissait pas souffrir de la chaleur qui accablait ses compagnons. Deux ans d'une guerre harassante, sans repos, à traquer le roi rebelle Jugurtha n'avaient pas éteint la flamme bleue qui éclairait son regard ni voûté la silhouette athlétique qui se dressait au milieu de l'esplanade.

Marius n'avait pas subi cette guerre, sa longueur, sa dureté. Il l'avait voulue, organisée. Il en avait maîtrisé le rythme, resserrant peu à peu son étreinte autour de Jugurtha, l'ancien allié de Rome, le coupant de ses amis et de ses refuges sans chercher à l'affronter, attendant qu'il s'épuise avant de le capturer, isolé, à bout de force. Il avait mené à bien cette traque longue et ingrate pour assurer son avenir politique à Rome. Sans imaginer que Jugurtha, dans une ultime tentative de marchandage, lui offrirait une motivation nouvelle et inespérée d'augmenter encore le bénéfice de son séjour sur les côtes d'Afrique. C'était cette aubaine qui l'amenait ici aujourd'hui. Il regrettait seulement de n'avoir pu exploiter lui-même les informations livrées par son prisonnier. Et d'avoir dû faire appel à cet architecte… « Qu'importe », pensa-t-il en regardant le

14

petit groupe approcher, la gloire en reviendrait à lui seul.

L'escorte resta à distance et Vitruve s'avança vers le chef de l'armée romaine d'Afrique. Rabattant la capuche qui dissimulait ses traits, il s'inclina.

— Général.

Les deux hommes restèrent un instant face à face. Vitruve rendait presque une tête à son vis-à-vis et la blancheur de sa peau contrastait avec le teint cuivré du consul. Ses rares cheveux étaient collés à son crâne par la sueur qui coulait de son front bombé, le long de son nez pointu et sur ses joues flasques jusque sur son cou fripé.

— Je t'attendais plus tôt, j'ai ordonné que les hommes commencent à fouiller. Ils travaillent sans relâche depuis deux jours et deux nuits.

Vitruve haussa imperceptiblement les épaules.

— Le vent ne se commande pas.

Le consul tressaillit, surpris que l'architecte osât lui répondre sur ce ton. Renonçant à relever le mot, il se contenta de désigner l'espace qui allait du bord du plateau jusqu'à un renflement en demi-cercle où l'on devinait les fondations d'un mur disparu.

— Les plans que nous avons, ceux que j'ai saisis auprès de Jugurtha, indiquent qu'ici et jusqu'à deux cents coudées là-bas…

— … se trouvait le sanctuaire d'Eschmoun, coupa Vitruve, et là poursuivit-il en se retournant face au soleil, le Tophet, le lieu sacré du pouvoir.

Marius le considérait à présent d'un air mauvais.

— Je sais tout cela, général, poursuivit Vitruve. Tes hommes fouillent en désordre et s'épuisent sous le soleil. Fais-les redescendre. Conserve seulement les dix dont tu es sûr, ceux de ta garde. Et fais redescendre aussi ton état-major. Le Sénat t'attend. Et tes hommes sont fatigués. Ne perdons pas de temps.

L'architecte fit volte-face et soutint sans ciller le regard d'acier du consul.

— Trois jours seront suffisants, ajouta-t-il. Tu ne te seras pas arrêté en vain.

Il jeta un long regard autour de lui, comme flairant l'air étouffant réverbéré par les pierres blanches.

— J'en suis sûr : tout est là, ajouta-t-il.

Sans attendre de réponse, le petit homme s'écarta en direction des ruines qu'il venait de désigner, saisi d'une soudaine fébrilité.

Marius soupira.

— Fasse Jupiter qu'il dise vrai, murmura-t-il.

2

Espagne, au large des îles Baléares – juin 2008

D'un geste machinal, Tommaso vérifia la fixation du détendeur des bouteilles dans son dos, la lampe frontale attachée sur son masque puis les manomètres à son poignet. Au-dessus de lui, la masse sombre du bateau et de sa quille projetait une ombre qui lui dissimulait l'éclat du soleil. Un câble d'acier tombait depuis la bouée de surface à un mètre de lui. Il empoigna la poignée coulissante qui y était engagée et la libéra de son axe. Puis, d'un coup de reins, il se retourna et donna une impulsion de ses deux jambes. Les palmes fouettèrent l'eau dans une ondulation silencieuse et il commença sa plongée, aussi vite que possible, pour limiter les paliers de décompression lors de la remontée.

Son corps glissait à présent dans une eau froide, lourde, chargée de particules et de poussière qui la rendaient opaque. D'une noirceur profonde, elle filtrait de plus en plus la lumière pour n'en laisser demeurer qu'un halo glauque. Le faisceau de la lampe traversait avec peine ce barrage, comme les phares d'une voiture se heurtant à un mur de brouillard. Trente, quarante, cinquante mètres ; quatre-vingts mètres. Tommaso ralentit en touchant le repère laissé la veille. Il s'arrêta pour se donner le temps d'accommoder l'univers silencieux. Il bascula la valve d'alimentation de ses bouteilles sur celles contenant le mélange gazeux le plus riche. À cette profondeur, le trimix ne contenait plus que quinze pour cent d'oxygène pour une moitié d'hélium et un tiers d'azote.

De nouveau, il sentait cette sérénité curieuse l'envahir tout entier. Chaque fois, le souvenir de ses premières plongées, enfant, dans les lacs d'Écosse, lui revenait en mémoire. Le même sentiment de l'angoisse difficile à domestiquer, quand on ne sait plus où sont le haut et le bas, plongé dans un monde totalement obscur et peuplé de formes floues, le plus souvent les effets d'illusion des courants. Il avait sept ou huit ans quand il avait commencé à apprivoiser ce royaume des ombres, pour se protéger de ses autres angoisses, celles de la nuit.

Baissant le regard, il appréhenda la masse sombre de l'épave, le bois pétrifié surgissant à demi du fond sablonneux telles les côtes d'un animal déchiqueté. Un instant plus tard, il toucha le sol et quitta le cordage de plomb pour le réseau de filaments qui quadrillaient tout le terrain sur lequel s'était répandu ce qui restait de l'épave, au moment du naufrage puis à mesure que l'érosion et le temps l'avaient disloquée. Il parcourut l'espace familier de carrés de deux mètres sur deux, les petits cartons de plastique sur lesquels était inscrite la topographie. Dans le faisceau de sa lampe, il distinguait juste leurs contours à faible distance.

Détachant le sac fixé à sa ceinture, Tommaso y puisa huit pitons et une bobine de fil de nylon ainsi qu'un petit marteau, avant de le rattacher directement au câble de sécurité. Puis il gagna à tâtons l'extrémité du périmètre et entreprit d'achever le quadrillage. Sa tâche menée à bien en dix minutes, il jugea qu'il pouvait s'accorder dix autres minutes au fond. Il serait temps ensuite de remonter en changeant progressivement de bouteille pour faire varier le mélange gazeux qu'il respirait. Demain, ils commenceraient à plusieurs, en se relayant, à dégager les sédiments accumulés dans le premier carré à l'aide d'une suceuse à eau.

En quelques coups de palmes, il gagna l'extrémité du chantier, là où la poupe énorme de la frégate était venue se fracasser trois cents ans plus tôt, en 1693. La masse se détachait à peine dans le manque de lumière et le tourbillon de sable. Tommaso posa les mains sur ce qui restait du château arrière, dont le plafond avait été arraché. Il caressa l'encadrement d'une fenêtre et se glissa à l'intérieur pour pénétrer dans la salle à manger du commandant. Il se stabilisa au niveau de ce qui avait dû être le plancher et n'était plus qu'un trou béant descendant vers les chambres, les réserves et l'armurerie qui avaient été pulvérisées lorsque le bateau s'était écrasé contre les rochers, ou peut-être avant, si les réserves de poudre avaient été touchées par l'incendie… Fermant les yeux, il essaya d'imaginer les hommes d'équipage, leurs cris, lorsque leur univers avait soudain basculé. Où pouvait être le chevalier Guillaume de Lauzun, commandant du bord ? Dans cette cabine ou sur le pont, priant ou luttant ? Rouvrant les yeux, Tommaso plongea dans ce qui restait de la structure, glissant sous les quelques marches encore en place de l'escalier de coupée tribord, celui qui descendait vers le carré de l'équipage, sous le premier pont. L'obscurité était totale à présent. Tommaso s'arrêta pour contrôler sa respiration. Combien étaient morts là, sans même se rendre compte que le navire avait déjà plongé sous trente ou quarante mètres d'eau ? Immobile, il laissa glisser sur lui cette angoisse curieusement familière.

Le frôlement dans l'eau le prévint une seconde avant le choc. L'imminence du danger fit bondir son cœur dans sa poitrine. Il se laissa tomber au sol en tendant la main vers son poignard. L'ombre passa au-dessus de lui, entraînée par son élan, tout en cherchant à se retourner. L'éclat de la lampe éclaira les arêtes acérées de la gueule ouverte. L'animal étrange se recroquevilla en faisant demi-tour pour attaquer de nouveau, ses yeux globuleux fixés sur le plongeur. Tommaso dégaina son poignard d'un geste lent tout en reculant avec précaution, rampant sur le fond de sable. L'animal ne bougea pas.

*****

— Une espèce de murène ! Et ça te fait rire ? T'es vraiment fondu !

Accroché par une main au flotteur du zodiac gris, Tommaso saisit le bras tendu pour le haler vers la surface. La lumière du soleil éclata sur son masque, l'éblouissant l'espace d'une seconde. Il inspira profondément. L'odeur brûlante et salée de l'air ambiant lui parut comme chaque fois délicieuse.

Trente minutes s'étaient écoulées depuis qu'il avait croisé la murène et, après être ressorti de l'épave, s'était résolu à amorcer sa remontée.

Il se mit en appui sur le flotteur du zodiac et fit basculer ses jambes pour retomber au fond du canot. Arrachant son masque et sa cagoule, il sourit en apercevant au-dessus de lui le visage bougon d'Antoine et sa carrure de catcheur. Les sourcils épais, froncés, de son ami semblaient donner le *la* aux rides profondes et parallèles qui striaient son front basané. Tout chez Antoine paraissait massif : oreilles, nez, cou, comme autant de rappels vivants de son caractère entier.

Ce tempérament orageux avait du reste failli coûter cher à Tommaso lors de leur première rencontre, dix ans plus tôt, sur un chantier de fouilles marocain, au sud de Tanger. Antoine coordonnait alors l'activité du groupe des plongeurs ; Tommaso, lui, n'était qu'un jeune archéologue stagiaire, frais émoulu de ses études à Oxford. Un renfort trop sûr de lui, trop inexpérimenté, dont Antoine avait détesté au premier abord le vernis universitaire et le manque d'harmonie avec la nature.

Il avait suffi que Tommaso soit assez négligent le jour même de son arrivée pour jeter une cigarette à l'eau pour qu'Antoine voie rouge et l'attrape par le col de son tee-shirt. Avant de réaliser ce qui se passait, il avait déjà rejoint le mégot dans l'eau verte du port où était installé leur campement. Antoine s'était beaucoup amusé de le voir patauger à la recherche de ses lunettes de soleil. En revanche, il avait été surpris quand l'archéologue à peine remonté sur la terre ferme s'était jeté sur lui. Tommaso était loin d'être chétif, mais il lui rendait tout de même trente kilos et mesurait dix bons centimètres de moins que lui. Il n'avait pourtant pas hésité à lui sauter à la gorge. Il avait fallu quatre hommes pour les séparer.

Ils s'étaient réconciliés le soir même, autour d'une bouteille de whisky écossais, avant de sceller leur amitié dans leur endurance et leur goût également téméraire pour la plongée. Dans les semaines et les mois qui avaient suivi, Antoine avait admiré l'érudition de Tommaso et ses qualités de chercheur. En retour, il lui avait appris à piloter un hélicoptère, devenant pour Tommaso le frère que ce dernier avait longtemps regretté de n'avoir pas eu à ses côtés pour se débattre dans le labyrinthe de son enfance.

Depuis toutes ces années qu'ils travaillaient ensemble, Tommaso ne se rappelait pas un jour sans que son fidèle compagnon ait trouvé une occasion de ronchonner. Ni un jour sans un éclat de rire.

Et pour le moment, Antoine continuait à bougonner.

— Quel besoin de finir le carroyage du chantier maintenant ? Et de descendre tout seul ? Et de remonter en retard, en plus ! On aura tous l'air malin quand tu seras coincé en bas…

— Allez, allez, Antoine, arrête de gémir, répondit Tommaso, nullement surpris par l'humeur de son ami, pour qui un timing décalé de plus de trente secondes devenait *ipso facto* une attaque personnelle.

Il se défit de ses bouteilles et de sa combinaison et se laissa glisser au fond du zodiac. Antoine lui jeta un regard en coin et se pencha vers l'arrière pour relancer le moteur. Celui-ci démarra sans se faire prier.

Tommaso haussa le ton pour couvrir le vrombissement du moteur.

— Vois le bon côté, on avance selon le planning et tout est conforme. Le bateau est là où nous le pensions. Le temps est idéal. Personne ne nous dispute le morceau. Ce que j'ai visité laisse penser que la partie intacte recouverte par les sédiments représente au moins la moitié du second pont et des soutes. La moitié, tu imagines ! acheva-t-il avec enthousiasme en redressant complètement sa silhouette athlétique.

Antoine le contemplait à présent avec un mélange d'affection et d'irritation.

— Ne souhaite pas que ce soit trop gros, beau gosse. Avec nos moyens, on en aurait pour une vie sinon…

Une lumière pétilla dans le regard bleu foncé de Tommaso, rendu plus vif par son teint hâlé.

— Pessimiste, s'amusa-t-il.

À cinquante mètres d'eux, l'*Aquilon*, le bateau à partir duquel ils menaient leur mission, se balançait doucement au rythme du clapot. La silhouette un peu épaisse de trente mètres de long ressemblait à un gros animal endormi. Deux pavillons italien et écossais flottaient au-dessus d'un drapeau espagnol hissé par courtoisie à l'égard du pays dont le bateau croisait dans les eaux territoriales. Le soleil jetait des éclats en se reflétant sur les pales du petit hélicoptère qu'on apercevait, posé sur une plate-forme à la proue.

Le vent effaçait en partie la chaleur écrasante.

Antoine regarda Tommaso ébouriffer de la main scs cheveux noirs pour les sécher, heureux de l'état d'euphorie dans lequel se trouvait son ami.

À trente-cinq ans, Tommaso Mac Donnell se considérait comme un homme heureux. Il tirait cette conclusion de la réédition à de multiples reprises d'un exercice qu'il affectionnait, consistant à inscrire dans deux colonnes l'actif et le passif de sa situation. À chaque fois, en effet, avoir réussi à devenir archéologue sous-marin et à armer un navire contrebalançait à ses yeux très largement le contenu de la colonne inverse, dans laquelle s'affichait une montagne de dettes qui le plaçait en permanence au bord de la faillite, une vie privée inexistante, des relations insaisissables avec celle qui était encore officiellement sa femme, des jongleries permanentes pour réussir à voir Mathilde, sa petite fille âgée de cinq ans, et des rapports plus que difficiles avec le milieu officiel de l'archéologie sous-marine française et italienne. Assez mauvais pour avoir suscité une réputation de flibustier aussi peu flatteuse que persistante.

Mais tout cela importait peu. Surtout depuis que le rêve de l'*Atalante* s'était concrétisé. Dix-huit mois passés dans les archives, de la Bibliothèque nationale à Paris à la Torre de Tombo de Lisbonne, pour recouper, déchiffrer, deviner… Dix-huit mois à tirer un fil à partir d'une publication générale passée inaperçue d'un universitaire portugais recensant le trafic commercial en Méditerranée dans les dernières années du XVIIᵉ siècle. Autant de journées accumulées dans l'ombre pour faire surgir de l'oubli cette goélette hollandaise de deux cents tonneaux, armée par le royaume de France, partie de Gibraltar pour Marseille le 12 janvier 1693 et jamais arrivée. Pour s'assurer, en croisant des sources sans rapport apparent, de sa probable cargaison, et se convaincre pas à pas que ce n'étaient pas des étoffes ni de l'huile mais plusieurs tonnes d'or qui dormaient sous les eaux dans les flancs de cette épave, sans que personne s'en soit rendu compte ou l'ait soupçonné tout au long de ces années. Il avait encore fallu des semaines pour reconstituer l'aventure de la dernière traversée de ce bateau et de sa cargaison secrète, imaginer les réactions du capitaine pris entre le retard et le danger des solutions de raccourcis, décrypter la route incohérente suivie par le navire dans ses dernières heures. Lire et trier les témoignages, éliminer les contradictions et les confusions. Jusqu'à ce moment où le travail sur site allait enfin commencer…

La voix d'Antoine le tira de sa rêverie.

— Regarde, on dirait qu'on a de la visite.

Il avait ralenti l'allure du zodiac. Tommaso tourna les yeux dans la direction que désignait du menton son ami.

Une vedette rapide arborant les couleurs des autorités de la province de Valence se balançait au rythme du clapot à l'arrière de l'*Aquilon*. Masquée par la masse du navire durant l'approche du zodiac, elle paraissait vide. L'échelle dépliée le long de l'*Aquilon* indiquait sans hésitation possible que ses occupants étaient montés à bord.

Tommaso reposa ses jumelles avec une moue sceptique.

— Qu'est-ce qu'ils nous veulent, ceux-là ? demanda Antoine en réduisant encore les gaz.

Tommaso ne répondit pas. Le retour du spectre des ennuis administratifs à l'instant où il touchait au but lui semblait de mauvais augure. Il avait vu dans ce milieu trop de manœuvres orchestrées par un concurrent peu scrupuleux ou un fonctionnaire corrompu. Un frisson lui parcourut la nuque, trahissant son inquiétude de n'avoir pas été assez prudent, pas assez discret.

Le zodiac fit un virage derrière le bateau, au ralenti, puis dans un court sillage d'écume, s'approcha par tribord et s'arrêta à son tour à côté de la vedette.

3

Le vent était tombé avec la nuit, laissant l'*Aquilon* presque immobile au milieu d'une mer d'huile qui se confondait à l'horizon avec le ciel sans lune. Debout sur le pont, les poings serrés au fond de ses poches, Tommaso ne parvenait pas à retrouver son calme. Une heure s'était écoulée depuis que les douaniers espagnols étaient repartis. Mais le sang de l'archéologue continuait à bouillir. L'effort fait sur lui-même pour éviter d'exploser devant les exigences tatillonnes de la police avait épuisé sa capacité de flegme. Il ne parvenait pas à se sortir de la tête le ton neutre de l'officier qui commandait la vedette. « Peut-être ne vous l'a-t-on pas demandé, ce formulaire, avait constaté le fonctionnaire d'une voix morne, la tête légèrement inclinée sur son épaule. Mais il le faut. Et je ne peux que constater que vous ne l'avez pas… »

Un craquement derrière lui lui apprit qu'Antoine approchait. Il soupira et se retourna, cherchant sans guère de succès à se forcer à sourire.

Antoine acheva d'essuyer ses mains noires de graisse sur un chiffon et leva sur lui un regard interrogateur. Tommaso ne savait pas vraiment si l'inquiétude portait sur leur campagne de fouilles ou sur son propre état de nerfs.

— Au moins, on devrait éviter que le moteur tombe en rade cette nuit, commenta son second. J'avais raison de m'inquiéter de ce bruit ct ça ne pouvait pas attendre. Il fait une chaleur en bas dans la cale ! ajouta-t-il en s'essuyant le front, laissant une traînée noirâtre au-dessus de ses sourcils.

Tommaso acquiesça d'un hochement de tête. Antoine glissa le chiffon dans une poche de son short.

— Bon, et pour nos visiteurs de tout à l'heure, qu'est-ce qu'on va faire ? reprit-il.

L'archéologue frotta ses paumes l'une contre l'autre en silence avant de répondre.

— Que veux-tu qu'on fasse ? Nous avons un droit de fouille, et un permis d'exclusivité de trois mois avec tous les tampons qu'il faut, les autorisations croisées des Espagnols, des Hollandais et des Français. On ne peut pas être plus en règle… Et ces pingouins viennent encore inventer de nouvelles contraintes ! Si on réussit déjà à éviter d'être obligés de rentrer à Valence pour attendre qu'ils se mettent d'accord avec eux-mêmes, on pourra être contents.

— Tu crois que c'est de l'incompétence, de la bureaucratie ou plus grave ?

Tommaso tapota machinalement le garde-fou. Il baissa les yeux sur les vagues couleur d'encre.

— J'espère surtout que ce n'est pas un concurrent qui a eu vent de nos recherches et cherche à se remettre dans le jeu. Mais en tout cas, ce que je sais, c'est qu'on n'a pas les moyens de s'amuser à attendre. L'immobilisation nous coûte trop cher. Je ne crois pas que notre cher banquier, ajouta-t-il d'une voix grinçante, soit décidé à nous soutenir beaucoup plus longtemps si ce genre de plaisanterie devait continuer… Nom de Dieu, quand je pense à ce qu'il y a là-dessous ! Nous sommes au bord de réussir ce que nous attendons depuis des années, et si ça se trouve, nous allons mourir guéris. On va quand même pas rater tout ça pour un retard de trois semaines qui va faire exploser notre trésorerie et nous mettre en faillite !

Sa voix se chargeait à nouveau de colère. Il regarda son ami.

— Pas d'autres mauvaises nouvelles, sinon ? Ou bonnes ? N'hésite pas !

L'ironie tomba à plat.

— Sais pas, répondit seulement Antoine d'un air gêné. Mais un avocat anglais a appelé aujourd'hui. Il avait l'air vachement pressé que tu le rappelles. Il vient d'envoyer cela. Je l'ai trouvé dans le cockpit, en remontant de la cale.

Tommaso baissa le regard vers le fax que lui tendait Antoine d'une main hésitante. Sous la lumière pâle de la nuit, il pensa que cette journée pleine de promesses était décidément en train de tourner mal.

— Finissons-en, laissa-t-il tomber d'un air sinistre en se dirigeant vers le poste de pilotage.

*****

— Monsieur Mac Donnell ? John Lowell. Je suis ravi de vous entendre.

La liaison satellite était excellente, ajoutant à peine un petit éclat métallique dans la voix. L'avocat parlait un anglais à l'accent raffiné. Tommaso posa le combiné sur son socle, activant la fonction mains libres.

— Qui vous a donné mon nom ?

— Mon client, monsieur Mac Donnell, suit de très près tout ce qui se fait dans l'univers de l'archéologie sous-marine et ce n'est pas un monde si étendu. Les compétences y sont rares…

Les mains posées à plat sur le plan incliné des écrans de contrôle, Tommaso tapotait du pied sur la barre d'acier courant le long du tableau de bord.

— Au fait, maître, au fait. J'ai eu une longue journée et j'aimerais pouvoir aller me reposer.

— Oui, oui, bien sûr. Mon client...

Tommaso le coupa d'un ton faussement détaché.

— Qui est ?...

L'avocat laissa passer une seconde avant de reprendre.

— Hum, c'est sans importance. Mon client préfère conserver l'anonymat, pour l'instant tout au moins. Mon client, disais-je, souhaite vous confier une tâche de recherche discrète mais très intéressante et très bien rémunérée.

Tommaso fit tourner sur lui-même le fauteuil de l'officier de quart fixé au sol à côté de lui.

— J'ai un chantier en cours.

— Un chantier qui se déroule dans des conditions difficiles, me suis-je laissé dire.

La voix de Tommaso se fit glaciale.

— C'est-à-dire ?

— C'est-à-dire, reprit l'avocat, que vos contraintes financières ne sont pas passées inaperçues. Vous vous êtes beaucoup endetté sur la route que vous suivez, et le monde où vous naviguez est cruel.

Le mystérieux interlocuteur soupira.

— Mettons que je vous offre une diversion de quelques semaines ou de quelques mois qui vous remettra à flot – Tommaso préféra ne pas relever la connotation humoristique de la métaphore – et vous permettra par la suite de reprendre confortablement votre chantier.

Tommaso adopta un ton méfiant.

— Pourquoi est-ce si pressé ?

— Il entre dans ce dossier un grand nombre d'éléments d'urgence et de confidentialité. C'est aussi pour cela que vous avez été… pressenti.

Lowell pesait ses mots, faisant précéder chaque adjectif d'une imperceptible suspension.

— Vous êtes efficace, vous n'avez pas froid aux yeux…

« Vous êtes assez détesté, solitaire, endetté et discrédité pour n'être pas en mesure de devenir une menace ou d'aller vous plaindre ailleurs », compléta Tommaso intérieurement.

— Mais nous parlerons de tout cela *de visu*, si vous acceptez de venir me rencontrer à Londres, poursuivait l'avocat d'un ton enjoué. Le plus tôt sera le mieux, bien entendu. Ce genre de matière ne se traite pas au téléphone et mon appel avait juste pour objet de m'assurer de l'exactitude de mes renseignements et de votre intérêt de principe.

— Des renseignements que vous tenez de qui ?

— Vous avez beaucoup d'ennemis, monsieur Mac Donnell, et de nombreuses personnes sont prêtes à dire du mal de vous. Mais à l'inverse, vous bénéficiez de recommandations flatteuses…

Tommaso s'efforçait de conserver un ton neutre et indifférent.

— Comme par exemple ?… demanda-t-il.

— Jeremy Baldwin, par exemple. Le consul d'Angleterre à Palerme ne tarit pas d'éloges sur vous. Il m'a assuré de votre confidentialité et de votre sérieux.

Tommaso prit un instant pour répondre. Des années s'étaient écoulées depuis sa dernière rencontre avec Jeremy Baldwin, un des plus vieux amis de son père, diplomate comme lui, passé par les services spéciaux britanniques. Il avait coupé avec lui comme avec la plupart des figures de sa jeunesse, sans bien savoir pourquoi, pris par le quotidien. Et c'était Jeremy qui engageait sa crédibilité pour l'aider, imaginant sans doute ou connaissant de loin ses difficultés financières...

Il s'efforça de ne pas laisser transparaître sa surprise ni l'émotion que suscitait en lui cette marque de confiance surgie du passé.

— Nous parlons bien de la même chose, en termes financiers ?

Tommaso devina le sourire de l'avocat.

— Non.

Lowell laissa un temps avant de poursuivre.

— Nous parlons de beaucoup plus. Vous êtes endetté à hauteur de cinq cent mille livres, c'est exact ?

Un frisson traversa le dos de Tommaso, qui garda le silence.

— Eh bien, non seulement nous pourrons effacer vos dettes, mais vous pourrez gagner bien davantage...

*****

Tommaso sortit du poste de pilotage avec un goût étrange dans la bouche. Tout allait si vite ! Après la joie de la plongée et la frustration d'un nouveau probable retard capable de dissoudre son rêve à l'instant de le toucher, cette conversation téléphonique le faisait rebondir vers un nouvel espoir. Un espoir ténu, mais auquel il avait désespérément envie de se raccrocher, pour ne pas renoncer. De toute façon, il n'avait pas le choix. Cet argent était une chance inespérée.

Il avait réussi à joindre Jeremy Baldwin dans la foulée de sa conversation. Il avait été ému de retrouver la voix aux accents un peu traînants et à l'intonation toujours blasée.

Jeremy avait pris de ses nouvelles comme s'ils s'étaient quittés la veille. Il lui avait dit attendre son coup de fil et avait confirmé avoir été approché, *via* un membre de son club londonien, par un avocat qu'il ne connaissait pas personnellement, cherchant à savoir ce qu'il fallait penser de lui.

Tommaso l'avait remercié avec chaleur, lui avait parlé un peu de sa situation, sans en détailler les difficultés mais en imaginant sans peine que Jeremy les connaissait. Ils s'étaient quittés sur une invitation de Baldwin à venir le visiter à Palerme. « Tu verras, il n'y a pas mieux en matière archéologique et sous-marine, tu vas adorer cet endroit… »

Antoine attendait en fumant. Sa cigarette aux lèvres, il vérifiait la tension des amarres qui soutenaient la chaloupe au-dessus du pont. En entendant la porte s'ouvrir, il se retourna et tira sur sa cigarette avant de l'éteindre contre le plat-bord et de la glisser dans une poche de son short.

Le geste n'échappa pas à Tommaso qui ne put s'empêcher de sourire, comme chaque fois qu'il voyait reparaître chez Antoine les manies de l'amoureux fou de la mer et de sa protection.

— Alors ? dit celui-ci, inquiet.

Tommaso laissa passer un instant avant de répondre.

— Alors je ne sais pas si c'est le Ciel qui l'envoie ni si ce type est vraiment sérieux, mais il a peut-être en main notre seule chance crédible d'éviter d'être liquidés avant d'avoir pu mener à bien ce chantier…

Il désigna la plate-forme de poupe.

— L'hélico est en état ? Parce que je pars à Londres demain.

4

Le caporal-chef Jean-Claude Brouilly soupira discrètement en constatant qu'il lui restait encore cinquante-quatre minutes à demeurer debout, dans le froid de la nuit parisienne, avant d'être relevé de sa faction. Autour de lui, la place du Palais-Bourbon achevait de s'endormir. Une à une, les fenêtres s'éteignaient, plongeant le débouché de la rue de Bourgogne dans l'obscurité. Une voiture sombre passa sans ralentir devant l'Assemblée nationale. Du coin de l'œil, le gendarme constata avec satisfaction que le conducteur s'était arrêté à l'angle de la rue de l'Université et de l'esplanade des Invalides, respectant le feu rouge. Détournant le regard, il se mit à compter avec régularité.

— Un, deux trois, quatre.

À trente, il murmura « vert » et sourit imperceptiblement en voyant la lumière changer dans le reflet qui courait sur le plexiglas de la guérite. La voiture démarra lentement et s'éloigna en traversant l'esplanade avant de tourner au coin du boulevard de Latour-Maubourg. Encore cinquante et une minutes avant la relève. Rouge. Vert. Rouge. Ve…

Dans le rétroviseur, le passager de la voiture sombre vit l'Assemblée nationale disparaître de sa vue. Le conducteur accéléra tandis qu'il se penchait en avant pour attraper un sac de sport noir posé à ses pieds. La fermeture éclair s'ouvrit avec un petit bruit sec. Il en sortit un boîtier gris en métal. Le conducteur ralentit et gara son véhicule au niveau de l'École militaire. Le passager déplia une petite antenne. Des voyants jaunes s'allumèrent au-dessus de deux boutons noirs. Il en abaissa un, respira, attendit une seconde puis, d'un claquement du pouce, fit jouer le deuxième bouton.

Le bruit déchira la nuit, mêlant le souffle de l'explosion et le sifflement du verre brisé projeté à travers les airs. La guérite devant l'Assemblée nationale vibra sous le choc de multiples éclats. Étourdi, Brouilly chuta lourdement sur la chaussée jonchée d'éclats de verre. Le gendarme eut encore la force de lever les yeux vers le porche pour apercevoir au loin le perron béant de l'Assemblée, vaste cavité aveugle d'où ne sortait plus que de la fumée noire. Le hurlement des sirènes emplit sa tête. Sa vue se troubla. Il s'évanouit.

*****

Le journaliste se recoiffa en fixant un écran de contrôle et récapitula à l'intention de la régie l'ordre d'utilisation des caméras.

— Je lance sur la une, je passe en trois et j'envoie le direct en quatre.

— Dix secondes, fit une voix dans l'ombre. Cinq, quatre, trois, deux, un. Antenne.

Le présentateur prit son souffle.

— Bonsoir. Principale information de ce journal de la nuit, l'explosion qui s'est produite il y a environ trois quarts d'heure à l'intérieur de l'Assemblée nationale. La déflagration, très puissante, aurait à première vue ravagé les abords de l'hémicycle. Il semblerait qu'une première charge ait explosé dans la salle des quatre colonnes ou dans le vestibule menant des salons de la présidence à l'hémicycle. D'ores et déjà, comme vous le voyez sur ces premières images tournées par nos équipes, les dégâts semblent considérables, mais par chance on ne déplore aucune victime. Sur place, j'appelle notre envoyée spéciale, Valérie Lumouriez. Valérie, a-t-on de nouvelles informations sur cette explosion ?

— Bonsoir. Eh bien non, pas encore. Nous n'avons pas pu accéder au lieu de l'explosion, l'enceinte de l'Assemblée demeurant bien sûr fermée. Il est trop tôt en particulier pour se prononcer sur la nature de cette explosion, attentat ou accident, même si les enquêteurs arrivés très rapidement sur les lieux semblent déjà privilégier la première hypothèse. Autre information importante, il y aurait malheureusement au moins un blessé grave, un gendarme qui se trouvait en faction devant l'Assemblée. Cela donne une idée de la violence de la déflagration, puisque ce garde se trouvait au moment de l'explosion à plusieurs centaines de mètres de l'impact. Le ministre de l'Intérieur, qui est arrivé il y a quelques minutes sur les lieux, s'est refusé à tout commentaire…

— Merci, Valérie, et n'hésitez pas à nous interrompre si vous avez de nouvelles informations. Tout de suite avec moi, Philippe Branconi, qui a dirigé pendant plusieurs années la lutte antiterroriste. Monsieur Branconi, on s'interroge bien sûr…

*****

En bras de chemise, le ministre de l'Intérieur quitta le bureau hérité de Cambacérès et recommença à arpenter le vaste tapis qui ornait la pièce, sans jeter le moindre regard aux cinq hauts fonctionnaires alignés devant lui. Il frottait ses paumes sèches l'une contre l'autre dans un geste machinal.

— C'est tout de même un peu fort ! En plein cœur de l'Assemblée ! Non, vraiment, je vous félicite, messieurs, nous avons l'air fin. Le président ne décolère pas et je préfère ne pas vous rapporter ce qu'il m'a chargé de vous dire. Je ne m'attendais pas à recevoir les félicitations du jury, mais là, il n'y est pas allé de main morte. Oh, je sais ce que vous pensez, messieurs...

Le préfet de police jeta un coup d'œil candide au directeur de la DST qui gardait obstinément les yeux fixés sur la tapisserie des Gobelins accrochée au mur.

— ... il y a un gouverneur militaire à l'Assemblée nationale et aussi des gendarmes plein le parc ? En clair : à eux la responsabilité ! Eh bien laissez-moi vous dire que cela ne m'intéresse absolument pas. En revanche, ce qui m'intéresse, moi, c'est que nous ayons très vite des résultats. Alors au travail. Ah non, encore une chose : cet état précis des dégâts, où en est-on ?

— Le salon des Rois est très fortement endommagé, répondit avec componction le préfet, et l'hémicycle a été touché. La moitié des bancs sont détruits et l'on peut craindre que les murs restés debout n'aient été fragilisés. La colonnade sur le quai a été ébranlée par le souffle et deux piliers menacent de tomber. Quant à la façade, elle a été éventrée... La bombe était semble-t-il placée sous une banquette, au pied d'un des piliers du salon des Rois. Ce pilier est celui dont on a beaucoup parlé récemment à propos de la rénovation de l'Assemblée. Cela n'a peut-être aucun rapport, poursuivit-il, suspendu à la moue d'impatience qu'il voyait se former au coin de l'œil du ministre, mais ce pilier représente en trompe-l'œil une cariatide. On a découvert lors de ces travaux qu'un rajout l'avait modifié. La figure représentée sur le pilier regardait auparavant à droite, vers la grande porte et regarde à présent – enfin regardait – vers la gauche...

Le froncement de sourcils ministériel se fit plus prononcé.

— Je ne vous demandais pas un cours d'histoire de l'art. Et après ?

— Peu de choses encore, Monsieur le ministre, la police scientifique est sur place. Tout le périmètre est bouclé. Nous cherchons avant tout à déterminer la nature de l'explosif et du dispositif de mise à feu. Concernant une éventuelle revendication, nous n'avions pas eu de menace précise mais la cellule de crise était toujours en veille. En ce qui concerne les islamistes...

5

Tommaso n'écouta pas l'annonce du commandant de bord signalant le début de la descente de l'avion sur Londres. Incapable de détacher ses yeux de l'écran, il regardait les images incroyables du cœur de Paris envahi d'une épaisse fumée noire. Filmé depuis l'autre côté de la Seine, probablement depuis les toits de l'hôtel Crillon, pensa-t-il, le journaliste de la BBC indiquait derrière lui la façade éventrée du Palais-Bourbon devant laquelle tournoyait un ballet de gyrophares. Autour de lui, Tommaso entendit, étouffées par le casque, les exclamations horrifiées de passagers français de l'autre côté de l'appareil. Il pensa au nombre de fois où il était passé sur le pont de la Concorde et devant cette colonnade sans imaginer qu'elle pût disparaître ainsi en un instant. Quelle folie ! L'image du 11 Septembre lui revint en mémoire, mais le journaliste parlait d'une bombe et pas d'un attentat suicide. Et ceux qui avaient fait ça avaient choisi d'agir une nuit où aucun débat parlementaire n'était en cours, limitant les risques de dégâts collatéraux…

Tommaso songea tout à coup combien il lui paraissait dérisoire de consacrer sa vie à sauver des éléments disparus du patrimoine, à les arracher à la destruction, tandis que d'autres humains se passionnaient pour une œuvre inverse de destruction. D'où pouvaient venir ceux qui agissaient de la sorte ? Quelles motivations pouvaient les guider ? À quelles frustrations anciennes répondaient les pas successifs et les détours qui les avaient menés à concevoir la destruction comme réalisation de leur destin ?

Enfin, lassé par les commentaires désespérément vides faute de la plus petite information nouvelle sur une piste quelconque, Tommaso enleva ses écouteurs et tourna les yeux vers le hublot. Les lumières de la capitale anglaise brillaient sur la droite de l'appareil qui approchait de sa destination.

Dans l'aéroport, les formalités de douane et d'immigration avaient été renforcées, mais son passeport britannique permit à Tommaso de ne pas attendre trop longtemps. Son petit sac de voyage sous le bras, il se dirigea vers le métro. Trente minutes plus tard, il sortait d'une station au cœur de Piccadilly Street.

Consultant sa montre, il constata qu'il avait encore deux heures d'avance. Devant lui, les pelouses vert cru de Green Park étaient parsemées des taches jaunes des chaises longues abandonnées çà et là par leurs derniers occupants. Seuls quelques lecteurs occupaient encore de rares sièges. Le vent qui venait de se lever ne tarderait pas à les chasser et, au loin, l'ombre menaçante des nuages qui s'étendaient au-delà de Marble Arch ne poussait pas à l'optimisme.

Ces images éveillaient en Tommaso le souvenir d'instants semblables, d'autres traversées du parc, des années auparavant, quand il était encore enfant, traînant pour observer les lecteurs opiniâtres tandis que la main ferme de son grand-père le hissait vers le haut et l'entraînait à contrecœur à sa suite. À distance, il détailla les attitudes des derniers récalcitrants à quitter le confort de leur chaise longue, goûtant le plaisir de n'être plus contraint au mouvement. Ils étaient exactement identiques à ceux de son souvenir.

Il se rapprocha de la grille. Il était revenu là des années plus tard avec Isabelle. Sa femme s'amusait du charme excentrique de Londres, elle riait. Ils avaient traversé le parc sans prêter attention cette fois aux lecteurs allongés. Il sentit remonter dans son esprit la question lancinante : où s'était glissé le grain de sable qui le premier avait donné le signal du délitement de leur complicité ? Il renâcla à laisser la recherche insatisfaite emplir de nouveau ses pensées.

Levant la tête, il hésita encore une seconde puis s'engagea à travers le parc. Il sortit de l'autre côté, longea Buckingham et obliqua vers Chelsea. Après avoir dépassé le Muséum d'histoire naturelle, il tourna dans Cromwell Road et ralentit le pas. Encore cent mètres. C'était là. Son regard glissa sur la façade victorienne blanche, sur les fenêtres en avancée qui déséquilibraient l'aile droite de la grande maison au toit d'ardoise à demi masqué par trois gros arbres plantés contre la grille noire de l'entrée. Elle était si haute que son souvenir d'enfant n'avait pu en exagérer encore les dimensions. Tommaso songea qu'il ne ressentait pas de nostalgie envers cette demeure où il avait en partie vécu pendant trois ans. Son grand-père avait eu raison de la vendre.

Il détourna les yeux et plongea le regard vers le trottoir. Du bout du pied, il chassa une petite branche cassée par le vent. Puis sans se retourner, il reprit son chemin en sens inverse.

*****

Maître John Lowell avait pignon sur rue en plein cœur du quartier de Westminster, à mi-chemin entre la caserne du régiment écossais de la reine et le Parlement. Ses bureaux, dans une petite impasse donnant dans Victoria Street, occupaient un hôtel particulier de deux étages dont la façade semblait avoir été écrasée entre les deux immeubles plus modernes qui l'entouraient. La sonnette en cuivre avait un carillon mélodieux. La porte peinte en bleu s'ouvrit en silence et une secrétaire le fit entrer avant de l'introduire dans un salon au luxe étrange, mélangeant meubles en cuir sombre et tissus colorés, rideaux orange et épaisse moquette prune.

Tommaso patienta dix minutes dans le silence le plus complet. Amusé par le décor qui lui rappelait des souvenirs d'enfance, lorsqu'il accompagnait parfois son père aux réunions de son club, il observait une toile ancienne représentant un combat naval sur une mer écumante lorsqu'il sentit une présence derrière lui.

— Lord Hamgate menant l'assaut après plus de deux semaines de traque contre la frégate *Valenciennes*, commenta une voix qu'il reconnut pour celle de l'avocat.

La main sur le bouton de porte rond et doré, John Lowell se tenait sur le seuil.

— 12 mai 1807, au large de Trafalgar. Le Français essayait de défendre le blocus. Le tableau représente la première salve tirée après une habile manœuvre d'approche par l'arrière, à moins de trente mètres. Puis le bateau s'est retourné pour faire feu sur son flanc bâbord, cette fois à bout presque touchant. Enfin ils ont envoyé les crampons et pris d'assaut la frégate. Brièvement, ajouta-t-il en s'avançant, car le Français coula avant la fin du combat. Les deux salves avaient à peu près détruit la coque. L'équipage du navire britannique fut furieux de perdre son butin et Lord Hamgate eut, dit-on, toutes les peines du monde à rétablir le calme.

Il s'avança encore et tendit la main en souriant :

— Je suis ravi de vous rencontrer, enchaîna-t-il sans laisser vraiment à Tommaso le temps de répondre.

L'archéologue détailla le costume de laine anthracite impeccable de son hôte. Les manchettes au dernier bouton ouvert signalaient la facture sur mesure, la chemise rayée blanc et bleu vif, la cravate orange, un choix aussi méticuleux qu'audacieux. Sous les mèches blanches éparses qui cachaient mal sa calvitie, et de grosses lunettes d'écaille, l'avocat arborait un teint rose et un sourire carnassier. Grand et mince, presque osseux, il faisait songer à une sorte d'échassier. Tommaso imagina qu'il devait avoir près de soixante ans et jugea, en le suivant dans le petit escalier cossu qui menait du rez-de-chaussée à son bureau, qu'il avait une démarche plus alerte qu'on ne l'aurait imaginé.

— Asseyez-vous, dit l'avocat en indiquant un canapé Chesterfield de cuir noir qui trônait en face de deux fauteuils dans un angle de son grand bureau.

Tommaso obtempéra en observant les bibelots disposés de telle manière qu'on aurait juré se trouver dans un salon familial bien davantage que dans un local professionnel.

L'avocat gagna l'angle opposé de la pièce et ouvrit une encoignure dont il sortit deux verres.

— Cognac, whisky ? demanda-t-il avant de saisir d'autorité une bouteille où brillait un alcool doré presque transparent. Whisky bien sûr, vous êtes écossais, où avais-je la tête ? poursuivit-il en rejoignant l'archéologue.

— À demi, corrigea Tommaso. À demi écossais, précisa-t-il devant l'air interdit que lui jeta l'avocat par-dessus ses lunettes.

— Tobermory, île de Mull, commenta celui-ci en versant l'alcool dans un petit verre ballon. Distillation de 1992, à l'heureuse époque où la distillerie fonctionnait encore en continu. C'est ce qui lui donne à mes yeux son prix, même si c'est un alcool un peu rustique au regard d'autres cuvées.

Tommaso soutint une seconde l'œil incisif de l'avocat puis saisit le verre qu'il lui tendait.

— Merci, mais je ne pense pas que vous m'avez demandé de venir pour parler whiskys.

L'avocat soupira.

— Vous avez raison, reprit-il en se servant.

Il contempla la couleur, levant le verre au niveau de ses yeux pour le faire tournoyer, observa avec satisfaction la trace laissée par le liquide sur la paroi, but une gorgée puis le reposa.

— Votre venue est liée à un dossier épineux.

— Je vous renouvelle ma question, répliqua Tommaso. Pourquoi moi ?

L'avocat soupira de nouveau.

— Parce que vous êtes bon, très bon, capable de trouver une aiguille dans une meule de foin. Parce que vous avez besoin d'argent et que cela peut vous motiver à aller vite. Parce que vous n'avez pas d'état d'âme et que vous êtes susceptible de tout lancer en un temps record, de mettre sur pied cette affaire en trois jours et de la réaliser en deux fois moins de temps que ne le feraient d'autres. Et parce que je vous crois capable de garder la confidentialité requise. C'est-à-dire une confidentialité totale.

Le regard de l'avocat se fit plus perçant.

— Comprenons-nous bien, monsieur Mac Donnell. Je ne cherche pas à jouer au chat et à la souris. Il se trouve que je sais quelles sont vos… – il hésita sur le mot – contraintes, et qu'elles font de vous l'homme idoine pour le projet qui nous intéresse. Vous avez besoin d'argent rapidement ? Nous sommes en situation de vous en donner. Sorti de là, vos affaires et ces contraintes ne m'intéressent pas, pas plus que vos propres projets. Je n'en ferai pas usage et une fois votre tâche accomplie, vous n'entendrez plus parler de moi ni de mon client. Vous serez payé rubis sur l'ongle, dans l'établissement de votre choix.

L'avocat posa son verre et joignit les mains comme pour une prière.

— Avouez qu'il n'y a rien d'étonnant à ce que nous soyons bien renseignés sur un futur collaborateur. Surtout étant donné le projet que nous entendons lui confier, ajouta-t-il d'un ton doucereux. Je connais votre identité, votre famille, je sais que les Mac Donnell of Glengarry s'enorgueillissent de compter dans leurs rangs deux patriotes morts pour l'Écosse, le premier en 1430 et le second à Culloden en 1745 ; je connais l'histoire de vos parents et de vos grands-parents, la nature de vos propriétés de famille et le montant des hypothèques qui pèsent hélas dessus…

— Et ce projet est parfaitement légal ? coupa Tommaso d'une voix qui se voulait neutre, mais dont l'intonation sèche trahissait la volonté de n'en entendre pas davantage sur ce sujet.

L'avocat se renfonça dans son siège en faisant tourner son verre.

— Je savais que vous me poseriez cette question. Oui, bien sûr. Il n'y a rien d'illégal dans le chantier que nous voulons vous confier. Seulement une volonté de discrétion. Et une urgence absolue. Deux éléments clés qui ne peuvent totalement vous surprendre et dont les raisons ne vous regardent pas. Mais pour répondre à la question que vous ne posez pas, le scandale auquel vous avez été mêlé et qui vous a contraint à quitter le centre archéologique du ministère français de la Culture n'est pour rien dans votre choix par nos équipes. Et cela pour une raison simple : nous sommes assez bien informés pour savoir que vous n'étiez pas coupable de ce dont on vous a soupçonné. Vous avez un peu naïvement payé pour couvrir des responsables plus haut placés.

Son ton se fit plus ironique.

— Mais vous connaissez la haute administration française : on ne s'accuse pas entre membres d'un même corps…

Agacé, Tommaso ne releva pas.

— Admettez seulement qu'un type comme moi vous offre le confort d'une position peu crédible au cas où je voudrais ruer dans les brancards ?

L'avocat plissa les yeux.

— Venons-en au fait, poursuivit-il. Que savez-vous de Carthage ?

*****

La lumière de l'après-midi commençait à décliner sur Londres, allongeant les ombres des immeubles dans les rues, avant que ne s'allume la multitude d'éclairages qui donnent à la capitale anglaise un air plus animé dans la soirée que le jour. Tommaso baissa les yeux vers le dossier bleu posé sur la petite table à côté de lui. L'avocat venait de s'interrompre et de sortir pour prendre sur la demande pressante de son assistante un appel plusieurs fois différé.

Tommaso souleva la couverture du dossier dont John Lowell lui avait longuement commenté le contenu. La première partie reprenait l'histoire de Carthage, la rivalité de la cité punique avec Rome, la chronologie des décennies d'affrontement, ponctuées de trois guerres qui, de 260 à 147 av. J.-C., avaient menacé la suprématie romaine. La longueur et le caractère indécis de la lutte, marquée par les expéditions du célèbre Hannibal qui avait presque campé sous les murs de Rome et manqué de peu de lui porter le coup de grâce, expliquaient la férocité avec laquelle les Romains avaient conclu cette guerre centenaire : population massacrée ou asservie, bâtiments rasés, terre salée, histoire rayée des tablettes…

— Une sorte de défi aux archéologues, avait noté Lowell dans un sourire.

C'est cette gageure que développait la deuxième partie, résumant les grandes étapes des fouilles effectuées à Carthage depuis le début du XIXe siècle. Des fouilles qui dans un premier temps s'étaient apparentées à des pillages plus ou moins méthodiques et à plus ou moins grande échelle, menés par les Anglais, les Hollandais, les Français… Tommaso s'attarda un instant sur la fiche consacrée au lieutenant-colonel Humbert. Jeune architecte hollandais originaire de Leyde, il avait passé huit ans dans la région et supervisé un certain nombre de découvertes. Il avait notamment mis au jour des stèles mystérieuses aujourd'hui en partie visibles dans les musées de Manchester et de Leyde. Une série de photos présentait ces pièces gravées d'une écriture énigmatique dont les caractères fins alternaient entre des courbes délicates et des figures géométriques.

Humbert avait été le premier fouilleur important. Mais après son départ définitif en 1827, il avait été dépassé par les Français, et notamment un certain nombre d'ecclésiastiques agissant sous couvert du musée Lavigerie. Parmi eux le père Delattre, un père blanc, était à l'origine de la disparition de milliers d'éléments importants, fruit d'un commerce lucratif, entre 1870 et 1880.

En parcourant les documents, Tommaso sentait monter l'excitation qui l'avait progressivement saisi à l'écoute du récit de Lowell.

Les notes suivantes en venaient à l'objet précis pour lequel il entrait en piste.

Le 12 mars 1867, une frégate de commerce en provenance de Tunis avait sombré corps et âme au large de Tunis. Rien n'avait été retrouvé de sa cargaison d'antiquités, perdue par grand fond. Les journaux parlèrent avec délectation de la malédiction de Didon, jouant de la vogue orientaliste, et glosèrent sur la cargaison qui se trouvait à bord, des stèles découvertes sur le site du Tophet, le grand temple de Carthage. Il est vrai qu'aucune tempête n'avait été signalée ce jour-là en mer. L'écrivain Mérimée signa pour sa part un article dans lequel il s'attristait de la perte immense pour la science archéologique de ces trésors destinés au Louvre.

Le bruit de la porte du bureau se rouvrant sur la silhouette mince de John Lowell ramena Tommaso à l'instant présent. Il se tourna vers l'avocat qui demeurait sur le pas de la porte, son cigare aux lèvres, enveloppé de volutes de fumée grise. Tommaso fut frappé par l'air inquiet qu'il saisit sur son visage avant qu'il ne corrigeât automatiquement son attitude, cherchant à masquer une préoccupation manifeste. Même le teint bronzé de l'avocat semblait avoir terni.

— Nous avons un problème, dit-il enfin.

Tommaso ouvrit des yeux interrogateurs.

— Un problème ?

— Nous allons devoir annu... enfin différer notre projet.

Tommaso se leva d'un bond.

— Je vous demande pardon ? lança-t-il sèchement. J'espère que vous plaisantez ? Je fais en urgence le voyage de Valence pour vous entendre, nous venons de passer l'après-midi à détailler votre projet et en une seconde, parce que...

Il s'interrompit avant de reprendre en essayant de contenir sa mauvaise humeur.

— Qu'est-ce que ça veut dire ? Qui vous a appelé ?

— Monsieur Mac Donnell, sourit l'avocat dans une grimace forcée. Je ne voudrais pas céder aux ridicules préjugés de mes compatriotes envers les vôtres, mais si ce n'est pas dans votre tempérament d'Écossais que vous puisez cette énergie...

Le ton résolument bravache augmenta encore l'énervement de Tommaso.

— Vous êtes pressé ? coupa Tommaso. Moi aussi. Alors cessons cette mascarade.

L'avocat tira sur son cigare.

— Je comprends votre agacement. Je m'en excuse. Et je le comprends d'autant mieux qu'il est la conséquence logique des qualités pour lesquelles nous vous avons choisi. Mais nous avons un contretemps. C'est de cela dont on vient de m'avertir. Enfin, une contrainte fâcheuse. Je crains qu'elle ne soit définitivement négative pour notre projet ; à ce niveau, vous le comprendrez, votre intérêt personnel apparaît comme... comment dirais-je ? « un simple dommage collatéral ». N'y voyez rien de désobligeant.

Tommaso sentit de nouveau la colère l'envahir.

— Mais vous vous foutez de moi ? Vous me faites venir à Londres, toutes affaires cessantes, je quitte une expédition qui a besoin de toute mon attention, il vous faut tout tout de suite, et puis soudain plus rien ?

— Allons, se défendit l'avocat en avançant les mains dans un geste d'apaisement, ne le prenez pas comme ça, je…

— Je me moque de ce que vous pouvez faire. Je veux parler à votre client.

L'avocat se raidit.

— C'est hélas tout à fait impossible, répondit-il d'un ton froid.

— Dites-moi de qui il s'agit.

— Il n'en est pas question.

— Je ne sortirai pas d'ici sans savoir ce que vous comptez faire pour me dédommager.

Tommaso consulta sa montre.

— De toute façon, j'ai raté le dernier Eurostar. J'ai donc tout mon temps.

L'avocat tira une bouffée, se retourna pour poser son cigare sur un grand cendrier de marbre gris puis indiqua le canapé que Tommaso venait de quitter.

— Écoutez… commença-t-il en s'asseyant à son tour.

Le reste de la phrase fut noyé dans un vacarme assourdissant. Tommaso vit la fenêtre exploser et baissa la tête dans un geste automatique. L'ensemble de la pièce lui parut se soulever tandis que les murs tremblaient. Il ouvrit la bouche pour crier, mais aucun son ne sortit. Un choc le frappa en pleine poitrine, le jetant en arrière contre le mur. La douleur était atroce. Il ne pouvait plus respirer. Il pensa encore qu'on lui avait rempli la bouche de sable et que son crâne allait se rompre. Puis il tomba en avant dans un trou noir.

6

Un liquide chaud coulait sur sa joue. Tommaso ouvrit la bouche pour respirer et manqua de s'étouffer en avalant un mélange de poussière agglutinée au goût métallique de sang. Il tenta sans succès de bouger sa main droite. La douleur irradia son bras jusqu'à son épaule. Il grimaça, respira profondément et se força à ouvrir les paupières. Des éclats de lumière dansaient devant ses yeux. Il essaya d'accommoder avec peine. La plinthe du mur dansait face à lui. Il referma les paupières et s'efforça de se concentrer en les rouvrant pour porter son regard plus haut. La masse du canapé Chesterfield noir lui bouchait la vue. À demi renversé au-dessus de lui, celui-ci l'avait protégé comme un paravent, limitant l'effet de souffle et absorbant les éclats de verre qui avaient déchiqueté des accoudoirs. Une plaque de plâtre tombée du plafond et dont les éclats maculaient le cuir gisait à côté, bloquant son poignet droit. Il parvint à grand-peine à se mettre à genoux et entreprit de dégager avec sa main libre son bras droit. Son pantalon et sa chemise étaient déchirés, il lui manquait une chaussure. Il réussit à libérer son bras. La douleur l'élançait de la main jusqu'à l'épaule. Il avait du mal à le plier, mais les coupures lui semblèrent peu profondes et il n'y avait pas de fracture. Il tâta sa tête pour s'assurer qu'il n'avait pas d'autres blessures. Ses cheveux étaient poisseux et humides. Sa main était rouge de sang. Il se releva, s'approcha à pas lents de la glace accrochée au-dessus de la cheminée de briques. Elle était brisée et couverte de poussière. Il essuya avec précaution le miroir. Dans la pénombre, son visage se reflétait en exemplaires multiples dans la partie gauche brésillée. Dégageant ses cheveux avec sa main en coupe, il examina tant bien que mal le haut de son front, là où le cuir chevelu avait éclaté.

— Mais bon Dieu, que s'est-il passé ? murmura-t-il.

Il songea soudain qu'il ne savait pas combien de temps s'était écoulé. Il baissa machinalement les yeux vers son poignet gauche où il portait sa montre, mais les aiguilles s'étaient arrêtées sous le verre fendu. Il l'appuya contre son oreille. Il eut un geste de dépit et se retourna à la recherche d'une pendule.

C'est alors seulement qu'il aperçut Lowell. Allongé sur le dos face à la fenêtre, son corps long et mince désarticulé dans une posture grotesque, les bras et les jambes étalés en tout sens, il ressemblait à un pantin abandonné au milieu d'un jeu. L'éclat de verre qui lui avait tranché la gorge gisait à côté de lui, dans la mare de sang qui s'étalait en suivant les rainures du parquet. Tommaso déglutit avec difficulté. Il essaya de se rappeler les derniers instants. Ils parlaient, il était assis sur le canapé, l'avocat face à lui dans un des fauteuils ; et puis soudain…

Il s'approcha, les jambes molles. Un bruit de sirène déchira le curieux silence qui régnait dans le bâtiment. Tommaso tendit l'oreille sans percevoir aucune voix ni le bruit d'aucun pas au rez-de-chaussée. Le souffle d'air qui traversait les fenêtres aux vitres brisées était doux et tiède. Il consulta son portable, mais il n'avait pas de réseau. Il décrocha le téléphone fixe : pas de tonalité. Il alla jusqu'à la porte, l'ouvrit. Sur le palier régnait un silence identique. La moquette bleue était couverte de poussière et le plafond était en partie écroulé là aussi.

— Mademoiselle ?

Sa voix lui parvint, lointaine. Il se rendit compte que le bourdonnement qu'il percevait depuis un moment était l'écho de ses tympans assourdis.

Il laissa passer un instant puis reprit plus fort.

— Il y a quelqu'un ? Ohé, il y a quelqu'un ?

Seul un craquement sinistre lui répondit. Levant les yeux vers le trou béant dans le plafond, Tommaso longea le mur jusqu'à l'autre porte du palier. Il la poussa lentement. Il n'y avait pas de lumière lorsqu'il actionna l'interrupteur, mais il distinguait le lavabo et une autre porte qui devait donner sur les toilettes, pensa-t-il. Avec soulagement, il tourna à tâtons le robinet et glissa sa tête sous l'eau glaciale. Il frotta doucement ses cheveux collés par le sang. La morsure de l'eau était vive là où la plaie était ouverte, mais il lui sembla que le froid ravivait son esprit et l'aidait à calmer la nervosité qui faisait trembler sa main ankylosée.

Il resta un moment encore assis par terre sur le carrelage, puis se résolut à retourner sur le palier. Il s'appuya au chambranle et son regard parcourut face à lui l'espace dévasté du bureau. Il pensa qu'il ne fallait pas rester là lorsque ses yeux s'arrêtèrent, accrochés par un clignotement verdâtre. Il avança d'un pas encore chancelant jusqu'au bureau, contournant un fauteuil éventré. Au milieu des meubles renversés, criblés d'éclats de verre, des dossiers déchirés aux pages essaimées partout à travers la pièce couverte de poussière, l'écran plat de l'ordinateur était resté dressé sur le bureau. Tommaso balaya les papiers épars et les morceaux de plâtre d'un revers de main pour dégager le clavier à demi enfoui. Stupéfait, il vit de nouveau au-dessus des touches l'éclat des diodes vertes dont il avait aperçu le reflet. L'ordinateur n'avait pas cessé de fonctionner. Il avait seulement basculé sur sa batterie et le clignotement signalait qu'il allait se mettre en veille. Tommaso exhuma la souris et la déplaça sur le bureau.

« Allez, allez, tu vas pas t'endormir maintenant… »

L'ordinateur émit un bruit de soufflement avant de se remettre en marche. La lueur de l'écran se reflétait à présent dans le miroir brisé. Tommaso redressa le fauteuil renversé à côté de lui et s'assit. L'appareil était automatiquement ouvert sur la messagerie de Lowell. Il cliqua sur l'accès aux messages archivés et commença à descendre lentement, parcourant des yeux le résumé de chaque message qui s'affichait dans la fenêtre de droite. La plupart faisaient référence à des dossiers. Aucun nom ne lui était familier. Il réfléchit un instant puis tapa « Mac Donnell » dans le moteur de recherche. Le petit sablier clignotant apparut. Cinq secondes passèrent sans aucune nouvelle. Une rafale de messages s'afficha. Trois, cinq, sept, huit. Tommaso approcha légèrement son visage de l'écran et cliqua sur le premier. Puis sur le deuxième et le troisième. En se baissant, il vérifia que l'imprimante sous le bureau fonctionnait aussi pour imprimer tous les e-mails où il était cité. Il bascula ensuite sur le carnet d'adresses et le fit défiler jusqu'à trouver le nom qu'il cherchait. Il imprima également cette fiche, plia les feuilles avant de les glisser dans la poche arrière de son pantalon. Enfin, il referma la fenêtre et se leva.

*****

Le centre de Londres était en proie à une totale désorganisation, traversé de hordes de salariés chassés de leur bureau et qui, faute de métro, s'efforçaient de regagner leur domicile à pied ou tout au moins de s'écarter de la zone quadrillée par des voitures de police et des ambulances roulant sirène hurlante dans les rues encombrées de piétons. Çà et là, des postes de la Croix-Rouge proposaient assistance aux blessés et les policiers essayaient de mettre en place des barrages pour faciliter la circulation des véhicules d'urgence. La plupart des passants ne présentaient pas de blessure mais personne ne regardait Tommaso avec une trop grande surprise. L'archéologue repoussa aimablement les secouristes qui voulaient l'aider et se laissa porter par la foule jusqu'à Westminster. Là, il s'accouda un instant aux barrières qui empêchaient de s'approcher davantage du Parlement. Un incendie faisait rage dans le corps du bâtiment, les flammes rougeoyant à travers les trous béants des fenêtres. Tous les immeubles environnants donnaient l'impression d'avoir été bombardés. Et au milieu d'eux s'ouvrait une sinistre saignée là où la tour de Big Ben s'était effondrée, écrasant un pâté de maisons. Tommaso resta un moment abasourdi par le spectacle qui paraissait sorti d'un film catastrophe. Une sensation irréelle émanait de cette vision d'horreur, comme si ces immeubles n'avaient pu être réellement faits de ciment et d'acier. Quelque chose en lui se refusait à accepter l'image qui s'imprimait sur la rétine de son œil. Il sentait son cœur battre et s'efforça de contrôler l'émotion qui lui écrasait la poitrine. Autour de lui, des dizaines de passants, certains portant des pansements, les vêtements déchirés, demeuraient dans la même attitude immobile, les mains serrées autour du fer des barrières, protections dérisoires posées au milieu du chaos. Des secouristes passaient en courant. L'un d'eux bouscula Tommaso dans sa hâte, le repoussant contre la barrière. Il se retourna en s'excusant d'un geste, sans interrompre sa course, tandis que l'archéologue rétablissait son équilibre. Il le regarda disparaître en direction du fleuve.

Quelques instants après, Tommaso contournait la place et gagnait la Tamise au niveau d'Embankment. Il traversa Tower Bridge. Deux heures plus tard, exténué, il atteignait son hôtel. Les communications téléphoniques étaient encore suspendues, mais il put envoyer un e-mail à sa femme et un autre à Antoine. Puis il se laissa tomber sur son lit et s'endormit comme une masse.

*****

Lorsque le double bip de la sonnerie anglaise du téléphone le réveilla, il faisait nuit noire. À tâtons, il chercha le combiné, se retournant sur son épaule blessée qui se rappela brutalement à son souvenir. Il grimaça en décrochant. La voix d'Antoine lui arracha un sourire tandis qu'il essayait de renouer le fil des derniers événements.

— Bon Dieu, tu étais où ? Ça va ? J'ai eu une peur bleue !

Il attrapa le téléphone de sa main libre pour pouvoir s'asseoir et croisa les jambes. Sa tête l'élançait et il avait l'impression d'avoir des bleus partout.

Le décor léché et banal de cette chambre d'hôtel international – moquette et rideaux bleus, appliques de bois, écran plat – lui paraissait surréaliste.

— Ça va, s'entendit-il répondre d'une voix d'outre-tombe. Je suis à peu près entier.

Il y eut un silence.

— La ville est en état de guerre. C'est incroyable. Tu ne peux pas imaginer. J'ai vu Big Ben couché au milieu de la place, il y a des immeubles en feu…

Antoine le coupa.

— À peu près entier ça veut dire quoi ?

— Je ne sais pas ce qui s'est passé. Tu dois en savoir plus que moi. J'étais chez Lowell quand tout a explosé. Je me suis réveillé je ne sais pas combien de temps plus tard, avec deux ou trois coupures, et puis je suis rentré ici.

La voix d'Antoine se teinta d'inquiétude.

— Les images sont dingues, ça défile en boucle, on dirait Beyrouth ou le 11 Septembre… Ils parlent d'une bombe, à l'intérieur du Parlement, d'une ou plusieurs voitures piégées dans le parking… Après Paris, les types étaient déjà sur les dents, mais là…

Tommaso soupira. Tout en écoutant son ami, il s'était levé et, coinçant le combiné sous son cou, avait retiré sa chemise couverte de sang. Le reflet que lui renvoyait la glace faisait peur : le sang avait coulé de nouveau sur son front et sa joue, sans qu'il en ait conscience, et ses vêtements portaient des auréoles rougeâtres. Il saisit la télécommande et alluma la télévision sur BBC World. L'image de Big Ben éventré s'étalait sur l'écran. Le sous-titre « London bombing » était éloquent.

Antoine attendit un instant puis, le silence s'éternisant, reprit :

— Qu'est-ce qu'il t'a dit ?

— Il voulait nous confier un chantier de fouille pour le compte d'un de ses clients. Prêt à payer cher. Ça, c'est pour le positif.

— Ça se passe où ?

— Au large de la Tunisie. Assez loin pour qu'ils nous foutent la paix. Où exactement, je ne sais pas, mais pas si profond d'après ce que j'ai vu. Je n'ai pas le détail bien sûr, ils ne sont pas fous. Il m'a dit d'abord que si tout avançait bien, il me passerait les éléments topographiques la semaine prochaine…

Antoine le coupa d'une voix impatiente :

— Quelle époque ?

— Frégate, 1867. Bourrée d'antiquités carthaginoises. Affrétée par le Louvre et jamais remontée.

Il s'interrompit une seconde. Antoine reprit d'une voix toujours aussi peu assurée.

— Pourquoi tu dis côté positif ?

— Après avoir passé des heures à m'expliquer son truc, il a tourné casaque en une seconde à cause d'un coup de fil. Il me proposait un pont d'or et voulait tout tout de suite. Et puis une seconde après il voulait tout arrêter. Et j'en suis là…

Tommaso sentit la déception dans la voix de son ami.

— Il t'a donné des explications ?

— Rien. Des conneries. Je lui ai dit que je voulais parler à son client.

— Il t'a donné son identité ?

Tommaso soupira.

— Non. Il est mort.

Cette fois, Antoine s'étrangla.

— Il est quoi ? rugit-il.

Tommaso se laissa retomber sur le lit.

— Lowell est mort. Ils s'étaient tous barrés mais lui a pris un éclat de verre.

— Oh merde.

— Mais j'ai déniché le nom du client. Il habite Paris. Dès que j'arrive à quitter cette ville je vais lui rendre une petite visite. Il faut que tu me trouves des choses sur lui. Je n'ai que son e-mail et son adresse. Il s'appelle Garcieux et son e-mail est pgarcieux@hot-mail.com.

Il y eut un long blanc avant qu'Antoine ne reprenne la parole, la voix bougonne.

— Putain, Tommaso, tu crois pas qu'il vaut mieux laisser tomber ? T'as déjà de la chance d'être passé à travers l'attentat.

Tommaso sentit un peu d'énergie regagner sa voix quand il prononça d'une voix nette :

— Mais l'attentat n'a rien à voir avec ça ! Je veux savoir. Il n'était qu'un intermédiaire. De toute façon, je dois aller à Paris pour voir Mathilde. Je veux savoir ce qu'il en est. Que ce type me dise de quoi il s'agit. Si nous avons juste perdu notre temps ou s'il y a encore une chance.

— Tu es sûr que tu vas bien ? Tu as vu un médecin ? Et tu as signalé quelque chose sur ce que tu as fait, sur Lowell ?

Tommaso laissa son regard glisser sur les toits de la capitale anglaise. Au loin, le concert ininterrompu des sirènes s'interrompit un instant pour reprendre aussitôt de plus belle.

— Pourquoi ? Ne sois pas idiot, c'est tout le cœur de Londres qui a explosé, ils ne vont pas m'accuser de meurtre...

7

Monastère du mont Cassin, Italie – juin 1414

Fra Leandro fit un geste pour remonter la manche de son habit de bure et tendit le bras en avant dans le caveau jusqu'à toucher le livre. Lorsqu'il le dégagea, les os d'une des mains du squelette se disloquèrent et roulèrent au fond du cercueil de pierre avec un bruit sec. Les doigts du religieux tremblèrent. Il caressa la couverture de vélin brunâtre. Les traces d'humidité et les auréoles laissées par des taches successives étaient les seules décorations de la reliure anonyme. La couverture et le dos du livre ne portaient mention d'aucun auteur ni d'aucun titre. Fra Leandro hésita une seconde encore, puis souleva la couverture épaisse faite de plusieurs feuilles accolées à une peau de cuir elle-même fixée sur une plaque de bois. Une liasse de parchemins d'une texture peu commune apparut. L'écriture sur le premier d'entre eux était si pâle qu'on la distinguait à peine. Le religieux plissa les yeux et pencha sa grosse tête ronde pour essayer de déchiffrer la première ligne.

— Quum divina tua mens et numen, imperator caesar... ânonna-t-il à voix basse.

L'émotion le bouleversait en même temps que son impatience grandissait. Il eut une grimace de dépit : impossible de lire la suite.

Il se retourna pour chercher un espace mieux éclairé dans la nef de l'église. Les embrasures étroites, fines comme des archères, laissaient poindre seulement une lumière troublée de la coloration des vitraux. Les reflets bleus et rouges qui tombaient sur les pages brouillaient la vue presque autant qu'ils l'éclairaient. Dans les contre-nefs délimitées par des rangées de piliers sculptés en creux régnait une semblable pénombre. L'humidité, qui rongeait les couleurs et s'insinuait dans les cicatrices laissées dans la pierre par le tremblement de terre responsable de la destruction de l'abbaye soixante-dix ans plus tôt, faisait courir un réseau de veines depuis la voûte jusqu'au pavement noir et ivoire.

— L'abside, murmura-t-il.

Avec une précaution et une lenteur qui contrastaient avec l'état de fébrilité dans lequel il se trouvait à présent, Fra Leandro referma le livre et le souleva. Puis, comme s'il portait une relique, il se dirigea droit vers le chœur et le posa sur l'autel de marbre blanc. La lumière des fenêtres des absidioles, situées plus près du sol, tombait ici plus directement sur le livre. Elle soulignait le teint pâle du religieux et sa mine maladive malgré ses joues rondes et son embonpoint.

En se retournant, le religieux pouvait encore voir, au-delà des marches qui menaient à l'autel puis de la colonnade qui soutenait la voûte, tapie dans l'ombre, la petite dalle de pierre descellée par laquelle il avait accédé à la tombe du fondateur de l'ordre, le grand saint Benoît. Il détourna les yeux, préférant ne plus regarder ce spectacle de profanation qui lui faisait d'autant plus horreur qu'il en était responsable. Il prit

sa respiration et rouvrit le livre. Au-dessus de la première ligne, des caractères lui apparaissaient maintenant clairement, invisibles tout à l'heure dans l'obscurité
de la tombe entrouverte.

— *De Architectura*, murmura-t-il en suivant le texte
à demi effacé du doigt.

Son bras tout entier tremblait.

— Marcus Vitruvius Pollio, liber I.

Oubliant le soin précautionneux avec lequel il avait
sorti l'objet de la tombe puis l'avait apporté jusqu'à
l'autel, Fra Leandro feuilleta les feuilles rassemblées
sous la couverture anonyme, cherchant les chiffres
latins qui indiquaient le numéro des livres successifs.

— Neuf, dix.

Il s'arrêta un instant avant de tourner la page sui-
vante, et reprit sa lecture.

— Onze !

Ses bras retombèrent le long de son corps. Il était
sans expression, fasciné par la vision de cette page.

Il répéta en balbutiant :

— Onze… Un livre de plus…

De mémoire de savant bibliothécaire, le *De Architectura*, la somme perdue des travaux de Vitruve, le
plus grand connaisseur de l'architecture que l'Antiquité ait vu naître, avait toujours compté dix livres et
pas onze…

Fra Leandro avait donc eu raison : la découverte de
livres précieux scellés dans les murs à l'occasion du
tremblement de terre de 1349 était stupéfiante, mais
n'était qu'une petite partie des choses. Le moine s'en
était persuadé peu à peu, en travaillant depuis plus de
deux années dans la bibliothèque de l'abbaye, patiemment relevée et enrichie après la catastrophe grâce à
l'attachement du pape Urbain V. Le souverain pontife
n'ignorait rien de la valeur des trésors intellectuels

amassés ici depuis que saint Benoît avait fondé le lieu. Des trésors miraculeusement sauvegardés à travers les siècles parce que placés sous la protection de la très renommée abbaye, échappant ainsi à la rigueur de ceux qui considéraient la connaissance comme un danger. Urbain V soupçonnait l'ampleur de cet héritage et refusait qu'un autre le contrôle, au point de n'avoir jamais abandonné sa charge d'abbé du monastère. Le pape avait vu juste : l'héritage était inouï. Mais il était mort avant que l'abbaye ne révélât l'ensemble de ses secrets.

Et c'était à lui, Fra Leandro, simple copiste, qu'il avait été donné de dénicher la cachette du plus précieux des livres acheminés par des chemins tortueux jusqu'à l'abbaye. Il avait fallu interpréter, recouper, imaginer même que le grand œuvre de Vitruve, un texte irremplaçable, perdu depuis mille quatre cents ans, puisse être parvenu entre les mains de Benoît. Le saint fondateur de l'ordre l'avait décrypté. Il l'avait médité. Et il avait en fin de compte jugé ce texte si inquiétant qu'il n'avait pas cru suffisant de le déposer dans une des cachettes où il avait entreposé d'autres livres interdits. À la veille de sa mort, terrifié de ne pouvoir contrôler ce qu'il adviendrait du livre, il avait voulu le garder auprès de lui, l'emporter jusque dans la tombe.

Fra Leandro jeta de nouveau un œil sur cette tombe qu'il venait de profaner quelques instants plus tôt, suant à grosses gouttes malgré le froid en s'arc-boutant sur un levier de fer pour disjoindre la dalle qui fermait le cercueil. La tombe de saint Benoît… L'horreur du geste amena un frisson sur son échine.

Un bruit le fit sursauter. Ses paumes se crispèrent sur les pages comme pour les protéger.

De Architectura, le livre dédié à Auguste, la somme des connaissances sur l'architecture de toute l'Antiquité romaine puisée aux sources de la Grèce, de l'Égypte, de la Perse et de la Mésopotamie. *De Architectura*, dont le monde des savants pleurait la perte des dix livres…

Il baissa les yeux de nouveau sur le chiffre inscrit en haut de la page : Livre XI. Une trace plus pâle attira son attention. Il baissa les yeux.

Quelqu'un avait écrit dans la marge du chapitre. Une trace à peine visible, presque effacée, en petites lettres qui serpentaient dans les espaces laissés vides.

— Les loupes, murmura le religieux.

Il fallait aller les chercher dans le scriptorium. Les emmener dans sa chambre, puis déchiffrer les mots.

Il crut entendre un bruit de nouveau et s'immobilisa. Mais le silence paraissait complet dans la basilique.

Fra Leandro tira à la hâte un linge de sous sa robe et enveloppa le livre. Prestement, il redescendit jusqu'au caveau dont la dalle dépassait à peine du sol de la nef et remit en place la pierre descellée. Puis il frotta du pied pour disperser les éclats du mortier joignant les pierres et quitta la basilique par le cloître, rasant les murs, le cœur battant, son trésor serré contre sa poitrine.

*****

L'aube déposait ses premiers rayons sur le mur nu de la cellule. Déjà, Leandro percevait le bruit causé par certains de ses frères réveillés et vaquant aux activités du matin avant que ne résonnât de nouveau l'appel à la prière. Il lui restait peu de temps et pourtant, il ne parvenait pas à accélérer sa lecture ni à détacher ses yeux du texte.

Il avait lu les mots mêmes de saint Benoît, ses annotations en marge du document. Avec émotion, la mise en garde avait résonné dans sa poitrine. Le saint avait rédigé son commentaire sans crainte, à la veille de mourir. Il n'imaginait pas que le Destin laisserait des âmes insensibles à son appel découvrir ce texte, si des circonstances accidentelles ou des mains sacrilèges venaient à profaner sa sépulture.

« Je souhaite que jamais œil humain ne se pose sur ces lignes et qu'aucun de mes semblables, si grand soit le temps qui nous sépare, ne se trouve contraint de partager la faute que je commets en retranchant ce texte de la mémoire des hommes et en niant son existence. Dieu a voulu que je supporte le fardeau qu'a porté avant moi avec envie et ambition Vitruvius Pollio. Il ne m'était pas possible de détruire une telle œuvre. Mais j'adjure celui de mes frères en Christ qui trouverait ce texte de suivre mon avis et d'empêcher que se poursuive la quête terrible et inachevée commencée sur les rives de Carthage l'orgueilleuse... »

Leandro relut ces lignes une dernière fois puis referma le livre sans poursuivre.

Il savait ce qui lui restait à faire.

Sur son lit étroit, un linge déplié laissait voir les deux loupes, les stylets et les outils de reliure qu'il avait dérobés à l'atelier avant l'office de la nuit.

Comme à regret, il saisit le couteau affûté à bout rond qui servait à trancher le cuir et le posa à côté du livre. Puis il rouvrit celui-ci à la page où commençait le Livre XI et entreprit de trancher les coutures qui retenaient les feuillets de parchemin ornés des commentaires de Benoît.

Sa tâche achevée, il referma le livre et essuya la sueur qui perlait sur son front.

La tête lui tournait. Un coup à sa porte le fit sursauter. Il ne fallait plus perdre de temps, le frère portier avait déjà frappé à la porte de la cellule attenante. Dans quelques instants, le couloir grouillerait des moines se dirigeant vers la basilique. Il referma le linge protégeant les outils et posa les feuillets détachés sur le paquet avant de glisser le tout sous sa paillasse. Puis il rabattit le capuchon de son habit sur sa tête et ouvrit la porte.

Comme il sortait, la silhouette d'un de ses frères revêtu d'un habit identique surgit de la porte voisine. Il passa devant lui en murmurant le salut rituel. Les mots frappèrent Leandro plus vivement qu'à l'habitude.

— Mon frère, souviens-toi que tu vas mourir !

Leandro emboîta le pas en s'efforçant de contrôler le mouvement de sa jambe. Le Ciel veuille qu'il ait fait le bon choix.

*****

L'abbé du mont Cassin regarda Leandro de l'air sévère dont il ne se départissait jamais.

— Vous avez voulu me voir, seul ? interrogea-t-il tout en observant par la fenêtre les moines s'affairer dans le verger du monastère.

Leandro hocha la tête en présentant un paquet enveloppé d'une toile de jute.

— J'ai jugé qu'il fallait vous rendre compte sans délai et que vous seul deviez être informé…

— Qu'est-ce ? laissa tomber l'abbé, interrompant le copiste.

— Il semble, mon père, que les études que vous avez bien voulu me laisser poursuivre, dans la ligne des souhaits manifestés par le défunt pape Urbain, aient trouvé un couronnement.

L'abbé leva un sourcil.

— J'ai là entre les mains un manuscrit qui me semble être un texte connu de réputation mais perdu depuis près de quatorze siècles… Le traité d'architecture de Vitruve.

L'abbé abandonna la fenêtre et contourna le bureau de bois précieux hérité de ses prédécesseurs pour s'approcher du copiste. Il posa la main sur le paquet.

— Tu es sûr ?

Le moine avala sa salive et baissa la tête.

— J'en suis certain, articula-t-il d'une voix presque inaudible. Ce sont bien là les dix livres du *De Architectura*. Tous les dix…

8

Tommaso quitta des yeux le ciel bleu qui régnait sans partage au-dessus de Paris. Baissant le regard, il déplia *Le Figaro*. L'article s'étalait à la une, autour d'une immense photo en couleur :

« Plus fort que le Blitz » à la une du Sun, *« Outrage »* en titre du Daily Mirror, *ces deux exemples suffisent à résumer l'émotion populaire très vive suscitée aujourd'hui en Grande-Bretagne par l'attentat qui a failli coûter la vie hier soir au Premier ministre Jason Gallagher, et a frappé le symbole le plus célèbre du Royaume-Uni en causant des dégâts considérables à Big Ben. C'était pourtant, semble-t-il, un autre symbole qui était visé, la Chambre des communes. Le bâtiment, dont Big Ben est la tour, a en effet été presque entièrement détruit par l'explosion de la bombe, d'une puissance jamais atteinte dans un attentat commis en Angleterre. « C'est une opération militaire », commentait il y a quelques heures un enquêteur. La piste irlandaise de l'IRA et surtout la piste islamiste ont bien sûr été évoquées, mais en l'absence de toute revendication, on estime à Scotland Yard qu'il y a lieu d'être prudent. En état de choc, les Anglais attendent un*

bilan définitif. On sait d'ores et déjà qu'il sera très lourd puisqu'il s'établit à l'heure qu'il est à cent deux morts et six cents blessés dont plusieurs dizaines sont encore dans un état critique. Toutes les interrogations des enquêteurs se focalisent bien sûr sur une possible connexion avec l'attentat de Paris. Des policiers des deux pays sont d'ores et déjà en train d'examiner de possibles similitudes, par-delà l'ampleur différente des attaques, dans le mode opératoire ou la nature des explosifs utilisés. Des mesures drastiques ont également été décidées, semblables à celles mises en œuvre après les attentats de l'été 2005 dans le métro de Londres. Tant dans les ports que les aéroports et les gares, des forces militaires ont été déployées et les contrôles renforcés occasionnent déjà des retards considérables à l'embarquement. Dans toutes les capitales européennes, des mesures de sécurité préventives ont également été prises. La présidence de l'Union européenne...

Tommaso posa son journal et finit son café. Levant les yeux, il avait une vue directe, à travers la vitrine du bistrot où il s'était installé deux heures auparavant, sur l'immeuble correspondant à l'adresse relevée dans l'agenda électronique de Lowell.

Rien ne distinguait la façade de celles des autres immeubles haussmanniens qui se succédaient depuis la petite place ronde où se trouvait le café, tout au long de la rue étroite. Même porte cochère, mêmes fenêtres arrondies au premier étage, même hauteur et jusqu'aux habillages ronds recouverts d'ardoises qui encadraient le toit. Seules les frondaisons du jardin du Luxembourg, tout au bout de la rue, tranchaient sur ce monde de bitume et de pierre.

Tommaso recula sa chaise en bois, glissa un billet sous la soucoupe dans laquelle était déposée l'addition, enfila son blouson avec précaution en déplaçant la petite table en formica derrière laquelle il était assis, pour ne pas heurter son bras endolori.

Le barman occupé à laver les verres répondit d'un grognement à son au-revoir.

Tommaso poussa la porte embuée et sortit. Un air plus frais l'accueillit.

Il se dirigea vers la porte peinte en bleu et tapa sans hésitation le code dont il s'était efforcé d'apercevoir chaque chiffre en épiant depuis la vitrine une vieille dame sortie acheter du pain quelques instants plus tôt. 1-8-7-4-*... Un bourdonnement signala l'ouverture du mécanisme. Il poussa sur le vantail et pénétra dans le hall.

L'escalier qui conduisait aux étages occupait la moitié gauche de l'espace, séparé du hall par une porte vitrée. Tommaso observa avec satisfaction qu'il n'y avait pas d'autre code. La porte de la loge du gardien était fermée. Pas un bruit ne troublait le silence. Tommaso alluma la lumière, éclairant l'épais tapis rouge qui courait vers l'escalier. Il hésita une seconde avant de s'engager en direction des étages, puis se ravisa en apercevant un petit tableau encadré d'une baguette en cuivre. Il balaya des yeux les noms qui y étaient inscrits. Certains habitants avaient occulté leur identité mais, avec soulagement, Tommaso découvrit celui qu'il cherchait : Monsieur Paul Garcieux, deuxième étage.

Un bruit métallique le fit sursauter. Il sourit de sa propre nervosité. Il y avait quelque chose d'un peu absurde dans sa démarche. Intrigué, il poussa quand même la porte-fenêtre en verre dépoli située au fond du hall et par laquelle la lumière du jour parvenait faiblement. Comme il s'y attendait, elle ouvrait sur une cour carrée. En face, dans un bâtiment d'un seul étage, des garages avaient été aménagés. Le côté droit était occupé par un autre immeuble et le gauche par un mur aveugle de trois à quatre mètres de haut. Le brouhaha aigu qui en provenait indiquait sans hésitation qu'il protégeait une cour d'école.

Il consulta sa montre. Il lui restait trois heures avant d'aller chercher sa fille à la sortie de sa propre école.

— Elle sera ravie, avait seulement commenté Isabelle d'un ton froid, quand il était passé, la veille, en arrivant.

Debout dans la pénombre de la chambre d'enfant, il avait senti les mots peser sur sa nuque. Bras croisés, dans l'encadrement de la porte, sa femme avait laissé passer un temps imperceptible avant d'ajouter :

— À condition que tu ne sois pas en retard, comme la dernière fois.

Même prononcés à voix basse pour ne pas réveiller la petite fille endormie après un après-midi de jeu, les mots l'avaient glacé. Il avait secoué la tête en signe de dénégation tout en remontant la couverture jusqu'au milieu du torse de Mathilde, effrayé comme chaque fois de la voir si grandie. Puis il avait quitté la pièce à regret.

Isabelle et lui avaient échangé encore quelques propos banals. Tommaso éprouvait en l'écoutant égrener des mots durs et anodins la même sensation oppressante ressentie à chacun de ses passages à Paris. Le même sentiment de ne pas vouloir aborder les sujets importants amassés entre eux au point de créer cette étrange impression de distance. La même méfiance. Il fixait ses mains nerveuses aux ongles courts, refoulant l'émotion qui le saisissait peu à peu et montait le long de ses membres, s'infiltrant le long de son dos, comme un poison.

Il se sentait un étranger dans sa propre maison, mortifié de constater qu'Isabelle, qui ne vivait qu'en musique, s'était abstenue de mettre un disque. Meurtri, il songea qu'elle ne faisait ordinairement cela qu'avec des gens qu'elle ne connaissait pas.

Isabelle parlait de l'école, des notes de Mathilde, de ses amies, de ses joies et peines quotidiennes. À chaque mot, Tommaso ressentait l'effet d'un reproche martelé, encore et encore, comme si chaque exemple était une illustration de bonheur gâché.

Ses questions lui semblaient tomber à plat. Isabelle le considérait d'un air méfiant, à demi incrédule. Puis reprenait la litanie monotone. À un moment, il avait perdu le sens des mots, n'entendant plus qu'une mélodie lancinante qui lui labourait la poitrine. Serrant les poings dans ses poches, il essayait encore une fois d'identifier la source du détachement progressif qui gouvernait désormais leur relation. Était-ce cela sa faute ? Avoir espéré qu'au retour de mois de passion au bout du monde tout soit resté en l'état, à l'instar des personnages figés dans le sommeil qui fascinaient tant sa fille dans *La Belle au bois dormant* ?

Un nouveau bruit le ramena à l'instant présent. Un chat gris traversa la cour en trombe tandis que le couvercle de la poubelle qu'il venait de heurter tombait avec fracas sur le sol pavé. Tommaso rebroussa chemin. Il jeta un regard méfiant au vieil ascenseur en bois fermé par une grille de métal noir et s'engagea dans l'escalier.

Tout en montant les marches, il repensait au message maladroit qu'il avait laissé deux jours auparavant sur le répondeur téléphonique de Paul Garcieux. « Bonjour, vous êtes en communication avec le répondeur téléphonique de Paul Garcieux. Je ne suis pas là mais merci de laisser un message et je vous rappellerai. »

La voix était douce, presque hésitante. Tommaso avait buté sur les mots, indiquant ses coordonnées sans motif vraiment explicite. Personne n'avait rappelé.

Il passa le palier du premier étage.

« Cette démarche est absurde, pensa-t-il. Il ne veut pas me parler. Qu'est-ce que je peux lui raconter ? Et la mort de Lowell va tout embrouiller… Déjà que je ne vois pas bien ce qu'il vient faire dans cette histoire. »

Ce qu'Antoine avait glané sur Internet ne lui livrait aucune réponse satisfaisante. « Il » : Paul Garcieux, soixante-deux ans, professeur à la Sorbonne, spécialiste des civilisations antiques et de l'histoire de la Méditerranée antique, auteur de nombreux ouvrages sur la découverte de l'écriture et ses évolutions, sur les religions et les formes de dévotion traditionnelles, sur mille autres sujets ; un homme grand et presque chauve, au visage rond et banal dans lequel perçait un regard d'aigle, un intellectuel universitaire sans rien en apparence de compliqué ni d'obscur ; une trajectoire certes brillante, mais on ne peut plus classique. Intéressé sans doute par les fouilles en Méditerranée, mais de là à monter des opérations discrètes à l'écart du monde universitaire…

Au deuxième étage, une double porte en bois anonyme faisait face à la plaque d'un cabinet d'avocats. Tommaso tourna le dos à la plaque professionnelle et pressa l'autre sonnette. Un carillon à trois tons se fit entendre. La mélodie s'éteignit et l'immeuble retomba dans le silence. Une porte claqua sur un palier au-dessus de lui. Tommaso attendit un instant puis insista, sans succès. Il hésita, poussa sur la porte. Rien ne se passa. Il recula de deux pas.

« Antoine a raison, pensa-t-il. Tout cela ne rime à rien. Tu es ridicule. »

Il plongeait la main dans la poche de son blouson pour saisir son téléphone portable lorsqu'il se figea sur place en sentant la pression du métal froid sur sa nuque.

— Ne bougez pas, fit une voix de femme au ton cassant. Ne vous retournez pas. Sortez votre main de votre poche, doucement.

Tommaso s'exécuta et leva la main en montrant son téléphone. Puis il esquissa un geste machinal pour se retourner.

Le ton se fit sifflant et la pression plus forte l'obligea à baisser la tête.

— J'ai dit ne bougez pas. Ne faites pas l'idiot. Ce que vous sentez dans votre dos est bien le canon d'une arme. Ramassez plutôt ça et ouvrez la porte.

Une clé de sécurité atterrit devant lui contre la porte, glissant en silence sur le tapis rouge.

— Vite.

Tommaso soupira et se pencha pour ramasser la clé. Le battant joua.

— Entrez, commanda la voix en le poussant en avant.

9

L'appartement était plongé dans l'ombre. Tommaso fit quelques pas au milieu d'une vaste pièce ovale percée de cinq portes. Un lustre de cristal suspendu au plafond jetait des reflets épars sur les murs blancs tapissés de tableaux dont on distinguait à peine les sujets classiques. Deux statues anciennes trônaient de part et d'autre de la pièce dont le sol était couvert d'un grand tapis bleu et or en forme de médaillon. La porte d'entrée claqua dans son dos.

Un picotement courait sur la nuque de Tommaso. Il connaissait ce sentiment. Le même qu'en plongée quand le danger est là, menaçant, pour souligner combien la situation dans laquelle on vient de se mettre est fragile et précaire. Il lui semblait sentir physiquement le rayonnement du canon froid derrière sa nuque. Il se raidit pour cacher son appréhension.

— La deuxième porte à gauche, ouvrez-la, ordonna la femme.

Tommaso s'exécuta. Une lumière plus forte, filtrée par des persiennes envahit en rais horizontaux l'espace de l'entrée. Tommaso fit un pas en avant pour découvrir un capharnaüm invraisemblable. Ce qui devait être un bureau et une bibliothèque était entièrement sens dessus dessous. Arrachés aux rayonnages, les livres avaient été précipités en tas au milieu de la pièce. Les cadres gisaient à terre, certains brisés, à côté de fauteuils éventrés dont la bourre s'étalait sur le tapis.

La voix retentit de nouveau.

— Asseyez-vous par terre, en tailleur, les mains posées à plat de chaque côté. Bien. Vous pouvez vous retourner, à présent.

Tommaso pivota sur lui-même.

Une jeune femme vêtue d'un jean et d'un tee-shirt blanc le tenait en joue depuis le seuil de la pièce, un revolver fermement calé dans sa main droite, la gauche enserrant son poignet. Ses mâchoires serrées renforçaient la dureté de ses traits fins. Dans son visage triangulaire, sous les cheveux bruns coupés à la garçonne, ses lèvres fines dessinaient un trait mince. Il émanait de sa silhouette fragile une tension inquiétante, mélange d'agressivité et de volonté.

Tommaso ne percevait aucune crainte en elle, seulement une tension qui ressemblait à de la colère. Il songea qu'elle le prenait peut-être pour Garcieux.

Il la fixa en silence. Elle ne cillait pas. « Ne pas entrer dans son jeu », pensait-il.

— Qui êtes-vous ? interrogea-t-elle sur le même ton froid.

Tommaso se força à sourire.

— Je vous retourne la question. Moi, je n'ai aucune idée de qui vous êtes. Je pense que vous êtes plus avancée ? Personnellement, j'évite de braquer une arme sur la tête d'un inconnu sans la moindre raison.

Seul un frémissement de son visage trahit son agacement.

— Je ne vous conseille pas de faire de l'humour. Ni de douter de ma détermination. Notez toutefois que si j'avais voulu vous tuer, vous seriez déjà mort.

— Et pour ma part si j'avais voulu tuer quelqu'un, je n'aurais pas sonné ! Je ne vous connais même pas !

— Qu'est-ce que vous faisiez là alors ? Je ne crois pas beaucoup aux coïncidences.

Sa voix prit une intonation plus menaçante.

— Qui êtes-vous ?

Tommaso hésita avant de décider de jeter du lest.

— Je m'appelle Tommaso Mac Donnell. Je suis archéologue.

Elle sembla hésiter à son tour, comme si elle ne s'attendait pas à cette réponse. Pourtant, le nom évoquait quelque chose en elle, Tommaso l'aurait juré. Il profita de cette petite faille pour essayer de s'y engouffrer.

— C'est une histoire de fou. Je fais des fouilles sous-marines. Je suis venu pour rencontrer monsieur Garcieux. Je ne le connais pas et n'ait jamais été en contact direct avec lui. Je veux seulement comprendre pourquoi il m'a contacté il y a huit jours via un intermédiaire pour m'engager sur un chantier avant de me laisser tomber. Je veux juste comprendre.

Les traits de la jeune femme parurent se relâcher.

— Il est mort. Paul Garcieux est mort.

Tommaso accusa le coup. L'angoisse le saisit cette fois pour de bon. Il avala sa salive et chercha comment réagir, mais elle enchaîna sans lui laisser le temps de répondre. Si sa voix était redevenue un peu plus calme, elle n'avait pas modifié sa position et Tommaso sentait toujours peser sur sa poitrine la menace du canon court braqué sur lui. Il se rendit compte que ses mains tremblaient et accentua la pression de ses paumes sur le tapis afin qu'elle ne puisse s'en apercevoir.

— Vous ne savez vraiment pas qui je suis ? Je suis sa fille. Et en réponse à votre question, je n'ai pas non plus pour habitude de braquer les gens. Seulement on vient de tuer mon père et, deux jours après, de cambrioler son appartement.

Elle fit un pas très lent pour entrer dans l'espace dévasté du bureau.

— Qu'est-ce qui me prouve que je peux vous faire confiance ?

Elle désigna du menton le spectacle de désolation qui régnait dans la pièce.

— Écoutez son répondeur ! se défendit Tommaso. J'ai laissé un message il y a deux jours et un autre hier.

Il souleva légèrement ses mains, paumes ouvertes.

— Je ne porte pas de gants. Vous croyez que je m'amuserais à laisser mes empreintes partout si j'avais des intentions criminelles ?

— J'ai écouté votre message, coupa-t-elle. Il est obscur et en rien rassurant. Et qui me dit que ce nom est le vôtre ? Et que vous êtes bien celui que vous prétendez être ? Pourquoi avoir court-circuité ce mystérieux intermédiaire, s'il était votre lien ?

Tommaso baissa la tête, gagné par le découragement.

— Je sais que cela va vous paraître absurde mais il est mort lui aussi dans l'attentat de Londres. J'étais avec lui, j'étais venu chercher des réponses et l'explosion nous a interrompus…

Le silence se réinstalla. La jeune femme continuait de le considérer d'un œil méfiant.

Tommaso sentit tout à coup la chaleur se ranimer dans ses veines. « Ça commence à bien faire », pensa-t-il. La lassitude relâcha son étreinte une seconde, suffisante pour qu'il décide de reprendre l'offensive.

— Bon, que faisons-nous ? J'ai mes papiers dans ma poche…

— Ne bougez pas ! intima-t-elle.

Tommaso hocha la tête. La sueur coulait sous sa chemise.

— Oubliez-moi. Je veux sortir de cette affaire et ne pas y perdre trop de billes financières, encore moins ramasser un mauvais coup ou une balle perdue. Or je n'y comprends rien. Je ne sais rien de votre affaire ni de cette mort ou de ce cambriolage, je n'ai aucune raison d'y être mêlé. Je veux juste reprendre le cours normal de ma vie, oublier cet appartement et Paul Garcieux…

Tommaso s'interrompit net en voyant un point rouge glisser sur le chambranle de la porte en direction du visage de la jeune femme.

Sans réfléchir, il se détendit et la bouscula, la plaquant aux jambes. Surprise, elle tomba lourdement en arrière. Il releva la tête, encore accroché à ses jambes et vit avec terreur qu'elle croyait qu'il l'agressait. Le bras de la jeune femme décrivit une parabole pour ramener le canon vers son visage.

Il hurla :

— Non !…

La série de détonations et les crépitements sur le mur, là où elle se tenait debout un instant auparavant, couvrirent son hurlement et stoppèrent le geste de la jeune femme.

Il lui agrippa la main et la retint tandis qu'elle essayait de se lever. De l'autre bras, il indiqua une porte à droite et lui fit signe de ramper.

— Ne vous levez pas ! Le revolver, intima-t-il.

Elle hésita une seconde. Une nouvelle rafale les couvrit de plâtre et de gravats.

Tommaso saisit l'arme et se retourna à demi, toujours à plat ventre. Il lâcha deux ou trois coups au jugé. Le recul contre son épaule blessée le fit grimacer et il changea le revolver de main. Il tira encore une fois puis se retourna pour la suivre. La corniche au-dessus de lui explosa dans le fracas d'une nouvelle salve de projectiles. Il rentra la tête dans les épaules et se jeta de nouveau à plat ventre dans l'entrée.

Levant les yeux, il vit la jeune femme disparaître par la porte à droite et se précipita à sa suite. Il referma le battant et se força à réfléchir.

« Où sont-ils ? D'où tirent-ils ? » pensa-t-il.

D'un coup d'œil rapide, il détailla la configuration de la cuisine où ils se tenaient à présent. Des meubles de bois clair étaient accrochés tout au long du mur dans la longueur. Une table de la même couleur occupait la plus grande partie de la pièce. La porte ne résisterait pas longtemps et aucun meuble n'offrait de quoi la consolider. À l'inverse, l'escalier était trop risqué. Et de toute façon, pour le rejoindre, il faudrait retraverser le hall d'entrée à découvert.

Son cœur battait à tout rompre.

Blottie sous la table, la jeune femme le regardait, muette. Son visage reflétait sa peur.

— Où sont-ils ? cria-t-elle.

Il s'avança et montra la fenêtre.

— Par là !

Tommaso s'approcha, ouvrit prudemment les deux battants et coula un regard dehors. Il remercia en pensée le chat gris qui l'avait attiré dans la cour en apercevant comme il l'avait espéré le toit du préau de l'école juste sous lui, à deux mètres à peine.

Il se retourna vers la jeune femme et lui fit signe d'approcher. Comme elle hésitait, il tendit la main et agrippa fermement son poignet pour l'attirer à lui.

— Dépêchez-vous. Vous d'abord, enjambez la fenêtre. Je tiendrai vos bras et je vous ferai glisser. Il doit manquer quarante centimètres à tout casser et le toit est presque plat. Vous vous laissez tomber et vous vous collez contre le mur.

Elle le fixait en silence.

— Allez ! reprit-il d'une voix ferme.

Ses mains tremblaient dans les siennes. Elle s'assit sur le rebord et se retourna à demi avant de se laisser glisser. Tommaso se pencha en avant et croisa son regard.

— Ça va aller, souffla-t-il.

Il lâcha les deux mains. Elle atterrit maladroitement mais presque sans bruit sur le toit de tuiles.

Un bruit de pas lourds sur le parquet de l'autre côté de la porte le fit sursauter. Il monta sans hésiter sur le rebord et, tout en s'efforçant de rabattre les battants de la fenêtre derrière lui, disparut à son tour dans le vide.

Il se colla à côté d'elle contre le mur de l'immeuble.

— On va passer par l'école, chuchota-t-il.

D'où ils se tenaient, la cour silencieuse était aux trois quarts masquée par l'auvent du préau.

Il se pencha un peu pour essayer d'apercevoir le meilleur moyen de descendre du toit. Machinalement, il tourna la tête vers la fenêtre au-dessus d'eux et se rabattit en la voyant bouger.

Il posa un doigt sur ses lèvres pour signaler le danger puis indiqua de la main la direction de la cour comme pour un plongeon. La jeune femme écarquilla les yeux, interdite. Il déplia trois doigts pour lui faire signe qu'il allait décompter le temps avant de s'engager à découvert puis tendit la main de nouveau. Elle y glissa la sienne à l'instant où une sonnerie électrique stridente retentit dans la cour.

— Un, deux… trois, maintenant, chuchota-t-il.

Il se jeta dans la pente du toit, l'entraînant derrière lui.

La jeune femme ne put retenir un cri comme ils atteignaient le rebord. Il se perdit dans les hurlements de joie des enfants qui envahissaient l'espace, jaillissant de leurs classes pour la récréation. Leurs talons claquèrent dans la gouttière et ils sautèrent dans le vide. Ils atterrirent deux mètres plus bas sur le bitume. Tommaso roula au sol en essayant de ménager son épaule. Il se releva et courut vers la jeune femme encore à genoux.

— Vite ! cria-t-il.

Un enseignant les interpella :

— Mais qu'est-ce que vous faites là ? Qui êtes-vous ?

Il commençait à se diriger vers eux quand il s'arrêta net, médusé : deux hommes venaient de sauter par la fenêtre de l'immeuble contigu et couraient sur le toit du préau, des armes à la main.

— Mais… commença-t-il.

Le regard paniqué, il se retourna pour voir où se trouvaient les enfants.

Les deux hommes se tenaient à présent au milieu de la cour. L'instituteur les observa encore une seconde, médusé, puis leva le bras en se précipitant vers eux.

— Mais vous ne pouvez pas !

Les intrus se ruèrent vers lui et le renversèrent sans ménagement.

Profitant de la confusion, les deux fuyards avaient déjà traversé la cour. Ils se ruèrent dans une des classes, bousculant une enseignante. Une nuée de dessins colorés se répandit au sol.

— Où est la sortie ? hurla Tommaso

Incapable de répondre, l'enseignante indiqua le couloir à droite.

Ils reprirent leur course à travers les murs peints de couleurs vives, se cognant au passage dans les petits portemanteaux situés à hauteur de leur taille. Leurs pas claquaient sur le sol de plastique brillant. Enfin, ils débouchèrent hors d'haleine dans la rue.

Tommaso hésita une seconde.

La jeune femme le tira par la main. Il se retourna vers elle. Elle semblait moins apeurée, comme si elle avait repris tout à coup le contrôle de ses nerfs.

— Le métro, dit-elle en indiquant du geste la direction.

Il acquiesça de la tête.

10

— Accident, accident, c'est vite dit !

Le commissaire divisionnaire Brantôme se leva et commença à tourner autour de la table. Tout dans cette pièce l'indisposait et alimentait sa mauvaise humeur : la table de réunion trop grande aux bords usagés, qui contraignait les participants à des contorsions interminables ; les chaises inconfortables aux pieds mal calés ; les armoires métalliques qui encombraient l'espace, pleines de dossiers poussiéreux dont les derniers tassés en pile sur le dessus menaçaient à chaque instant de s'écrouler ; la chaleur de l'atmosphère confinée sous le toit du 36 quai des Orfèvres.

Le besoin d'une cigarette lui envahit soudain l'esprit. Sept ans et toujours la même envie. Il sentit sa mauvaise humeur se réveiller. Dans la glace en face de lui, il ne voyait à nouveau que les kilos superflus qui arrondissaient sa silhouette et avachissaient son visage carré. Il était convaincu que ce serait plus difficile encore cette fois de les chasser.

— Qu'est-ce qu'on a ? grogna-t-il. Sur les faits d'abord, et puis sur lui ?

Le commandant de police Hermier rouvrit machinalement son cahier tout en sachant qu'il allait parler de mémoire. Il ôta ses petites lunettes cerclées de métal et les posa sur la table. Sans elle, ses cheveux blonds et son visage mince lui donnaient l'air encore plus jeune. Sa chaise grinça lorsqu'il se pencha en avant.

— La victime a de toute évidence été renversée par une voiture. Pas de témoin. Pas de chauffard. Commotion cérébrale, double fracture du crâne, fractures multiples aux jambes et au thorax. Le choc a été évalué à quatre-vingts kilomètres heure, ce qui veut dire que même si la voiture avait tourné au coin du lycée à quarante à l'heure, il n'aurait jamais freiné. Il n'y a d'ailleurs aucune trace. Tout laisse penser que le chauffard a agi de manière délibérée. Quant à la victime, poursuivit-il après une seconde d'interruption, c'est un universitaire, un spécialiste de la Sorbonne en archéologie si j'ai bien compris. Paul Garcieux. Soixante-deux ans, train de vie normal, voyage beaucoup mais pour des colloques. Rien de sensationnel, pas d'ennemis connus. Veuf, une fille.

Brantôme soupira. Ses mains s'agitaient dans l'air comme celles d'un chef d'orchestre qui aurait perdu la mesure.

— Cherchez quand même. Regardez ses papiers, rencontrez ses proches et ses collègues, voyez s'il avait un ennemi, des problèmes, je ne sais pas moi.

Hermier plongea le nez dans ses notes et le releva, son stylo pointé sur une ligne de sa petite écriture de chat.

— Il avait aussi des activités privées de conseil. Une petite structure sans salarié, juste lui payé en honoraires. On va regarder les clients.

— Vous avez son ordinateur ?

— Non, il utilisait un portable, mais apparemment, il a disparu. D'après les premières informations recueillies, il ne travaillait que sur un dossier actuellement, hormis ses cours classiques. On a regardé ses factures de téléphone. Des appels vers l'Angleterre, un avocat à Londres. On a contacté Scotland Yard via l'officier de liaison mais vu le contexte, je crois qu'il va falloir attendre avant d'avoir une réponse.

Brantôme se rassit, tapotant la table de ses dix doigts. L'idée d'une coopération internationale ne lui disait rien de bon.

— OK. Venons-en justement aux demandes d'appui sur l'enquête de l'attentat de l'Assemblée nationale...

11

Le bruit des roues dans le tunnel décourageait toute conversation. Tommaso attendit. Le visage de la jeune femme tomba dans la pénombre. Il ne voyait plus que ses mains sagement jointes sur ses cuisses. Des mains fines aux doigts étroits, que n'ornait aucune bague. Elle jouait nerveusement avec une petite pierre verte percée d'un trou dans lequel était passé un lacet de cuir.

Assis face à face dans un wagon quasi désert roulant sur la ligne 4, ils essayaient de se calmer peu à peu. Ils avaient changé à Jussieu, puis encore à Châtelet, presque au hasard, au cas improbable où ils auraient été suivis dans leur fuite. Tommaso distinguait le nom de la station sur les anneaux bleus entourés de céramique : Château-Rouge. Sa main glissa sur la banquette. Il touchait le revêtement déchiré, la mousse qui faisait pression sous les coutures. Une chaleur lourde régnait dans le wagon, chargée d'une odeur un peu rance.

Tommaso sentait encore dans son épaule les élancements des coups de feu. Il avait jeté l'arme dans une poubelle, là où ils avaient changé de ligne pour la deuxième fois.

Le bruit s'apaisa comme ils sortaient du tunnel. La lumière froide des néons éclaira de nouveau le visage aux lèvres minces.

La couleur triste des sièges en skaï reparut en pleine lumière. La banquette sur laquelle était assise la jeune femme était presque entièrement recouverte de tags qui débordaient sur la cloison de formica derrière ses épaules. L'air épuisé, elle passa sa main dans ses cheveux courts, comme pour se redonner du courage.

Un homme d'une trentaine d'années passa près d'eux sans paraître les voir, sa tête dodelinant au son de la musique déversée par ses écouteurs. La porte claqua en s'ouvrant et il descendit.

— Je m'appelle Claire, dit la jeune femme. Merci.

Tommaso sourit.

— Moi je m'appelle réellement Tommaso.

Le sourire disparut.

— Qui sont ces types qui nous ont tiré dessus ?

Elle baissa les yeux. Il vit que ses mains jointes tremblaient encore.

— Je ne sais pas.

— Alors qu'est-ce que vous savez ?

— Pas grand-chose.

— Vous m'avez dit que votre père a été assassiné. Vous avez une idée, une piste ?

— Pas vraiment. Je sais que mon père était inquiet. Ces derniers temps, il était bizarre, préoccupé.

Claire se mordit les lèvres.

— Peut-être est-ce moi qui interprète… mais je n'en sais guère plus.

— Votre père était universitaire. Pas le profil à fréquenter des tueurs. Il y a bien quelque chose…

Elle semblait mal à l'aise.

— Je ne sais pas. Peut-être que ça n'a rien à voir.

Elle releva le regard droit sur lui.

— Peut-être est-ce sur vous qu'ils tiraient ?

Il manqua s'étrangler, ouvrit la bouche pour répondre et suspendit sa phrase le temps qu'un petit groupe de lycéens qui venait de monter passe à côté d'eux. Ils allèrent s'installer à l'autre bout du wagon. Tommaso les regarda s'asseoir, puis reprit à mi-voix.

— Sur moi ? Vous rigolez ou quoi ? Personne ne peut avoir envie de me descendre pour ce que je possède, ce que je sais ou ce que je suis, sauf peut-être ma femme, mais ce n'est pas elle. Non non, vous ne vous en tirerez pas comme ça. Il y a forcément quelque chose. Quelque chose qui explique le mystère qui a entouré le recours à mes services, qui explique ce cambriolage, le meurtre de votre père…

Il hésita un instant avant de poursuivre, scrutant l'effet de ses derniers mots. Le regard sombre ne cilla pas.

— Je suis désolé de vous poser cette question, Claire, mais comment est-il mort ?

— Renversé par une voiture.

— Et vous n'avez pas pensé que ce pouvait être un accident ?

— Elle est montée sur le trottoir, ne s'est pas arrêtée, et la sacoche qu'il avait toujours avec lui a été volée…

— Ça fait beaucoup, mais vous ne me dites pas tout.

Elle baissa les yeux de nouveau.

Tommaso soupira.

— Écoutez-moi bien : je n'ai rien à voir dans cette affaire. J'ai une entreprise, un métier, des dettes et des soucis. J'ai d'autres choses à faire que de risquer ma peau pour des gens que je ne connais pas sur des sujets que je ne connais pas. Alors je vais vous dire ce que je pense faire pour ma part : je vais m'arrêter là. Je vais descendre à la prochaine station et vous oublier.

Elle releva les yeux et le fusilla du regard.

— Allez-y. Vous croyez que je vais vous supplier de défendre une pauvre orpheline, c'est ça ?

La colère animait son visage, colorant un peu ses joues pâles, rehaussant l'éclat de son regard. Tommaso hésita une seconde avant de réagir.

— Vraiment vous êtes gonflée ! Vous ne me faites pas confiance une seconde et vous voudriez...

— Faites ce que vous voulez. Mais quand je vous ai dit que c'est peut-être à vous qu'ils en voulaient, ce n'était pas une pirouette. Vous avez semé des traces partout. Vous avez été en rapport avec mon père même indirectement, vous avez laissé un message sur son répondeur. Si la démarche de mon père envers vous était si secrète, comment imaginer que ça n'a pas à voir avec l'assassinat ? Ces gens-là cherchent quelque chose ou veulent faire disparaître quelque chose. Et ils peuvent croire que vous savez ou que vous détenez un élément qui les aiderait. Alors, que vous le vouliez ou non, vous êtes dedans jusqu'au cou.

Tommaso la regarda fixement en silence pendant un long moment. Il songeait au conseil d'Antoine. Son ami avait peut-être eu raison. Oui mais voilà, peut-être était-il bien trop tard pour suivre un bon conseil.

Il soupira : « On dirait que t'as encore tiré le mistigri, Mac Donnell », pensa-t-il en levant la main comme pour clore un débat.

— OK, vous avez marqué un point. Alors voilà les règles, on joue cartes sur table. Ils cherchent quelque chose ? D'accord. Essayons de trouver quoi. Voilà tout ce que je sais : j'ai avec moi des dossiers que m'a remis l'avocat anglais. Il voulait que je monte un chantier de fouilles pour récupérer un bateau coulé en mer, il y a longtemps. Un bateau chargé d'œuvres d'art prélevées sur le site de l'ancienne Carthage.

Il attendait qu'elle réagisse. Comme rien ne venait, il se pencha en avant.

— Claire, ça vous dit quelque chose ? reprit-il d'une voix de confidence.

Elle hésita. Tommaso insista :

— Sur quoi travaillait votre père ? À quoi s'intéressait-il ?

— Mon père travaillait sur l'évolution du langage au sein des civilisations antiques et sur les processus d'acquisition et de développement des connaissances.

Ses mains se tordaient, elle cherchait ses mots.

— Vous voyez, pourquoi telle partie de la connaissance scientifique se développe à tel endroit ou disparaît pour réapparaître à telle autre, sans que l'on comprenne pourquoi. Vous connaissez les pyramides, les menhirs, l'île de Pâques ? Il analysait les facteurs géographiques, démographiques, culturels, et étudiait aussi comment ces connaissances se diffusaient, par quel canal. Il avait commencé en s'intéressant aux situations dans lesquelles nous ne sommes plus capables de comprendre comment certaines civilisations, à des époques reculées, ont pu réaliser des choses ou les écrire dans des domaines dont il nous semble qu'elles ne pouvaient les maîtriser. Vous avez entendu parler de Stonehenge en Angleterre, ou de Nazca, au Pérou ?

Tommaso eut une moue silencieuse pour l'inviter à poursuivre.

— À Nazca, au Pérou, on a découvert dans les champs des dessins géants en pierre, visibles seulement depuis l'espace, qu'on appelle des géoglyphes. Ce sont des sortes de fresques immenses, sur des dizaines de kilomètres carrés, qui représentent des animaux ou des figures géométriques. Nul ne sait comment, depuis le sol, les peuplades précolombiennes ont pu tracer ces dessins, ni même comment ils ont opéré pour que le temps ne les efface pas. Et nul ne sait à quoi étaient destinés ces dessins ni à quoi ils faisaient référence. À Stonehenge, en Angleterre, des hommes inconnus ont dressé d'énormes roches en cercles. Nul ne sait comment ni pourquoi... Ce sont autant de sujets sur lesquels mon père a passé plus de vingt ans, accumulant les liens pouvant tisser des correspondances que l'on ne soupçonnait pas.

Tommaso jeta un œil par la fenêtre derrière elle. Le quai où venait de descendre le dernier passager de leur wagon, une vieille femme qui peinait à marcher, disparut d'un coup. Il leva le regard vers le schéma de la ligne affiché au-dessus de la porte. Ils arrivaient en bout de ligne, les passagers devaient se faire rares sur toute la rame.

Le visage de Claire s'assombrit.

— Il y a quelques années, ses découvertes l'ont orienté sur d'autres pistes, des pistes nouvelles. Je ne m'en suis rendu compte que plus tard, car à ce moment-là je travaillais loin, aux États-Unis. Nous nous parlions peu. Quelques e-mails. Je le voyais seulement l'été. Il m'envoyait lui-même peu de nouvelles.

Elle leva la main au bout de laquelle pendait le petit bijou.

— Il me rapportait des cadeaux de ses voyages, ou même de ses fouilles parfois.

Tommaso désigna la pierre verte du menton.

— Comme cette pierre ?

Elle acquiesça et s'interrompit un instant. Sa voix retrouva sa maîtrise l'espace de deux phrases.

— Je suis devenue journaliste. Je fais des documentaires et des reportages écrits, en free-lance. J'ai presque toujours travaillé hors de France, en Amérique du Sud et aux États-Unis.

Elle suspendit de nouveau sa phrase et rangea le bijou dans la poche de son jean avant de reprendre le cours de son récit.

— C'est alors qu'il a commencé à avoir des difficultés avec l'institution universitaire. Oh, rien de grave. Il était toujours un ponte. Mais il se plaignait de n'être pas compris, de ne pouvoir travailler sereinement avec ses étudiants, il avait le sentiment d'être épié et qu'on se défiait de lui en même temps. Il souffrait de n'avoir pas tous les financements qu'il souhaitait mais ne jouait pas le jeu pour les obtenir. Il publiait moins, se refermait sur lui-même, ses voyages, cherchait des financements ailleurs. Il avait même créé une petite société de conseil qui a augmenté la jalousie de ses collègues. Il mélangeait les activités universitaires et les recherches privées... C'est là qu'il a commencé à parler de Carthage, je crois.

Tommaso se pencha encore un peu en avant.

— Il en parlait avec qui ? À propos de qui ?

Claire fouillait dans ses souvenirs.

— Je ne sais plus très bien. Je le voyais peu, à ce moment-là...

Tommaso pinça les lèvres.

— Il va falloir vous rappeler. C'est notre seule piste. Et nous ne savons pas si nous disposons de temps, ni ce à quoi sont prêts les charmants individus qui nous ont tiré dessus il y a une heure. Où gardait-il ses dossiers ?

— Chez lui. À la campagne aussi : nous avons une maison en Auvergne. Et dans son bureau j'imagine, à la Sorbonne.

Tommaso réfléchit un instant. De toute façon, il n'y avait pas d'autre solution que d'essayer de remonter la piste. Et elle passait forcément par ce bureau. Il chercha le nom de la station où ils venaient de s'arrêter. Il devait en rester deux ou trois avant le terminus. Il pensa qu'il ne fallait plus tarder.

— Combien de temps pour y aller d'ici ?

Claire hésita.

— En métro, quarante-cinq minutes.

Il secoua la tête.

— Non, en taxi. Le métro c'est très bien, mais on ne maîtrise pas les gens qui s'y promènent. On ne sait jamais. Voilà ce que nous allons faire. Nous allons sortir et nous séparer. J'ai une ou deux petites choses à régler. Vous, vous filez ailleurs en taxi, dans un café, dans un endroit que vous ne fréquentez pas d'habitude bien sûr. Vous me prévenez de l'endroit par sms, vous y restez et puis on se retrouve à 20 heures…

— Il faut que je passe chez moi.

— Pas question. C'est trop dangereux. Si vous avez besoin de quelque chose, faites du shopping. Quant aux vêtements, je vous en apporterai. Achetez surtout un sac de voyage. Nous allons partir au moins trois jours. Il faut que nous allions en Auvergne.

Leurs yeux se croisèrent. Tommaso chercha à y lire un semblant de confiance, mais ne vit que de la fermeté. Il pensa qu'elle avait retrouvé un peu d'empire sur elle-même.

Le métro brinquebala en croisant une rame qui passait en sens inverse. Tommaso s'accorda un instant pour prendre sa décision. Il était temps encore de tourner les talons, d'oublier cette fille au regard froid, de décider de ne pas lui faire confiance. Il revoyait l'arme dans ses mains fines aux doigts croisés.

Le bruit cessa. La rame s'éloignait.

Claire cligna des paupières.

— Si vous ne voulez pas vraiment venir, lança-t-elle, dites-le maintenant, je préfère…

Il se raidit.

— Mais qu'est-ce que je vous ai fait pour qu'il vous soit impossible de me faire confiance ?

— La dernière personne à qui j'ai fait confiance sans me poser la question, c'était mon père.

Ce ton froid à nouveau.

— Ça ne m'a pas très bien réussi.

Elle se tut une seconde, sans paraître remarquer le trouble de Tommaso. Celui-ci pensait à son propre père... Lui non plus n'avait pas été brillant au jeu des promesses tenues.

— Parce que vous me faites confiance, vous ?

Elle avait parlé de nouveau. La voix chassa l'apparition. Il sourit en se relâchant.

— Semblerait que j'ai pas trop le choix...

Elle passa la main dans sa nuque, ébouriffant ses cheveux courts à rebrousse-poil.

Tommaso enchaîna.

— Vous avez un portable ?

— Oui, vous voulez le numéro ?

— Oui, mais je ne l'utiliserai qu'en cas de problème. Envoyez-moi juste un message pour me dire où vous êtes. Et servez-vous-en le moins possible ensuite. Je trouverai aussi une solution d'ici ce soir pour ça.

Il sortit un stylo et un bout de papier froissé d'une de ses poches de veste. Tout en notant les chiffres qu'elle égrenait, il pensa qu'il venait une fois de plus de mettre le nez dans une histoire où il avançait en aveugle. Il déchira le papier en deux, inscrivit son propre numéro sur la partie vierge et la lui tendit.

Le métro déboucha dans la lumière glauque d'une station. Les portes s'ouvrirent.

Tommaso se leva.

— On y va.

Claire parut hésiter.

— On y va, répéta-t-il d'un ton plus décidé.

Elle se leva à son tour. La sonnerie annonçant la fermeture imminente des portes résonna. Ils se glissèrent sur le quai. Les portes claquèrent derrière eux.

Tommaso vit les yeux de Claire scruter machinalement le quai. Un éclair d'inquiétude habitait son regard à nouveau.

Il lui indiqua le panneau qui signalait les correspondances.

— C'est par là. Et c'est là qu'on se sépare. Souvenez-vous de ce que je vous ai dit. Si je suis en retard au rendez-vous, partez et revenez une demi-heure après.

Il sourit.

— Mais je serai à l'heure.

Et comme elle ne bougeait pas :

— Faites-moi confiance.

Elle hocha la tête sans desserrer les lèvres. Un instant plus tard, il vit la silhouette fine aux cheveux courts disparaître dans le couloir au bout du quai.

12

— Comment ça, des types qui te tirent dessus ? Mais c'est le délire, ton truc !

Tommaso jeta un nouveau regard autour de lui sur la rue étroite, les façades grises rendues plus tristes encore par deux ou trois enseignes lumineuses aux couleurs criardes. Les voitures passaient à vive allure le long des véhicules stationnés en double file qui attendaient des enfants.

La cloche de l'école retentit pour signaler la fin des cours. Dans un instant, la meute des enfants allait se presser à la porte de l'école. Une petite troupe de mères de famille, de nounous et de poussettes y campait déjà, tassée sur le trottoir étroit et contre les barrières métalliques peintes en bleu qui servaient de garde-fou. Par petits groupes de connaissances, elles surveillaient distraitement des enfants plus jeunes.

Appuyé à quelques mètres de là dans l'ombre d'un porche, Tommaso soupira et changea le téléphone d'oreille. Il s'écarta encore, de peur que les éclats ne s'entendent trop. La voix d'Antoine se gonflait de colère.

— Tu vas me faire le plaisir de sauter dans le premier avion et de ramener tes fesses ici où on a besoin de toi pour débrouiller la situation et faire avancer notre chantier ! Les compteurs ne s'arrêtent pas de tourner, figure-toi, et l'immobilisation ici ça coûte cher. Alors...

— Antoine, essaya de couper Tommaso en s'efforçant de parler à mi-voix, je vais te rappeler...

Son ami éructait :

— Et ne me rejoue pas ton trip « mon téléphone est sur écoute » ! Je t'avais dit de ne pas te mêler de ce truc. Y a trop de morts, trop de questions. Arrête les frais !

La cloche électrique retentit de nouveau à l'intérieur de l'école, provoquant un resserrement instantané des poussettes et des cabas qui savaient que la deuxième sonnerie commandait l'ouverture automatique de la vieille grille.

Tommaso soupira. « Si même Antoine a besoin d'explications, maintenant... » songea-t-il.

Il se reprocha aussitôt sa pensée. Antoine avait raison. Seulement lui n'avait pas le temps.

La voix d'Antoine résonnait encore.

— Oh, tu m'entends ?

Il éloigna le téléphone de son oreille et scruta la sortie.

— Tommaso, bordel, tu m'entends ?

Il pensa qu'Antoine allait devoir également lui pardonner ça. Et qu'il le ferait en devinant que Mathilde était la cause de cette dérobade. Tout en rapprochant le portable de son visage, il pouvait imaginer le haussement d'épaules qui effacerait la colère sur le visage de son ami.

— Je te rappellerai pour te donner un numéro, souffla-t-il. Ciao.

Il coupa la communication et rangea le téléphone dans sa poche en se dirigeant à son tour vers la grille que franchissaient déjà les premiers parents autour desquels s'égaillaient des enfants, les uns à demi endormis, les autres surexcités.

— Papa !

Le cri de joie résonna dans les oreilles de Tommaso comme il s'engageait dans la cour. Il se retourna et regarda la petite fille aux cheveux blonds déboucher derrière une cage à poules et se précipiter à sa rencontre, les bras en avant. Ses sandales claquaient sur le ciment. Il l'attrapa au vol et la fit tournoyer à bout de bras avant de la ramener contre lui.

Il la serra pour profiter de ce moment où il redécouvrait cette odeur douce et chaude qui lui paraissait chaque fois inoubliable, mais dont il souffrait de ne pouvoir garder un souvenir réel au-delà de quelques jours de séparation. Il avait l'impression que les jambes qui se serraient autour de sa taille s'étaient allongées, que les bras croisés derrière son cou étaient ceux d'une géante.

Cinq mois. Cinq longs mois depuis sa dernière visite, ponctués seulement de quelques coups de téléphone rapides, de petites réponses timides à des questions banales.

Elle l'étouffait à demi en enserrant sa gorge, mais il n'aurait rien fait pour l'arrêter, de crainte de briser le charme. Lui la tenait en prenant garde de ne pas la serrer trop fort, conscient que c'est elle qui allait réclamer au bout d'un instant d'abréger cette étreinte.

La petite fille se pelotonna une seconde encore contre sa poitrine avant de se redresser d'un coup, l'air soudain infiniment sérieux.

— Tu as eu mon dessin ?

Tommaso hocha la tête avec un sérieux égal, s'efforçant de masquer son émotion.

— Bien sûr ! Maman me l'a donné hier soir, quand je suis arrivé. Et je suis venu te voir aussi, mais tu dormais.

La réponse parut satisfaire la petite fille. Puis elle fronça les sourcils.

— Tu as laissé tous les dauphins là-bas ?

*****

— Tu te rends compte de ce que tu racontes ? Comment veux-tu que je te croies ?

Debout dans le salon, ses mains serrées nerveusement l'une contre l'autre, Isabelle venait presque de crier. Tommaso la regardait en silence.

Il se demandait s'il aurait pu trouver d'autres mots pour décrire son passage à Londres, sa visite chez Garcieux, la fusillade puis la fuite dans la rue et le métro. Des mots qui ne l'auraient pas mise en rage aussitôt.

Elle se dirigea vers la porte qui menait aux chambres pour la fermer. Puis elle se retourna, appuyée contre le panneau de bois blanc, les mains crispées sur le bouton de porte.

Il pensa que non, ces autres mots n'existaient pas. Ou plus exactement n'auraient-ils rien changé. La colère d'Isabelle était exclusivement due au fait que ses bras à lui avaient tenu une arme à feu une heure avant de serrer une petite fille qui n'était plus vraiment la leur à tous les deux.

Mathilde, là-bas, dans sa chambre, à cinq mètres d'eux, en train de jouer, tandis qu'ils se déchiraient. Isabelle, arborant de nouveau cette attitude de défense, arc-boutée entre la petite fille et lui. Tommaso ne parvenait pas à lire autrement la situation.

Son regard glissa sur les murs blancs, ce décor sobre, vide, qu'ils avaient construit ensemble et qui lui paraissait aujourd'hui si froid et si triste.

« Bon Dieu comme je l'ai aimée », pensa-t-il. Il corrigea intérieurement : « Comme nous nous sommes aimés. » Penser à leur couple au passé le blessait, comme le heurtait son incapacité à voir encore dans cet appartement ce lieu de joie et de vie qu'il avait été.

Il ne pouvait s'empêcher de superposer à ce visage celui de leur première rencontre. Elle était alors une jeune fille sans histoire, assez passionnée par ses études de géographie pour travailler comme stagiaire dans un atelier de cartographie, où Tommaso était venu faire réaliser des mises à jour de plans sous-marins pour l'un des premiers chantiers dont il avait la charge. Elle avait été fascinée par la vie baroque de Tommaso, son activité de globe-trotter, par son côté romantique, passionné. Il avait été séduit par son enthousiasme, par la joie de vivre qui émanait d'elle, par sa beauté lumineuse. Son enfance heureuse et facile, à Paris, au sein d'une famille bourgeoise, n'avait pas borné son horizon. Elle en avait au contraire tiré une force peu banale et l'envie de voir d'autres horizons, une ouverture d'esprit et un appétit de découverte…

Il n'avait pas bougé. Ils s'observèrent un moment avant qu'il ne rompe le silence. Il détaillait le port de tête, menton en avant, mélange familier de dureté et de fragilité, le regard clair et froid, la silhouette élancée, presque trop fine dans un jean et une chemise bleue un peu trop grande, les cheveux longs noués de manière cavalière en un faux chignon. Comme la veille, le silence dans la pièce le glaçait. Il ne pouvait croire que la joie de vivre qu'il lui connaissait s'était tout entière tournée en amertume, changeant la silhouette si mince, presque évanescente, qui se tenait devant lui, en un fantôme durci et fragilisé, pâle copie d'Isabelle.

— C'est drôle, reprit-il enfin, je vais finir par me demander pourquoi tous les gens passent leur temps à me dire ça, que « je ne me rends pas compte »…

Elle fit deux pas vers lui, tremblante de rage.

— Non, c'est pas drôle, figure-toi ! Tu crois que c'est facile pour elle ? Je ne dis pas pour moi, mais pour elle ? Tu es là, pas là, relà, et deux fois sur trois tu débarques en coup de vent avec des histoires rocambolesques de trésor. Et maintenant ça recommence comme avec le CNRS, en pire.

Tommaso encaissa le coup sans broncher. Il sentait la colère monter en lui. Quatre ans plus tôt, Isabelle avait semblé abasourdie de le voir mis en cause. Elle n'avait pas compris qu'il refuse de se défendre, qu'il se replie sur lui-même. Elle lui reprochait une attitude suicidaire. Puis il avait espacé ses retours, allongé les temps de fouilles. Il avait fui en espérant que le temps… Bien sûr, il fallait revenir à cela, aux semaines de calomnie, au départ précipité de Marseille, aux téléphones qui ne répondaient plus. Comme si elle avait souffert seule. Comme s'il avait été coupable… Il avala sa salive et serra le poing dans sa poche.

Isabelle poursuivait.

— À cette époque-là on te virait et on te traitait de voyou, mais on ne tirait pas à balles réelles ! Et notre sécurité à toutes les deux, tu y as pensé ? C'est bien de changer de téléphone…

Elle désigna les emballages ouverts et l'empilement de portables, de chargeurs et de batteries sur le canapé de cuir noir.

Tommaso avança d'un pas pour en saisir un. Il fit jouer le panneau qui fermait le logement de la batterie puis releva les yeux sur Isabelle en le lui tendant. Le petit panneau cliqueta en se refermant.

— Justement, reprit-il.

Elle hésita à le saisir, méfiante.

— Justement quoi ?

— J'ai changé tous les portables, mais ça ne suffit pas. Je pense qu'il ne serait pas absurde de quitter le coin pour quelques jours, le temps que je tire ça au clair.

La colère remonta dans la voix d'Isabelle.

— Ben voyons ! Mais tu te fous de moi ?

Le portable retomba avec les autres sur le canapé.

— T'es le type qui tire le moins au clair les choses que j'aie jamais rencontré ! Rien n'est jamais clair avec toi, justement. Tout est complètement flou. En gros, tu me dis que des types veulent te tuer, que tu pars je ne sais où avec une fille rencontrée ce matin, que tu n'es pas joignable mais qu'il faut qu'on se mette à l'abri quelque part... le temps que tu éclaircisses ça. Mais tu t'écoutes ? Dans quel monde tu vis, Tommaso ? Redescends sur terre ! J'ai un travail, figure-toi ! Mathilde va à l'école. Grandis, merde !

Il la fixait comme si son regard pouvait la convaincre. Elle le toisait avec cet éclat de défi qui l'avait toujours mis hors de lui, surtout quand il surmontait un sourire moqueur. Mais là, il n'y avait pas de sourire.

Tommaso serra les mâchoires. Il sentait l'énervement envahir toute sa poitrine.

— Écoute-moi. Ce n'est pas si compliqué, l'école est presque finie. Et puis tu ne prends jamais de vacances.

Ils restèrent un moment en silence.

— Une semaine, dit-il. Une semaine. Je te tiendrai au courant. Je te promets.

Elle le regardait, les bras croisés comme pour se tenir chaud. Sa voix était à présent d'un calme glacial.

— Mais tu ne comprends rien. Je ne discute même pas. « Me tenir au courant » : tu plaisantes, Tommaso ? Je vais te dire ce qui va se passer : je vais peut-être partir, ou peut-être pas, mais c'est mon problème. Si je pars, ce sera sans ton avis et sans toi tout court...

Elle rouvrit la porte.

— Isabelle, c'est complètement absurde, j'en suis conscient, mais je ne suis pour rien dans cette histoire. Je ne voulais pas y entrer, je ne veux pas y rester mais je veux être sûr que ce soit bien fini et qu'il n'y ait plus de danger avant d'oublier tout ça. Plus de danger pour aucun d'entre nous, ajouta-t-il d'une voix plus douce.

Isabelle hésita à répondre. Elle renonça et se dirigea vers les chambres. Un instant plus tard, elle revint les bras chargés de vêtements et d'un sac de voyage en cuir noir.

— Voilà les vêtements dont tu as besoin pour ta copine, dit-elle d'un ton mordant en jetant le tout sur le canapé. C'est ce que tu voulais, non ?

Il connaissait ce regard qui n'appelait pas de réponse. Du reste, elle poursuivit sans s'interrompre.

— Alors fais-moi plaisir, prends tout ça, tes histoires romanesques et casse-toi.

Il sentit le tremblement dans sa voix.

— Laisse-nous tranquilles, s'il te plaît...

*****

Tommaso sortit et se dirigea vers la place des Ternes. L'enseigne lumineuse du loueur de voitures lui apparut. Il regarda sa montre. Dix-neuf heures. Il avait largement le temps. Il serait à l'heure. Il songea tout à coup que c'était Claire Garcieux qui pouvait ne pas être là. Il leva les yeux vers les fenêtres de l'appartement. Leur appartement. Un pincement lui saisit le cœur.

« Allez, se sermonna-t-il. C'est Claire qu'ils visaient, pas toi. Et encore moins elles. »

Vingt minutes plus tard, une Volvo noire s'engageait dans l'avenue Foch en direction de l'Étoile. Derrière elle, le ciel s'assombrissait de gros nuages noirs amassés au-dessus des tours du quartier de la Défense. En composant le numéro d'Antoine, Tommaso se surprit à jeter régulièrement des coups d'œil dans le rétroviseur.

13

Leurs pas craquaient sur le parquet du grand couloir lambrissé de chêne sombre. Tommaso s'immobilisa une fois de plus. Par les grandes fenêtres à petits carreaux qui donnaient sur la cour d'honneur de la Sorbonne, il ne distinguait que le reflet de sa silhouette et de celle de Claire. La nuit empêchait de bien distinguer l'entrée de la chapelle de l'Université, en face d'eux, et les statues des figures célèbres qui décoraient les façades. Seules étaient visibles la structure carrée de la cour et la pente des toits dont l'ombre des ornements se découpait dans la clarté lunaire sur les pavés inégaux de la cour. Il songea qu'il n'avait pas mis les pieds dans cet endroit depuis près de quinze ans. Rien ne paraissait avoir changé et pourtant, toutes ces pierres solennelles lui semblaient appartenir désormais à un monde étranger, comme surgies d'un passé très lointain avec lequel il n'entretenait plus de connivence.

— Vous attendez l'apparition d'Héloïse et Abélard ? chuchota Claire en lui touchant le coude.

Il haussa les épaules et lui fit signe d'avancer.

— À droite, murmura-t-elle en indiquant du bras le petit couloir qui s'ouvrait dans la grande galerie.

Ils se coulèrent dans l'ombre. Cinq mètres plus loin, les moulures anciennes laissaient place à des murs sales et à un faux plafond décoré de néons éteints. Un panneau d'affichage en liège couvert de tracts colorés ornait le mur à gauche tandis qu'à droite s'ouvrait un escalier en colimaçon à rampe de fer dans lequel ils s'engagèrent.

Claire marchait en tête. Vêtue d'un jean et d'un tee-shirt noirs, elle avançait sans hésitation. Tommaso se laissait guider. Elle connaissait visiblement les lieux, l'absence de lumière autre que la petite lampe torche qu'elle tenait le long de sa jambe ne semblait pas l'handicaper. « Ou ce n'est pas la première fois qu'elle joue à ce jeu-là et elle a dû manifester étudiante, ou alors elle a plus de sang-froid que quand on lui tire dessus », pensa Tommaso.

Il était impressionné par l'assurance avec laquelle elle avait proposé un moyen de pénétrer dans la Sorbonne endormie. Quand ils avaient évoqué la question en dînant non loin de là dans un petit restaurant de la rue Lhomond, elle avait souri en disant qu'elle en faisait son affaire. Ils avaient attendu que la nuit tombe et, à vingt-deux heures trente, avaient rejoint la Sorbonne par la place du Panthéon et la rue Soufflot.

Sans se soucier des passants, touristes ou non, susceptibles de déambuler dans la rue, ils avaient descendu la rue Saint-Jacques. Claire s'était faufilée comme un chat le long de la grande façade noircie, jusqu'au numéro 54. Là, avec une parfaite sérénité, elle avait sorti un trousseau de trois clés et ouvert la petite porte comme si elle rentrait chez elle. Elle avait plongé à l'intérieur sans se retourner. Il l'avait suivie, espérant qu'elle était sûre d'elle en affirmant que l'entrée donnait directement sur l'accès à la galerie sans traverser le hall ni aucun des postes de repos des gardiens.

« Mon père passait toujours par là. Et gardait un double des clés dans son bureau. Il perdait régulièrement ses clés de maison, alors celles-ci, son petit privilège, qui lui évitait le détour par la grande cour et lui épargnait surtout de rencontrer trop de monde, il y tenait comme à la prunelle de ses yeux. Heureusement, je les ai retrouvées dans ce fatras… »

*****

— C'est là, chuchota-t-elle.

Elle venait de s'arrêter devant une porte anonyme que n'identifiait qu'une carte de visite glissée dans un petit cadre en cuivre fixé au milieu de la porte. Il y était seulement mentionné « Paul Garcieux ».

Tout au long du couloir était alignée une rangée de portes semblables, toutes de bois foncé.

Claire sortit de nouveau de son sac le trousseau et choisit une petite clé plate. Elle l'introduisit dans la serrure qui s'ouvrit sans bruit. Il la suivit à l'intérieur.

— Je peux avoir la clé ? demanda-t-il en rompant le silence à demi-voix.

Elle la lui tendit avec un geste faussement déférent. Sans relever, il s'en saisit et referma la porte derrière lui.

L'espace mansardé était éclairé par une sorte de lucarne agrandie. Des étagères et une armoire en fer gris mangeaient la moitié de la pièce, couvertes de livres et de documents de papier reliés. Un bureau placé en angle sous la fenêtre débordait lui aussi de documents empilés. Des livres s'entassaient contre les pieds du bureau et jusque sous la chaise recouverte de toile bleue sagement rangée derrière.

— Il n'y a pas de scellés ? demanda Tommaso.

Claire haussa les épaules.

— Je ne suis pas sûre que la police soit très convaincue par ma théorie de l'assassinat. Ils ont lancé l'enquête doucement… Et puis l'attentat de la semaine dernière les a tous mis sur les dents…

Tommaso s'approcha des étagères et passa dessous le pinceau de sa lampe pour examiner quelques titres.

— Vous êtes venue souvent ici ?

— Oui, mais pas depuis un moment. Il a ce bureau depuis des années, il n'a jamais voulu en changer. C'était une sorte de snobisme. Même lorsqu'il était au sommet de sa notoriété et très bien vu, il n'a jamais voulu bouger.

— Pas d'ordinateur ?

— Il avait un portable. Celui qui a disparu avec sa sacoche. Il le branchait là, indiqua-t-elle en désignant une prise multiple au sol.

Tommaso se dirigea vers la fenêtre, l'ouvrit avec précaution pour ne pas faire de bruit. Il jeta un œil dans la cour. Les toits reflétaient la clarté lunaire. Son regard parcourut une seconde l'enfilade des toits sur le flanc de la montagne Sainte-Geneviève. Il tira le store roulé contre l'appui supérieur puis se recula.

— Sans lumière on n'a aucune chance de trouver quoi que ce soit, estima-t-il. Mieux vaut prendre le risque.

Il appuya sur le bouton commandant la lampe de bureau en métal noir, sorte de tube flexible surmonté d'un champignon.

— Regardez le bureau, ajouta-t-il, je m'occupe des étagères.

— On cherche quoi ? demanda-t-elle d'un ton qui indiquait qu'elle n'espérait aucune réponse précise.

— Un lien avec l'avocat anglais, avec moi, n'importe quoi qui nous mette sur une piste…

Claire acquiesça et s'assit, puis se pencha pour sortir un à un les dossiers rangés dans des boîtes d'archives contre le mur, sous le bureau.

Tommaso resta une seconde encore à observer les lieux puis s'accroupit pour attaquer le premier rayon de l'étagère. Il pensa qu'il ne savait même pas ce qu'il fallait chercher… Photos, lettres, dossiers évoquant Carthage et le bateau ?

Elle achevait une première boîte lorsqu'il l'interrompit. Il s'était redressé.

— Venez voir.

Elle reposa les documents qu'elle avait saisis, tira sa chaise, se leva et s'approcha. Il sentit son parfum lorsqu'elle le frôla en se hissant sur la pointe des pieds pour voir par-dessus son épaule. Il désignait du doigt des dossiers suspendus au milieu de l'armoire ouverte.

— Regardez le classement, ça ne vous dit rien ?

Claire pencha la tête pour déchiffrer les intitulés inscrits sur de petites étiquettes glissées sous une protection en plastique.

— Mésopotamie, lut-elle, Égypte, Perse…

Il l'interrompit

— Juste au-dessus.

Elle leva les yeux.

— Les trois dossiers vides ?

— Exactement.

Elle s'approcha encore.

— Carthage I, II, III…

— Ceux-là sont anciens. L'encre a pâli. Mais celui d'à côté…

— Carth IV…

Il sentit un éclat d'intérêt dans sa voix.

— Exactement, il est tout neuf, enfin, récent.

117

L'excitation le gagnait.

— Et les quatre sont vides.

Tommaso hocha la tête.

— Votre père emportait souvent des dossiers ?

— Parfois. Dans sa sacoche, pour lire le soir. Ou bien à la campagne.

— Espérons que ce soit le cas, glissa-t-il. Et ça ?

Il désignait l'étagère au-dessus.

— Ça vous dit quelque chose ?

Claire passa le doigt le long des chemises épaisses en carton renforcé, d'un gris sombre un peu sale. Une écriture fine et appliquée décrivait le sujet traité sur des étiquettes d'écolier collées à mi-hauteur de la tranche de chaque chemise : Assemblée nationale / Paris, Parlement / Londres, Palais du Vatican / Rome, Commission européenne / Bruxelles, Palais de David / Jérusalem, Palais Impérial / Tokyo, Hawa Mahal / Jaiphur...

Elle se retourna, interdite. Ses yeux noirs plongèrent dans ceux de Tommaso. Il essayait d'y lire de l'étonnement, de la curiosité, mais n'y trouvait que cet éclat brillant et impénétrable qui l'avait frappé lors de leur première rencontre. La proximité de leurs visages le rendait plus mystérieux encore.

— Qu'est-ce que c'est que ce classement ? questionna-t-elle comme pour elle-même en se détournant.

Elle feuilletait à nouveau les dossiers un à un, égrenant les noms.

Arrivée au bout de la rangée, elle jeta juste un regard par-dessus le premier rang et se retourna vers Tommaso.

— Berlin, New York, Pékin... Ça continue sur un autre rang derrière. Mais je n'ai aucune idée de ce que ça peut être, jamais entendu parler de travail sur ces sujets. Et puis quel rapport entre eux ?

— Les inscriptions sont récentes là aussi, remarqua-t-il. C'est en tout cas là-dessus qu'il travaillait.

— Et les dossiers ne sont pas vides, reprit-elle en tendant la main.

Il l'arrêta et posa un doigt sur ses lèvres, indiquant de l'autre main qu'il venait d'entendre un bruit à l'extérieur.

L'air décidé, Claire reprit son geste plus lentement, et entreprit avec délicatesse de décrocher le premier dossier.

Tommaso rejoignit le bureau et éteignit la lampe.

Un nouveau craquement se fit entendre et la lumière d'une lampe filtra sous le chambranle. Sans quitter la porte des yeux, Tommaso ramassa un stylo et retourna une feuille dactylographiée qui traînait sur le bureau. Il écrivit une phrase et s'agenouilla pour la faire glisser sur le parquet jusqu'à Claire.

Elle lut et hocha la tête avant de se relever pour décrocher les autres dossiers.

Le bouton de porte grinça en tournant.

Tommaso retenait sa respiration. Il sentit un frisson lui parcourir le dos. Claire ne semblait pas touchée et il fut de nouveau surpris par l'assurance qu'elle manifestait, si différente de la paralysie qui l'avait saisie dans l'appartement ce matin.

La poignée tourna une seconde fois, sans succès.

Claire glissa avec précaution le dernier dossier dans le sac à dos posé à ses pieds et fit un pas de côté, plissant les yeux dans la pénombre pour déchiffrer les titres des dossiers de l'étagère voisine.

Le bruit d'une clé dans la serrure parut à Tommaso un coup de fouet.

Saisissant la chaise sans plus se soucier du bruit, il la cala fermement sous la poignée, en équilibre sur deux pieds.

— Vite, glissa-t-il en désignant la fenêtre, attrapant Claire par un coude.

Elle arracha une partie des dossiers, les fourra dans le sac dont elle tira la fermeture éclair avant de le jeter sur son dos.

Un cri de colère retentit derrière la porte.

— Ouvrez ! lança une voix.

Tommaso regarda Claire pour évaluer son état d'esprit. Dans la pénombre, les yeux de la jeune fille brillaient à présent d'une lueur de désarroi.

Il ouvrit la fenêtre et releva le store d'un coup sec.

Puis il monta sur le rebord. Une seconde plus tard, il avait disparu. Sa tête réapparut et un bras se glissa dans le bureau.

— Vite, répéta-t-il. Le sac !

Claire le lui tendit sans un mot.

— À vous ! Dépêchez, siffla-t-il.

Claire hésita une seconde.

Le bras s'agita furieusement. Un coup d'épaule fit vibrer la porte. La jeune femme bondit et enjamba à son tour le rebord de la mansarde.

L'air frais la frappa au visage.

— Accrochez-vous, glissa la voix de Tommaso, et ne regardez pas en bas.

Elle sentit son bras la guider vers une prise. Sous ses pieds, la gouttière grinçait.

— Montez ! ordonna-t-il en la poussant.

Elle se lança sur les ardoises lisses. Le bruit assourdi de la porte qu'on martyrisait lui parvint encore, puis la rumeur de la ville prit le dessus et, parvenant au sommet de la pente douce, Claire déboucha sur le faîte du toit. Le vertige la saisit d'un coup. Face à elle s'étendaient le ruban de la Seine et toute la rive droite jusqu'au Sacré-Cœur. Elle détourna le regard et aperçut la cour d'honneur, immense et si loin sous elle. Elle chancela.

— Ne regardez pas en bas, répéta Tommaso en la maintenant par le bras.

Et sans se retourner, il l'entraîna dans la nuit.

14

Tommaso sentait ses yeux le piquer. Il regarda la montre à affichage électronique de la voiture. 3 h 44. Ils roulaient depuis quatre heures. Il pensa qu'il n'avait jamais mis les pieds dans ce département, et sans doute jamais non plus dans l'Auvergne tout entière.

Son regard glissa sur Claire. Assise sur le siège du passager, elle semblait dormir paisiblement. Ses mains ouvertes reposaient sur ses genoux. Dans la droite, enroulé autour d'un doigt, il aperçut le lacet de cuir et la petite pierre. Sa tête reposait contre la vitre. Endormie, elle paraissait plus menue encore. Il bâilla et appuya son pied gauche contre son mollet droit. Ne pas dormir. Il calcula qu'il restait approximativement quarante kilomètres. Les phares éclairèrent un panneau indiquant Brioude 22. Il soupira. Ils seraient sur place dans trente minutes. Il pouvait la laisser dormir. Il la réveillerait avant d'entrer dans le village.

Tommaso jeta encore un regard. Le pull jaune d'Isabelle posé sur ses épaules éveilla en lui un sentiment étrange, comme un lien entre ces deux femmes si dissemblables. Claire avait examiné les vêtements d'un air méfiant, les avait retirés un à un avec des gestes de chat, les retournant entre ses mains pour juger de la texture ou de la couleur. Il l'avait observée, troublé de voir d'autres mains manipuler ces vêtements, un autre parfum flotter dans l'air.

Le pull trop grand rendait Claire plus fragile. Sur Isabelle, il renforçait seulement son côté lumineux, sa force.

Son cœur se serra de nouveau. Isabelle n'avait pas répondu quand il avait essayé de la rappeler depuis la route. Il avait laissé un message sur le répondeur où l'annonce avait été remplacée par une sonate de Bach, sans savoir si elle filtrait.

À ses pieds, le sac à dos était bien là. Il avait failli tomber dans la course folle sur les toits, lorsque Tommaso avait manqué glisser au moment de descendre par une échelle de sécurité le long de la chapelle. Le poids l'avait déséquilibré, mais les intrus ne les avaient pas suivis. Ou du moins Tommaso ne les avait-il pas vus. Il lui avait semblé entendre une sirène de police sur le boulevard Saint-Michel tandis qu'il démarrait en trombe vers la rue des Écoles, mais peut-être était-ce une coïncidence.

La même interrogation lancinante revenait buter dans son esprit : était-ce des gardiens ? Ou les mêmes visiteurs que dans l'appartement de l'Observatoire ?

Il grimaça en songeant qu'il y avait décidément plus de questions que de réponses dans cette histoire. Et ils n'avaient trouvé aucun élément qui rattache l'universitaire à John Lowell…

Brioude, 10. Claire grogna dans son sommeil. Il tourna, quittant la nationale pour le village qu'elle lui avait indiqué sur la carte. La route était étroite, à présent. Il repensa à sa pâleur lorsqu'il avait enfin ralenti, une fois sorti de Paris.

— C'est ma façon de conduire qui vous inquiète ? avait-il demandé.

Elle avait soupiré sans lui rendre son regard.

— Non, c'est cette habitude de ne sortir des pièces que par les fenêtres. Vous êtes sûr que vous travaillez en dessous du niveau de la mer ?

Ils avaient évoqué longuement la personnalité du père de Claire, détaillant leurs dernières rencontres, à la recherche d'un indice. Puis elle l'avait interrogé sur son parcours. Il avait raconté ses études d'histoire et de civilisations anciennes, à Oxford, les années en France à l'école des Chartes, le malaise qu'il ressentait à n'être que dans l'étude en chambre, son émerveillement en découvrant, lors d'un stage à Alexandrie, que ses passions de la plongée et de l'archéologie pouvaient se marier. Elle avait répondu en parlant un peu de sa scolarité à l'université de Columbia à New York et de l'année qu'elle avait passée dans une ONG au Vietnam, mais sans s'appesantir. Ses réponses se terminaient presque toujours par des questions relançant la conversation sur Tommaso. Il lui semblait qu'elle éludait volontairement. Il avait pensé que c'était la fatigue en la voyant étouffer un bâillement. Ils étaient ensuite restés un moment silencieux, jusqu'à ce qu'il se rende compte qu'elle s'était endormie.

À deux cents mètres, Tommaso aperçut les premières maisons du village.

Il ralentit et gara la voiture sur le bas-côté. Il coupa le contact. Les lumières s'éteignirent progressivement. Il se tourna vers sa passagère. Son visage plongé dans l'ombre, il ne distinguait qu'à peine sa respiration. Il patienta encore un instant avant de se pencher pour presser doucement son épaule.

— Claire, murmura-t-il, Claire, réveillez-vous.

*****

L'eau était glacée. Tommaso donna un dernier coup de reins et déboucha enfin à l'air libre. Il suffoquait. Il respira l'air froid tout en cherchant des yeux le rivage. Dans la nuit profonde, rien ne distinguait la côte des eaux noirâtres. La panique le saisit. Ses parents ? Il réalisa qu'ils n'étaient pas à ses côtés. Il pensa qu'il devait trouver Mathilde et Isabelle. L'angoisse lui serrait la poitrine. Il cherchait à entendre leurs voix. Il essaya de plonger de nouveau, mais la surface de l'eau devenait plus dense, l'enserrant comme une sorte de gangue, restreignant ses mouvements. Il se débattit. Il fallait qu'il les sauve. La pression se faisait plus forte sur ses membres, la surface devenait dure comme du verre. Il ouvrit la bouche pour crier quand la voix le tira vers le haut, l'arrachant à la surface gelée…

— Tommaso. Tommaso !

Il ouvrit les yeux en se redressant si soudainement que Claire, surprise, fit un bond en arrière. La tasse qu'elle tenait à la main faillit lui échapper et un peu de café tomba sur le parquet.

Tommaso sentit sous ses doigts le velours doux et usé du canapé vert olive, au milieu du salon, où il s'était laissé tomber après une heure passée à tourner en rond, épuisé mais incapable de trouver le sommeil.

— Vous vous agitiez… expliqua Claire comme pour s'excuser.

Les rayons du soleil jouaient sur sa robe d'été bleue et dans ses cheveux courts. Tommaso pensa que cette robe mettait en valeur leur couleur brune puis fit un geste de la main.

— Ce n'est rien, un mauvais rêve.

— Je vous ai fait du café.

Il la remercia tout en observant l'ameublement rustique et confortable de la maison. La pièce aux murs blancs et aux meubles de bois sombre respirait une atmosphère familiale. Il n'y avait dans la pièce rien d'affecté, plutôt un empilement au fil du temps d'objets et de meubles divers dont le point commun, par-delà les styles et les modes variés dont ils témoignaient, était de privilégier le bien-être des habitants du lieu. Au mur, des tableaux contemporains éclairaient le cadre un peu vieillot. Il se dégageait de l'ensemble une atmosphère de douceur propre aux maisons habitées régulièrement.

Il but une gorgée de café.

— Délicieux. Quelle heure est-il ?

Elle sourit.

— Il y a aussi des croissants et les journaux. Il est neuf heures.

Il ouvrit de grands yeux.

— Neuf heures ? Mais il fallait me réveiller !

Il se leva d'un bond.

Elle secoua la tête.

— Il n'y avait pas urgence. J'ai rangé la voiture dans le garage. Personne ne sait que mon père venait là souvent. La maison est à moi, et elle est encore au nom de ma mère. Mon père ne venait que pour travailler et il tenait plus que tout à son intimité. Il n'y a même pas le téléphone…

Tommaso se passa les mains sur le visage et ébouriffa ses cheveux.

— OK pour le petit déjeuner.

Construite à flanc de colline, le long des fortifications, la maison de campagne de Paul Garcieux s'élevait toute droite sur trois étages, le dernier ouvrant sur une terrasse donnant elle-même par un petit escalier sur une immense prairie plantée d'arbres fruitiers. Audessus se dressait autrefois un château fort dont ne subsistaient que quelques morceaux de fortifications.

De l'autre côté, la petite terrasse pavée ouvrait sur tout le village bâti à ses pieds, le long de ruelles en pente, et sur l'église dont le clocher pointait à moins de quinze mètres de la tonnelle installée au bord de l'à-pic, à la même hauteur que la terrasse.

Tommaso jeta un dernier regard à la perspective vertigineuse. Au loin, dans un halo bleuté, se dessinaient les contreforts des monts d'Auvergne. L'atmosphère un peu fraîche était encore chargée de l'humidité du matin. Il émanait de l'ensemble une douceur paisible qui lui rappelait celle des hautes terres d'Écosse. La lumière lui semblait familière, proche de celle des horizons maritimes lorsque le vent s'est apaisé.

Tommaso pensa qu'il aurait aimé posséder un endroit semblable, un lieu pour se replier de la fureur du monde, ralentir le temps, replonger dans la sécurité des objets connus. De la chambre que lui avait indiquée Claire (« Vous n'allez pas rester installé dans le salon, il y a huit chambres, ce serait un peu absurde, non ? ») émanait la même impression agréable. Les meubles simples en bois, les étoffes un peu défraîchies étaient plus confortables qu'usagés.

Il songea qu'ils avaient atténué la dureté persistante dans la voix d'Isabelle, lorsqu'il l'avait appelée brièvement, en prenant garde de ne rien dire sur le lieu où il se trouvait. Une précaution supplémentaire, un cran de plus dans cette dérive étrange qui l'avait fait plonger en vingt-quatre heures dans la quasi-clandestinité…

Il s'arracha à la vue et se retourna vers Claire.

— On s'y met ? Votre père travaillait où ?

Elle se leva et lui fit signe de la suivre.

Il s'engagea derrière elle dans les escaliers et les couloirs étroits de la maison biscornue. Partout, des détails trahissaient les ajouts successifs. Ils traversèrent deux corridors, une chambre, s'engagèrent dans un nouveau couloir, d'où partait un autre escalier de pierre – raccourci pour la cave, commenta Claire. Le couloir s'achevait sur une porte en chêne. Elle l'ouvrit et entra devant lui.

La vaste pièce carrée était entièrement tapissée de bibliothèques de bois sombre, à l'exception du manteau de la cheminée et d'une bande vitrée de deux mètres qui prolongeait le plafond en verrière. La hauteur des murs – près de cinq mètres, estima Tommaso – donnait à l'œil le sentiment que la pièce était presque cubique. Une table en bois rectangulaire trônait au milieu, couverte elle aussi de livres et une autre table, de plus petite taille, était posée le long de la grande cheminée qui faisait face à la porte. Un fauteuil en cuir et une lampe semblaient attendre le propriétaire des lieux comme s'il était parti un instant plus tôt.

Claire tourna sur elle-même avec un sourire triste.

— Et voilà. C'est l'ancienne serre du château, raccordée à la maison au début du siècle dernier. Toute une partie de la vie de travail et des archives de mon père se trouve ici.

Elle embrassa du regard la vaste pièce. Tommaso pouvait presque palper son émotion tandis qu'elle demeurait là, immobile, rattrapée par la disparition dans ce lieu où tout lui parlait de son père et où elle revenait seule.

Il hésita, fit un geste pour s'approcher d'elle.

Sans le voir, elle se mit en mouvement à son tour. Elle marcha vers la bibliothèque, désignant de mémoire les rayons tout en arpentant la pièce à grands pas.

— Architecture, astronomie, ethnologie, religions, sociologie, politique, histoire, philosophie, linguistique…

La litanie semblait lui redonner des forces.

Tommaso sifflota entre ses dents.

— Mazette, pour de l'éclectisme…

Elle sourit plus franchement.

— Il aurait dit : « Pas éclectisme, correspondance. » Ce sont les zones communes qui l'intéressaient.

Tommaso s'était rapproché du bureau. Il saisit un cadre en argent où étaient disposées trois photos. Sur la plus grande, un homme mince aux rares cheveux gris, les yeux cachés par de grosses lunettes posait à côté d'une petite fille qui lui enserrait le cou de ses bras.

— C'est lui là ? interrogea-t-il.

Elle acquiesça en silence avant de reprendre :

— Là avec moi et là avec ma mère. Et là, c'est encore moi.

Tommaso baissa les yeux vers la photo. Claire se rapprocha.

— C'est moi qui ai fait faire l'agrandissement pour le lui offrir.

Tommaso fronça les sourcils en déchiffrant l'encre pâlie.

— Pour Papa…

La voix de Claire se teinta à nouveau d'émotion.

— Paola. C'est lui qui m'appelait ainsi. Mon deuxième prénom. Il l'aurait voulu le premier, mais ma mère l'a pris de court et m'a déclarée avant à la clinique. Elle a quand même gardé son choix en deuxième…

Il y eut un instant de silence puis Tommaso reposa la photo.

— Et il y a un classement chronologique ?

Elle acquiesça.

— Dans les placards de la rangée du bas. Les dossiers sont classés par année et par thème. Les plus récents sont là, ajouta-t-elle en désignant la gauche de la cheminée.

Elle s'approcha et ouvrit successivement tous les placards de ce côté.

— 2002, 2003, 2004, 2005…

Des piles de dossiers s'étalaient, taches rouges, bleues ou vertes soigneusement rangées les unes contre les autres.

— Et à chaque année correspondent des dossiers avec des noms de lieux ou de personnes…

Tommaso mesura du regard la masse des documents.

— Pas de système de fiches ?

Elle fit non de la tête.

— Et pas d'ordinateur ?

— Non. Mais il y a un coffre, le conduit de la cheminée est muré.

Elle s'agenouilla pour lui montrer.

— Là, derrière la plaque de fonte posée au fond de l'âtre, il y a un petit coffre. Mais je n'ai ni la clé, ni la combinaison…

Il se frotta les mains.

— Eh bien, au travail ! Tu…

Il se reprit.

— Vous avez sorti le sac avec les dossiers de la Sorbonne ?

Claire sourit.

— On peut se tutoyer peut-être ?

Il hocha la tête en signe d'acquiescement.

— Je vais chercher le sac.

Elle se dirigea vers la sortie avant de se raviser. Agenouillé sur le sol, l'archéologue sortait un à un les dossiers en examinant chacun de leurs noms.

— Tommaso ?

Il se retourna, la main posée sur la porte du premier placard.

— Oui ?

— Qu'est-ce qu'on cherche ?

Il tapota légèrement la porte en bois.

— À découvrir ce qu'il faut chercher…

Elle esquissa un sourire. Il s'était déjà retourné pour saisir un nouveau dossier et lire ce qui était écrit au feutre sur la tranche. L'écriture était serrée et il hésita avant de déchiffrer :

— Sinan / Constantinople, murmura-t-il avant de poser le dossier sur la pile.

15

Constantinople – 1588

— Chodcha Minar ?

La voix douce du jeune apprenti fit sourire Sinan dans son demi-sommeil. Par ses paupières entrouvertes, il apercevait la silhouette frêle penchée sur lui, un bras en avant hésitant à toucher l'étoffe de sa veste. Au milieu du décor surchargé de la terrasse d'été, conçue pour amplifier au plus fort de la chaleur les maigres courants d'air, le jeune homme paraissait plus fragile encore. Ses cheveux noirs et la peau mate de son visage imberbe contrastaient avec la pâleur des stucs qui ornaient les pas de portes et avec le marbre blanc du pavement.

Le garçon hésita à interpréter le soupir qui passa les lèvres du vieil architecte. Celui-ci considérait à présent le geste suspendu avec une pensée bienveillante.

— Chodcha Minar ? répéta l'apprenti d'un ton incertain.

À quatre-vingts ans, Sinan goûtait comme un plaisir d'entendre le plus grand nombre de ses collaborateurs l'appeler de ce surnom familier plutôt que d'un « maître » plus respectueux mais ô combien anonyme.

Il bougea la main pour signifier qu'il avait compris.

Soulagé, le garçon se redressa légèrement. L'ombre d'un sourire réapparut sur ses traits de nouveau détendus.

— C'est l'heure, Chodcha Minar, murmura-t-il. Le souverain ne doit pas attendre.

Sinan hocha la tête en se relevant à demi sur sa couche. Un léger souffle d'air courait sur la terrasse ombragée par des dais blancs au sommet de sa grande maison. Il ferma les yeux pour mieux le sentir et y puiser un peu de forces. Il avait appris à mesurer ses efforts, à ne laisser échapper pour chaque geste que le minimum d'énergie nécessaire. Il se savait si faible, à présent.

— Va, souffla-t-il de sa voix chevrotante à son apprenti. Prépare la litière à la porte. Je serai là dans un instant.

Le garçon détala sans un mot. Sinan le suivit des yeux, le couvant d'un regard affectueux. Ses fils à lui étaient déjà des hommes. Ils avaient eux-mêmes des enfants. Mais c'était dans ces apprentis venus de rien qu'il se reconnaissait le mieux, lui, l'enfant orphelin enrôlé si jeune dans le corps des janissaires, lui, l'enfant guerrier devenu plus de soixante ans plus tard « Chodcha Minar » : le vieux bâtisseur.

Il fit basculer ses jambes pour s'asseoir. Son regard tomba sur ses mains solidement accrochées au cadre de bois du lit pour assurer sa prise au moment de faire l'effort de se lever. Il hésita à rappeler le garçon puis se refusa ce service, l'orgueil répugnant à s'y soumettre. Il lui semblait étrange que ces mains de vieillard, tachées et plissées, puissent être les siennes. Il soupira puis poussant sur ses mains en appui sur le rebord du lit se mit debout. Se détournant pour ne pas croiser de surface où se refléteraient son visage émacié par la fatigue, son crâne chauve, sa barbe devenue grise, sa silhouette voûtée, comme usée par le poids des pierres charriées pour réaliser les rêves conçus par son esprit, il porta le regard du côté où la terrasse ouvrait sur l'horizon.

Toute la ville de Constantinople s'offrait à lui. D'un seul coup d'œil, il pouvait balayer toute la périphérie de la ville, depuis le Bosphore jusqu'à la Porte Dorée. Sous le soleil de plomb, l'architecte contempla encore un instant ce spectacle dont il ne pouvait se lasser. Il passait à présent le plus clair de son temps sur cette terrasse, à observer la ville tout en révisant les plans qu'on continuait de lui soumettre, pour tous les édifices liés à l'exercice du pouvoir de l'Empire ottoman, jusqu'à ses plus lointaines frontières, jusqu'à Damas.

Dans cette seule ville, sous ses yeux, cinquante lieux existaient parce qu'il les avait voulus ainsi, conformes aux plans et aux localisations qu'il avait souhaités. Ses yeux se posaient sans hésiter sur la mosquée d'Haseki Hürrem, celle du Prince, celles d'Ibrahim Pacha, de Sinan Pacha, de Rustem Pacha, et au cœur de cette toile quadrillant la ville, les joyaux si chers à son cœur, la mosquée dédiée à son maître, celle de Soliman le Magnifique, et le Palais de Topkapi.

Au milieu du tissu des rues entremêlées, au centre même de la ville, il apercevait les traces du tremblement de terre de 1509 – la petite apocalypse – qui avait grandement facilité son propre travail par l'ampleur de ses destructions. Il distinguait aussi les saignées qu'il avait pratiquées, comme un chirurgien, invisibles à l'œil du commun des mortels. Des yeux, il caressait son œuvre, passant lentement sur les contours du signe qu'elle traçait en reliant les points cardinaux des édifices. Il avait l'impression de sentir le pouls de la cité et de l'Empire battre à travers ces veines de pierres.

Une fois encore, le vieillard sentit son cœur se gonfler d'orgueil, appuyé contre la balustrade comme s'il voulait s'approcher un peu plus de ces lieux où il avait mis en pratique sa science... Le destin avait offert à travers lui à Soliman le Magnifique un instrument de puissance inespéré. Il avait pu convaincre son maître du bénéfice qu'il tirerait en le laissant mettre en pratique son art. Ce que cent ans de domination turque sur la ville n'avaient pu achever, lui, Sinan, l'avait réalisé pour le compte de Soliman en moins de vingt ans, faisant disparaître les ferments de discorde et de désobéissance, unifiant les comportements religieux, donnant surtout à la parole du Prince, relayée dans les villes par ses représentants, une force de conviction et une capacité à se faire entendre qui allaient au-delà de toutes les espérances.

Vingt-deux ans étaient passés. Vingt-deux ans depuis la mort de Soliman. Ses successeurs avaient continué à considérer le vieil architecte, par respect pour la mémoire du grand roi, mais surtout au nom de la crainte qui les habitait, ne sachant exactement l'étendue des pouvoirs dont il disposait...

Ne pas faire attendre le Prince.

Sinan jeta un dernier regard sur la ville en songeant qu'il n'aurait jamais été un serviteur si précieux s'il n'avait été un soldat, il y a bien longtemps. L'image des combats, le bruit terrible, l'odeur de sang et les cris des suppliciés surgirent tout à coup dans son esprit. Il ferma les yeux pour les chasser, sans y parvenir. Il se vit de nouveau débarquer sur les rivages de Corfou et traverser arme à la main la grand-place de la ville, le palais, les salles richement décorées que les Vénitiens venaient d'abandonner en hâte. Il se rappela les hommes aux mains chargées d'or et de pierres, d'objets de culte. Il pouvait sentir encore le déchirement qui l'avait saisi devant les incendies et les destructions de ces lieux et de ces objets si beaux, lui qui commençait à rêver d'en construire de semblables. Puis il se vit pénétrer dans la bibliothèque du monastère, disperser ceux qui voulaient brûler les ouvrages, tenter en vain d'éteindre les flammes qui léchaient déjà les pages des manuscrits et des rouleaux jetés au sol. Avec avidité, il avait couru de meuble en meuble à la recherche des ouvrages dédiés à la construction et parés des plus belles illustrations. Il sentait de nouveau la douleur avec laquelle, pressé par le temps, il abandonnait des pièces inestimables faute de pouvoir tout emporter. Il se souvenait de l'émotion qui l'avait saisi lorsqu'il avait pris en main et entrouvert au milieu de ces trésors l'œuvre qui allait changer sa vie. Il en avait lu les premières lignes et avait tout de suite reconnu le livre réputé perdu. Le vertige était là encore, de si longues années après…

La douleur le frappa à la poitrine comme une flèche. Il réprima un cri et s'affaissa à demi sur la balustrade.

L'angoisse le glaça.

Le Prince ne pouvait attendre. Il ne devait pas mourir. Le manuscrit ne pouvait disparaître.

— Fou, murmura-t-il, fou que je suis.

Au prix d'un effort surhumain, il tira sur son bras droit cramponné à la balustrade et parvint à se remettre debout. Il avait l'impression qu'on lui broyait la poitrine. Des taches blanches papillonnaient devant ses yeux. Il voulut appeler mais aucun son ne sortit de sa bouche. Ses yeux se fixèrent sur la mosquée qui portait son nom, reconnaissable à sa tour octogonale. Puis l'octogone se mit à tourner de plus en plus vite tandis qu'un point noir grossissait jusqu'à occuper tout son champ de vision.

16

Le soleil acheva de disparaître derrière le clocher de l'église, plongeant dans l'ombre la tonnelle et la totalité de la terrasse.

Claire avait insisté pour qu'ils s'installent là. Tommaso avait senti que cela participait d'une habitude et n'avait rien fait pour la bouleverser. Du reste, il faisait une température clémente et l'air frais avait laissé place à une atmosphère estivale.

Tommaso referma le dernier des dossiers récupérés dans le bureau de la Sorbonne et se passa la main sur les yeux en se tassant dans son fauteuil. Il sentait la fatigue peser sur lui, incarnée par l'ombre de la pile de papiers projetée sur la table.

Silencieuse, assise de l'autre côté de la terrasse, Claire posa son crayon et le glissa dans la liasse de feuilles qu'elle parcourait avant de la refermer à son tour. Elle l'interrogea du regard.

— Bien, résumons-nous, dit Tommaso. Tu m'arrêtes si tu vois autre chose que j'ai oublié. Au négatif, je crains qu'il y ait encore plus de questions que de réponses, beaucoup plus. Nous ne savons rien sur les assassins, rien non plus sur ceux qui nous ont tiré dessus, ni même si ce sont les mêmes. Et rien enfin qui relie les événements à Carthage et au bateau englouti que j'étais censé chercher. Mais…

Il écarta les bras pour signifier que tout n'était pas perdu.

— … au moins le paysage des travaux est-il plus clair : ton père ne s'est intéressé récemment – sauf à ce qu'un pan énorme de ses recherches ait disparu – qu'à trois sujets majeurs : l'archéologie de la Carthage punique, l'astronomie primitive et l'architecture d'un certain nombre de bâtiments, une quinzaine pour être précis. Ils sont listés sur cette feuille, à côté de la ville où ils se trouvent et de ceux qui les ont construits, dans un ordre apparemment incohérent. Sans que rien les connecte entre eux vraiment… Et en prime, certains des bâtisseurs font aussi l'objet d'études particulières.

Claire pencha la tête pour regarder la feuille qu'il venait de désigner. Tapés à la machine, les noms se suivaient, simplement séparés par un double interligne. Elle parcourut la première ligne des yeux.

Tommaso reprit.

— Maintenant, ce qui est moins clair. D'abord le lien entre ces trois sujets d'études. Là-dessus, tout renvoie à des mémos désignés par le même code ST puis un numéro d'ordre chronologique. Sauf que nous n'avons aucun de ces mémos. Étaient-ils dans sa sacoche ? Dans son portable ? La seule référence que j'ai trouvée est ce courriel imprimé reçu d'un nommé Aaron Gowitz, qui fait référence au mémo ST 12.

Il lui tendit une feuille froissée, au bord noir de poussière.

— Le nom te dit quelque chose ? À part lui, nous n'avons personne. Ton père était très prudent. Ou bien il n'échangeait aucune correspondance sur ces sujets, ce qui m'étonnerait, ou bien il gardait ailleurs toutes les identités de ses contacts et leurs correspondances. Peut-être même sur lui.

Elle secoua la tête en signe d'ignorance, les lèvres pincées.

— Ça ne fait rien. Nous allons y revenir. En un sens, nous sommes chanceux : tout était fait pour que nous ne puissions remonter aucun lien et si un courant d'air ou un geste maladroit n'avait pas envoyé cette feuille se coincer entre la table et la bibliothèque, nous en serions pour nos frais.

Il s'arrêta en considérant le regard dubitatif de la jeune femme.

— Qu'est-ce qu'il y a ?

Elle haussa les épaules.

— Rien. Enfin rien de tangible. Mais tu n'as pas connu mon père.

Surpris, Tommaso ouvrit de grands yeux.

— C'est-à-dire ? interrogea-t-il.

Une pointe d'agacement perça dans la voix de Claire.

— Ce que je veux dire, c'est que si tu l'avais connu, tu penserais moins facilement que nous devons cela au hasard. Mon père était extrêmement méticuleux. Et très calculateur.

Il acquiesça en silence, surpris de la trouver de nouveau sur la réserve.

Le vent venait de se lever. Elle frissonna. Il lui donna son pull posé sur le dossier de sa chaise.

— Tu n'as pas froid ? s'étonna-t-elle en passant le chandail.

Il fit signe que non de la tête tout en reprenant :

— Le deuxième point encore obscur, c'est le contenu même des dossiers.

Il lui tendit une note sur laquelle étaient inscrites des suites de chiffres et des formules mathématiques.

Claire secoua la tête.

— C'est incompréhensible. J'ai cherché partout quelque chose qui nous éclaire.

L'énervement se devinait encore dans ses mots et le geste vif par lequel elle désignait de la main les feuilles empilées près de sa chaise.

Tommaso essayait de deviner ce qui l'avait déstabilisée. Cette feuille ? Le hasard ? Tout simplement la fatigue ?

— Tous les dossiers sont semblables, poursuivit-elle d'un ton brusque. Les mêmes suites de chiffres, les mêmes éléments de plans, les mêmes notes de synthèse d'ouvrages d'érudition sur les modifications apportées aux bâtiments à travers les siècles...

Tommaso sentait monter en lui une excitation semblable à celle qui le tenait des journées entières sur des croquis, des places et des manuscrits anciens dans la préparation d'une mission de fouille. L'archéologue reprenait la maîtrise des événements, lui offrant un espace de sérénité, le sentiment de parcourir de nouveau pour un instant au moins un chemin balisé.

— Exact. Et pour tous, compléta-t-il, ces croquis refaits de la main de ton père avec des points reliés entre eux par des traits et des flèches.

Il souleva à la verticale quatre feuilles pour qu'elle puisse les embrasser d'un seul regard.

Les deux premiers dessins figuraient la basilique Saint-Pierre de Rome et un bâtiment qui ressemblait à l'Assemblée nationale française.

— C'est quoi à droite ? demanda Claire.

Il jeta un regard par-dessus les feuilles dressées devant lui.

— Sauf erreur c'est la Cité interdite de Pékin. Et là le Palais impérial de Tokyo.

Les lignes se croisaient en tous sens, reliant des points divers selon un ordre incompréhensible. Des schémas de coupe en bas du feuillet complétaient le plan vu du ciel qui prenait la plus grande partie de la page.

Tommaso reposa les papiers à plat.

— Troisième point obscur, la raison pour laquelle dans le dossier sur le Palais-Bourbon sont archivées, annotées avec la mention « ST » et un certain nombre de passages soulignés, plusieurs coupures de presse relatives à l'attentat commis la veille de l'assassinat.

Il saisit de nouveau l'un des plans.

— C'est la même mention qui est indiquée à côté de chaque point de convergence des lignes. J'ai essayé de comparer les liens d'un édifice à l'autre. Il y a des ressemblances. Regarde.

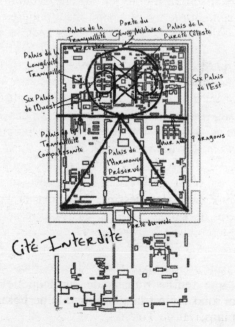

143

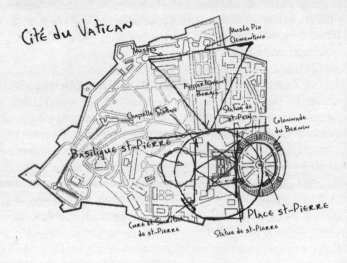

Cité du Vatican

Musée Pio Clementino
Musées
Appartement Borgia
Chapelle Sixtine
Statue de St-Paul
Colonnade du Bernin
Basilique St-Pierre
Place St-Pierre
Cure et Sacristie de St-Pierre
Statue de St-Pierre

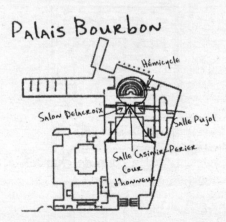

Palais Bourbon

Hémicycle
Salon Delacroix
Salle Pujol
Salle Casimir-Périer
Cour d'honneur

Il prit une feuille translucide sur laquelle étaient figurés un rond et un triangle puis la superposa à chacun des plans.

144

— Si l'on ne retient que certains des points, on obtient exactement les mêmes figures, et elles se répètent aux mêmes endroits.

Claire observait en silence.

— Ça, je pense que ce sont des courbes de niveau, ou des variations de pentes. Cela signifie que les lignes doivent figurer quelque chose en trois dimensions, une figure complexe, qui correspond peut-être aux équations. Il faudrait plus de temps bien sûr…

Tommaso fit glisser le calque lentement en silence, comme s'il poursuivait une réflexion intérieure avant de reprendre le fil de son exposé.

— Quatrièmement, pourquoi ton père entretenait-il des relations avec quelqu'un comme ce Gowitz, un universitaire, en prenant soin de masquer leurs échanges ? Enfin cinquièmement, ajouta-t-il comme avec réticence, il y a ça.

Il soulevait un carnet noir en moleskine.

Claire écarquilla les yeux.

— Qu'est-ce que c'est que ça ? C'était dans le coffre de la cheminée ?

— Non, le coffre était ouvert et vide. Curieusement, ce carnet était caché derrière la plaque de bois du fond des étagères.

Claire eut un mouvement de surprise.

— Tu les as démontées ?

— Pas toutes, non. Un coup de chance, la pile de dossiers a cogné contre et ça a sonné creux. L'une des plaques était décollée du mur de deux centimètres et amovible. Une cachette facile d'accès et invisible.

— Et alors ?

— Alors c'est un livre de comptes. En partie encodé, mais pas très difficile à déchiffrer. Parcellaire, parce que, par exemple, les numéros de comptes complets et les intitulés n'y figurent pas. Mais c'est de toute évidence une comptabilité.

Claire blêmit.

— Ton père touchait de l'argent. Où, je ne sais pas. De qui non plus. Mais visiblement beaucoup d'argent. À vue de nez, deux ou trois millions d'euros ou de dollars. Alors soit il avait des informations très précieuses, soit il faisait chanter quelqu'un.

Il s'interrompit en la voyant sursauter.

— Qu'est-ce qui se passe ?

Elle se leva d'un bond. Ses yeux lançaient des éclairs.

— Son goût du secret te paraît bizarre ! Et maintenant les soupçons. Écoute-toi : tu parles de quelqu'un que tu n'as jamais vu, jamais connu, sur qui tu ne sais presque rien, un type mort il y a quelques jours à peine ! Et tu en parles presque comme d'un voyou, comme d'un type louche ! Je suis désolée de devoir te rappeler qu'il s'agit de mon père, qu'il a été assassiné il y a trois jours et que ce sont ses assassins que nous cherchons.

Médusé devant la virulence soudaine des mots de Claire, Tommaso se leva pour tenter de couper court à sa colère.

— Je n'ai pas dit ça. Claire, ne le prends pas comme ça. Je veux juste savoir qui était ton père, cerner son activité. Je ne dis pas que cela est autre chose que bizarre mais…

— Ce qui m'intéresse, moi, coupa-t-elle froidement, c'est de savoir qui a fait ça. Et de me venger. Je sais que ton souci est de maintenir à flot ton bateau. C'est très bien. Et je ne t'en voudrais pas de ne pas te mêler du reste. Peut-être avais-tu raison et vaut-il mieux que tu oublies tout cela.

Tournant les talons, elle s'élança vers l'escalier.

— Claire ! lança Tommaso.

Seul le bruit des pas dévalant les marches à la volée lui répondit.

*****

Tommaso consulta sa montre. Six heures s'étaient écoulées. Assis dans la bibliothèque, il admira le ciel étoilé à travers la verrière. Ses yeux le brûlaient à force d'avoir compulsé de nouveau tous les documents.

Il entendit des pas traverser le couloir. Claire apparut sur le seuil. Elle avait le visage marqué. Entre les doigts de sa main droite brillait la petite pierre verte.

Il ouvrit la bouche, mais elle le devança.

— Le premier dossier était sur l'Assemblée nationale française. Le deuxième sur le Parlement anglais. Quelles étaient la troisième et la quatrième villes sur la liste ?

Il répondit sans hésiter.

— Rome…

Elle l'interrompit, la voix tremblante :

— Et Bruxelles ?

Il acquiesça, l'air surpris.

— Oui, c'est bien cela. Pourquoi cette question ?

Elle avala sa salive.

— Je viens de l'entendre à la radio. Deux attentats à quelques heures d'écart. Ce matin et cet après-midi. Visant Saint-Pierre de Rome et le nouveau siège en chantier de la Commission européenne à Bruxelles. Les deux ont subi des dégâts très importants.

Ils étaient assis dans la cuisine, face à face, de part et d'autre de la grande table de ferme qui occupait la majeure partie de l'espace. Tommaso leva les yeux vers Claire. Sous l'éclairage tamisé de la suspension fixée au-dessus d'eux, elle paraissait plus pâle, comme épuisée. La lumière tombante soulignait ses pommettes et le creux de ses joues. Elle regardait obstinément son verre, les deux mains serrées autour de lui, comme si elle ne parvenait pas à chasser les images de destruction qu'ils venaient de voir à la télévision, semblables à celles de Paris et de Londres, avec le même ballet de voitures de secours et de police, les murs abattus, les poutres brisées, les vitres soufflées... Les informations tournaient en boucle, les journalistes ne sachant à laquelle des deux catastrophes accorder la primeur. Chaque séquence de Rome ou Bruxelles était complétée sur une bande déroulante de nouvelles de l'autre ville. Et bientôt, des spéculations couraient sur le lien supposé que suggérait la coïncidence presque parfaite des deux explosions. Le trop-plein de drames, augmenté des rappels sur la suite des enquêtes des précédents attentats de Paris et Londres, noyait la clarté du récit sous un flot excessif d'informations. Dans chacun des pays concernés comme aux États-Unis et en Russie, des conseils des ministres étaient convoqués à la hâte, des mesures de protection renforcées, des cellules de crise activées.

— Je suis désolée, dit Claire d'une voix presque imperceptible. Je n'aurais pas dû m'emporter, je...

Tommaso écarta son propre verre et recula sa chaise qui grinça sur le sol de tomettes ocre.

— Laisse ça. Moi aussi je suis désolé, je n'aurais pas dû être aussi brutal...

Elle releva la tête, les yeux brillants. D'un geste machinal, elle repoussa vers le bout de la table les assiettes et le saladier dans lequel Tommaso avait improvisé une version adaptée des spaghettis carbonara.

— Tu sais, mon père était mystérieux. C'était un type admirable par certains côtés. Brillant. Mais je ne le connaissais pas si bien. Je suis restée des années sans lui parler, sans le comprendre. Et j'étais malheureuse que ça ne paraisse pas le soucier. Je me dis qu'il y a des pans entiers de lui que j'ignore. Peut-être que toute l'image que j'ai de lui est fausse ?

Elle but une gorgée, puis se leva. Par la fenêtre, les rayons de la lune venaient frapper le poêle à bois derrière eux.

— Je voulais être comme lui sans savoir comment il était. C'est idiot, non ? Mais je suis devenue journaliste, faute de pouvoir moi aussi devenir spécialiste d'un sujet. Autant dire que j'avais tout raté.

Elle soupira, glissa ses mains au fond des poches du gilet de laine gris dans lequel elle se pelotonnait.

— Et toi ?

Il la regarda, l'air étonné.

— Je veux dire : tu as une famille ?

— J'ai une femme. Une petite fille.

— Je voulais dire un père, enfin des parents.

Tommaso se passa la main sur les lèvres, hésita.

— Mes parents sont morts tous les deux. J'avais onze ans. Ils se sont noyés. On est venu me l'annoncer un matin. J'étais en vacances en Italie, chez des cousins. Je me souviens très bien de la sensation étrange que j'ai eue, comme une sorte de dissociation. J'étais théoriquement bouleversé, mais pratiquement, mon esprit me terrorisait parce qu'il ne parvenait pas à retrouver leur image. Je les avais très peu vus depuis trois ans.

Il fixa Claire.

— Mauvaise question, mauvaise réponse. Tu as mis le doigt dans un truc compliqué.

Elle haussa les épaules en souriant pour montrer qu'elle était désolée.

Il y eut un instant de silence. Elle se leva pour débarrasser la table, l'arrêtant d'un geste pour lui signifier de rester assis. Elle posa les assiettes sur la desserte en bois placée à côté de l'évier. La couleur sombre des meubles et les murs noircis par la fumée du poêle à charbon qui trônait contre la cheminée donnaient au lieu une atmosphère un peu triste.

Tommaso observait Claire tandis qu'elle nettoyait rapidement la vaisselle. Il pensa qu'elle essayait seulement de détourner la conversation, pour ne pas le gêner. Cette pensée le toucha et il se rendit compte au même instant qu'il n'avait pas évoqué ce sujet depuis des années.

— Je ne veux pas t'embêter, dit-elle en se rasseyant.

— Je crois que vais prendre un autre verre, répondit-il en saisissant la bouteille de vin.

— Pourquoi ne les avais-tu pas vus durant tout ce temps ?

— Autant que je commence au début. Mon père était écossais et diplomate. Il avait rencontré ma mère lors d'un voyage en Italie, à Naples, et ils s'étaient mariés sans jamais habiter aucun des deux pays. Mon père était fou amoureux de ma mère, ils s'aimaient passionnément. Au point que je me sentais parfois de trop. J'ai été élevé un peu partout en Europe, jusqu'à ce que ma grand-mère meure. J'avais huit ans. Et là, ils ont décidé que je devais aller tenir compagnie à mon grand-père, qui vivait dans le château des Mac Donnell, près d'Édimbourg. Un authentique château écossais. Mais tu ne sais pas qui sont les Mac Donnell ?

Il sourit.

— Une vraie famille écossaise, dont la plupart des héritiers entre 1500 et 1750 ont fini emprisonnés, tués sur des champs de bataille ou exécutés en place publique pour rébellion contre la couronne anglaise. Pas assez apparemment pour éteindre la lignée. Peut-être est-ce pour cela que nous avons le chardon pour emblème ? Donc mon grand-père vivait entre son château et une résidence de Londres où il mettait les pieds le moins possible. Et moi j'étais censé lui tenir compagnie onze mois sur douze. Je me souviendrai toute ma vie du premier soir où je suis arrivé là-bas, dans le nid d'aigle, conduit par le chauffeur de mon grand-père, un paysan qui me terrifiait. Tout me terrifiait d'ailleurs, du haut de mes huit ans, même les sièges trop grands de sa voiture. C'était comme si on avait balayé d'un coup toute ma vie, qu'on l'avait effacée pour la changer du tout au tout. Je venais d'Italie, de la douceur, de la lumière chaude. Et là… Le vent soufflait, balayant des paquets d'eau sur la lande. La pierre des murs, noirâtre, suintait l'eau qui dégoulinait, tout était froid et tous les bruits résonnaient avec une force incroyable. J'étais tétanisé. Mon grand-père m'a accueilli avec la froideur qui lui était coutumière, comme un alien débarquant sur terre. Un domestique m'a emmené voir ma chambre. Nous sommes montés pendant un temps qui m'a paru infini, jusqu'en haut de la tour la plus haute, du moins est-ce mon souvenir, et puis je suis entré dans la pièce. Elle était ronde. Même les portes d'entrée et celle qui menait au cabinet de toilette étaient incurvées. Mais ce qui frappait surtout, sur les murs blanchis à la chaux, c'était la fresque qu'il avait fait dessiner. Tout autour de la chambre se déroulait l'histoire de Barbe-Bleue et de ses femmes, avec tous les détails horribles du placard entrouvert et des corps pendus.

Il s'arrêta une seconde, un sourire triste aux lèvres.

— J'ai vécu là pendant ces trois ans. Et puis le troisième été, pendant mes vacances en Italie, mes parents sont venus en Écosse. J'étais supposé les y retrouver trois jours plus tard. Et je ne les ai jamais revus. Ils se sont noyés ce jour-là. Ils étaient partis en barque sur un lac. On n'a jamais su ce qui s'était passé.

Il se tut un instant.

— Mon grand-père s'est alors totalement renfermé sur le château. Il a vendu Londres, d'autres choses. Je crois qu'il n'a quasiment plus quitté son domaine. Il ne me parlait pas beaucoup plus. Il me regardait même parfois de travers, comme si je lui rappelais de mauvais souvenirs…

Il s'arrêta de nouveau, ramassa les verres vides pour les porter dans l'évier.

Claire se leva à son tour.

— J'aime beaucoup l'Écosse, moi aussi. Nous y allions souvent quand j'étais enfant et j'y suis retournée en bateau. J'ai beaucoup navigué là-bas. Mes parents aimaient y passer leurs vacances. Ma mère trouvait l'eau trop froide mais moi, j'adorais les vagues, je restais dans l'eau des heures jusqu'à avoir les lèvres violettes et à ne plus pouvoir cacher que je tremblais. Alors ma mère m'emmenait. Mon père nous regardait revenir, l'air interdit. Il ne sortait pas beaucoup, lui. Il travaillait. Je crois que je ne me souviens pas qu'il ait joué une seule fois avec moi. C'est peut-être pour cela que je suis partie loin pour faire des études. Je voulais lui montrer ce que je valais, l'impressionner.

Tommaso la regardait attentivement. Elle avait gardé son torchon à la main et il songea que pour la première fois elle ouvrait légèrement la porte sur elle-même.

— Et le Vietnam ? C'était pour ça aussi ? demanda-t-il. Elle se raidit de nouveau avant de poursuivre sans relever son intervention.

— C'était puéril.

Elle posa le tissu sur un meuble et frotta ses paumes.

— J'aurais dû savoir que rien n'impressionnait mon père que lui-même…

« Il y a de l'amertume dans ces mots », songea Tommaso.

Elle se tut un instant. Pendant qu'elle achevait de ranger avec des gestes lents et méthodiques, il se surprit à l'observer à son insu. Elle lui apparaissait plus triste qu'il ne l'avait perçue jusque-là. Plus belle aussi. Et dans le sillage de sa colère passée, une ombre de fragilité flottait autour d'elle. Il pensa de nouveau qu'elle n'avait pas tout dit sur sa relation avec son père. Elle demeurait sur la réserve, plus prompte à interroger qu'à donner des réponses.

Elle acheva son travail, s'essuya les mains sur un torchon accroché à une porte de placard puis reprit d'un ton tout différent, comme on interrompt une digression.

— J'ai regardé dans le fichier d'agenda et de contacts universitaires de mon père. J'ai trouvé le nom que tu cherchais. Celui du mail, Aaron Gowitz. Ses coordonnées sont à l'institut archéologique du centre Shalem, à Jérusalem.

Tommaso se retourna en essuyant ses mains sur le même torchon.

Il la regardait fixement. Elle hésita.

— L'Assemblée nationale, puis le Parlement anglais, puis les deux autres… Si c'est une coïncidence, c'est incroyable. Et si ce n'est pas le cas, qu'est-ce que mon père venait faire là-dedans ?

Il haussa les épaules.

— Je ne sais pas, Claire. Il faut chercher encore, détailler à nouveau ces dossiers, ces chiffres. Il y a bien une raison. Un lien. Quelque chose que ton père savait. Quelque chose qui avait peut-être un rapport avec Carthage et le bateau… Gowitz. C'est peu, mais c'est notre seule piste nouvelle.

Il s'interrompit.

— Au moins, le cinquième édifice documenté dans les dossiers de ton père ne risque pas d'être détruit…

Elle leva vers lui un regard interrogateur.

— … parce qu'il l'a déjà été par deux fois, il y a plus de deux mille ans.

Un mot se forma sur les lèvres de Claire.

Il acquiesça.

— Oui. Le prochain bâtiment cité sur la liste de ton père, à côté du nom de la ville où il se trouve, c'est le Temple de Jérusalem.

17

Le commissaire divisionnaire Brantôme écarquilla les yeux en voyant le dossier atterrir en vol plané sur son bureau. Il détestait par-dessus tout qu'on fasse irruption dans son bureau le matin alors qu'il savourait le lever du soleil au-dessus de la barre d'immeubles de l'autre côté de la Seine, en face du quai des Orfèvres.

Il s'arracha à la contemplation d'une péniche qui disparaissait sous le Pont-Neuf et leva les yeux pour foudroyer le responsable. Le bras encore tendu, l'air juvénile derrière ses petites lunettes, le commandant Hermier souriait.

— Lis, ça va t'intéresser.

Brantôme continua de le dévisager comme s'il ne comprenait pas ce qu'il disait.

L'autre avança d'un pas.

— Lis ! C'est le retour de nos collègues anglais. Pour une fois qu'ils se sont bougés. Faut dire que dans le périmètre de l'attentat ça va plus vite. On peut comprendre, ajouta-t-il en baissant la voix.

— Accouche, consentit Brantôme. Ce que tu peux m'emmerder quand tu joues aux devinettes !

L'autre se laissa tomber dans le fauteuil fatigué qui faisait face au bureau du commissaire.

Brantôme pensa que s'il restait une seconde encore silencieux avec cet air réjoui sur la figure, il allait le jeter hors de son bureau. Décidément son subordonné l'exaspérait.

Sans rien paraître remarquer de l'agacement de son supérieur, Hermier se résolut néanmoins à s'expliquer :

— Ouvre le dossier. On a tout sur l'avocat qu'on cherchait, tu sais celui des relevés de portable au nom de Garcieux, le téléphone qu'on a pas retrouvé. Eh ben il est mort, figure-toi. Mais accidentellement. Enfin c'est une victime collatérale de l'attentat du Parlement anglais. Carotide tranchée par une vitre. Non, jusque-là juste un accident, de la malchance. Ce qui est plus intéressant, c'est qu'il avait eu de la visite avant de mourir. Et que le visiteur en question est aussi celui qui a laissé un message sur le répondeur de Garcieux, avant son décès. L'ange de la mort, quoi...

Hermier sourit en voyant une lueur s'allumer dans le regard de Brantôme.

— Et ce n'est pas tout. Devine qui a laissé ses empreintes partout dans le bureau de Garcieux à la Sorbonne et dans l'appartement de Garcieux qui ont tous deux été cambriolés ?

Brantôme se redressa lentement sur son siège. Comme à chaque fois il se rappelait à présent pourquoi il supportait Hermier : derrière son air de premier de la classe, il rapportait toujours des choses utiles.

— Bingo, le même. Un nommé Tommaso Mac Donnell. Et devine comment on sait qui c'est ? Parce que ses empreintes ont déjà été prises, il y a cinq ans, dans une sombre histoire de vol et de corruption au sein d'un département d'archéologie du CNRS.

Brantôme sourit à son tour.

— Pas mal. Sors-moi tout son dossier. Et agrafez-le-moi fissa.

L'autre acquiesça. Un rayon de soleil perça à travers les carreaux, l'obligeant à plisser les yeux. Il hésita, puis tendit la main pour reprendre le dossier.

— On va diffuser un avis. Il a une fille et une femme à Paris mais il est rarement là. Et pour l'instant, il s'est volatilisé.

Hermier se dirigea vers la sortie puis se ravisa.

— Ah oui, autre chose, la fille de Garcieux qui devait passer de nouveau aujourd'hui. Elle n'est pas venue.

Dans le contrejour, la silhouette de Brantôme haussa les épaules.

— On verra après. Trouvez-le-moi.

L'autre ouvrit la porte. Brantôme l'interpella.

— Il a pris des choses dans l'appartement et le bureau ?

— Sais pas. L'appartement est totalement retourné. Et dans le bureau, on est en train de faire l'inventaire avec les gardiens et une secrétaire.

Brantôme se renfonça dans son siège.

— Et cette histoire de flingage et de poursuite à l'appartement de Garcieux ?

L'autre haussa les épaules.

— Difficile à dire. Y a bien eu des impacts, mais qui a tiré sur qui… Les instits de l'école sont incapables d'identifier qui que ce soit, ni même de dire combien il y avait de types, si c'était bien une poursuite. Bref, le mieux qu'on a à faire, c'est de trouver Mac Donnell et de lui demander gentiment de nous expliquer ce que c'est que ce bordel.

Brantôme hocha la tête.

— Trouvez-le. Logez-le et trouvez-le ! Putain ! comme si on avait que ça à faire ! Et l'enquête sur l'attentat qui n'avance pas…

18

Le taxi s'arrêta en haut des escaliers. Le chauffeur désigna la fortification massive en pierre ocre dont on apercevait à peine les portes de bronze, calées tout en bas du cirque en demi-cercle dessiné par les marches successives qui s'enfonçaient à partir de l'esplanade.

— Here you are, Jaffa's gate, Jaffa's gate.

Tommaso remercia et paya. La chaleur suffocante le saisit au visage quand il claqua avec regret la portière du taxi climatisé et s'engagea dans les escaliers de pierre.

Dans les rues étroites du souk de la vieille ville de Jérusalem, la morsure du soleil était tempérée par les stores de toile déployés des deux côtés de la rue. Seule la rigole centrale baignait en pleine lumière. La chaleur en revanche était aussi forte, alourdie des odeurs d'épices, de fruits et de viande qui montaient des échoppes. La foule des marchands et des habitants venus se ravitailler se pressait dans les deux sens. Emporté par le rythme, Tommaso s'efforçait de se rappeler le nom des rues mémorisées sur le plan. Par degrés successifs, la ruelle descendait vers le quartier chrétien. Il repéra la fourche qui menait à gauche vers le quartier juif et poursuivit vers la porte de Damas avant de tourner dans la via Dolorosa. Trois cents mètres plus loin, il longea un mur qu'il identifia comme celui du couvent Sainte-Marthe. La rue menant à l'esplanade du Temple et à la mosquée d'El Aqsa était barrée, gardée par des militaires israéliens qui en interdisaient l'accès. La foule commençait à se dissiper lorsqu'il parvint en vue de la porte des Lions. Il obliqua sous les remparts de la vieille ville. La rue était si étroite que l'ombre projetée par les immeubles de part et d'autre de la chaussée ne laissait pas de place au soleil. Tommaso sentait la sueur couler sous sa chemise. Il s'arrêta et chercha des yeux l'enseigne de l'hôtel. Il monta les trois marches du perron et frappa avec le heurtoir.

*****

Assis à l'ombre de la citerne de pierre contre laquelle son dos était calé, Tommaso laissait son regard couler depuis le toit en terrasse qui surplombait l'hôtel jusque sur les toits de la vieille ville. À quelques centaines de mètres de lui, il pouvait embrasser d'un seul coup d'œil le Mur des Lamentations et l'esplanade du Temple en surplomb. Et plus loin à droite, la forme du Saint-Sépulcre. En contrebas, des enfants jouaient dans la cour d'une école. Tout, autour de lui, respirait une curieuse sérénité, semblable à l'idée qu'il se faisait de la paix.

« La nervosité qui a gagné le monde après les quatre attentats de Paris, Londres, Rome et Bruxelles n'a pas prospéré de ce côté de la Méditerranée. Il est vrai qu'en la matière, ils ont une certaine endurance… » songea-t-il.

La lumière éclatante scintilla sur le dôme doré de la mosquée, le contraignant à cligner des yeux. Claire avait bien choisi : où pouvait-il être plus en sécurité et moins visible qu'au cœur même du quartier le plus touristique de la ville, fréquenté par une foule hétéroclite de toutes nationalités ? Et quel meilleur asile imaginer que le seul lieu saint pour trois des plus grandes religions du monde ? L'archéologue en lui détaillait l'architecture imbriquée, les lignes de fracture perceptibles dans la couleur des pierres. Il pensa qu'il avait toujours rêvé aux chantiers qui restaient à mener dans ce pays. Le souvenir d'une visite sur les rivages de la mer Rouge lui revenait en mémoire. Il s'était étonné en traversant le Sinaï des pancartes vertes qu'on voyait un peu partout dans la montagne. Jusqu'à ce qu'on lui explique qu'il s'agissait de terrains de fouilles recensés, mais toujours en mal de crédits et de stabilité.

Tommaso consulta sa montre et décida d'attendre encore quelques instants. Il était en avance. Selon la carte, il ne lui faudrait pas plus de vingt minutes depuis la porte des Lions toute proche pour gagner le site de l'université. Il se demanda encore s'il avait bien fait de ne pas prévenir l'universitaire israélien. Tout juste Claire avait-elle vérifié que les cours étaient en activité et à quelle heure il enseignait. En préparant minutieusement son voyage, elle avait semblé absorber un peu de la frustration qui l'habitait quand elle avait dû accepter de le laisser partir seul.

— Trop dangereux, avait-il répété longtemps avant de la convaincre. Seul, je serai plus discret. Je pense avoir un moyen de passer inaperçu. À deux, nous serons trop vite repérés. Et puis c'est toi qu'ils cherchent. Ne les menons pas droit sur notre piste. Reste là. Cache-toi. Continue à éplucher les dossiers, les papiers, ici et à Paris. Et sois prudente…

L'argument décisif avait été l'intérêt manifesté par les policiers français pour Claire. Elle devait les rappeler, se présenter de nouveau. Ne pas le faire les aurait inquiétés, encore plus dans le climat de panique qui avait saisi l'ensemble des autorités européennes après les deux derniers attentats, renforçant les contrôles aux frontières.

Il se demanda où était Claire à ce moment, si elle avait réussi à éteindre les soupçons des policiers, à les maintenir à distance de la maison d'Auvergne. La même question était revenue plusieurs fois depuis qu'ils s'étaient séparés.

Il vérifia aussi s'il avait eu de nouveaux appels et constata à regret qu'aucune des trois communications ne provenait d'Isabelle. Il considéra le téléphone avec hostilité, comme s'il portait une responsabilité dans ce silence persistant. Renonçant à l'éteindre, il laissa un nouveau message sans indiquer d'où il appelait. Il grimaça en rangeant l'appareil dans sa poche : trois jours sans nouvelles… Il pensa qu'elle exagérait. Et Mathilde ? Elle savait bien qu'il était inquiet. Il espérait qu'elle avait reçu le courrier envoyé avant de prendre l'avion, dans lequel il lui indiquait des lieux de rendez-vous à date fixe au cas où il ne pourrait plus la joindre.

Tommaso avait quitté l'Auvergne le matin qui avait suivi les attentats, rejoint Barcelone par l'autoroute, changé de voiture à Montpellier puis de nouveau de portable avant la frontière. Cinq heures plus tard, il entrait dans Valence et se garait dans le nouveau quartier du parc nautique pour appeler Antoine. Il s'était présenté sous un faux nom, en anglais, prétextant le besoin d'une rencontre en se faisant passer pour un fournisseur. Antoine l'avait reconnu bien sûr, mais n'avait pas bronché. Et il était bien arrivé deux heures en avance au rendez-vous, à l'entrée du parc zoologique, conformément au code qu'ils avaient arrêté long-temps auparavant, pour égarer les éventuels chasseurs d'épaves concurrents qui ne reculaient devant aucun moyen technologique pour obtenir des informations.

Le soleil brûlant se réverbérait sur les dalles de pierre blanche et scintillait sur les vitres monumentales du nouvel opéra à l'architecture futuriste. Tommaso contemplait le monstre d'acier et de verre à l'allure de vaisseau spatial lorsque la silhouette massive d'Antoine apparut au loin, venant à sa rencontre sur le trottoir désert.

Tommaso avait immédiatement été frappé par la mine préoccupée de son ami.

— Qu'est-ce qui t'arrive ? avait-il demandé en le serrant dans ses bras.

Antoine lui avait rendu son accolade en soupirant. Il se balançait d'un pied sur l'autre, l'inquiétude le dis-putant à la gêne. Tommaso connaissait trop ces attitu-des pour ne pas deviner le malaise de son ami.

— Dans quel merdier t'es allé te foutre, Tommaso ? lâcha-t-il enfin.

Ses grosses mains emprisonnèrent les bras de son ami. L'étreinte le souleva presque du sol. Les sourcils froncés et les rides accentuées sur le front d'Antoine le faisaient ressembler à un ogre.

— Dis-moi que t'as pas fait une grosse connerie…

Tommaso avait reculé, se libérant de l'emprise de son ami et le regardant droit dans les yeux.

— Qu'est-ce qu'il t'arrive ? avait-il répété plus fer-mement. Ho ! Antoine, je suis là ! On n'est pas morts. Le bateau n'a pas coulé, l'épave ne s'est pas tirée, c'est un délai, juste un délai…

— Arrête, avait coupé Antoine avec de grands ges-tes, ses bras battant l'air, je te parle pas de ça ! Ça me plaisait déjà moyennement que tu te fasses tirer dessus par des inconnus, mais là, c'est les flics français et espagnols qui m'appellent et qui débarquent ici pour savoir où tu es, où tu étais, et poser un tas de questions indiscrètes à propos de deux types morts et des attentats de Londres et de Paris, à mots si couverts que ça crève les yeux qu'ils te pensent mêlé à un tas de trucs sales. « Et surtout, s'il entre en contact avec vous, blabla. »

Il avait marqué une pause, le souffle court, comme si tous ces mots sortis d'un coup avaient déséquilibré sa grande carcasse.

— Alors faut que tu m'expliques un minimum, mon pote, avait-il ajouté doucement. C'est quoi ces attentats aux quatre coins de l'Europe et qu'est-ce qu'on vient faire là-dedans, nous ?

Tommaso avait souri en plongeant les mains dans les poches de son jean. Du menton, il avait désigné le portail qui ouvrait sur le parc zoologique.

— OK. Viens, on va dire bonjour aux lamantins. Si on reste là, les gens vont croire qu'on se fait une scène.

Et l'entraînant par le bras, il avait entrepris de lui raconter par le détail les événements des dernières heures.

Le chant du muezzin commençait à s'élever depuis le minaret le plus proche.

— Temps d'y aller, murmura Tommaso pour lui-même en se relevant, s'arrachant ainsi à regret à sa contemplation.

Il avait quitté Valence le soir même de sa rencontre avec Antoine, avant de passer à Chypre pour rejoindre Israël en bateau. Les questions de la police française l'inquiétaient, et l'écho d'Isabelle, un peu plus tard au téléphone, avait renforcé son inquiétude :

— Deux types sont venus, dont un jeune bizarre avec des lunettes rondes en métal, très excités, ils m'ont posé cent fois les mêmes questions : où tu es, quand je t'avais vu, qu'est-ce que tu faisais…

Tommaso secoua la poussière blanche qui collait sur son pantalon de toile beige et quitta la terrasse. Quelques instants plus tard, il héla un des taxis brinquebalants qui attendaient en face de la porte des Lions pour conduire les touristes au mont des Oliviers. La voiture démarra dans la poussière. Elle venait juste de faire demi-tour devant la porte des Lions lorsqu'une silhouette sortit en courant de l'ombre où elle était masquée avant de s'engouffrer à son tour dans un taxi qui démarra en trombe en direction de l'université.

*****

Tommaso descendit du taxi sans détacher ses yeux de l'élégant bâtiment de pierre de l'université, légèrement surélevé par rapport à la rue Yeshoua Bin. Le Shalem center, qui comptait plusieurs centaines d'étudiants, occupait l'ensemble de cet immeuble carré au toit de tuiles et s'étendait au-delà dans des locaux annexes moins cossus – de petits immeubles cubiques – construits en retrait et invisibles depuis la rue. Tommaso s'avança, dépassa le mur d'enceinte sur lequel était gravé, à la manière américaine, le nom du centre d'études politiques qui était à l'origine de ce complexe universitaire avant que le conseil d'administration de la fondation décide d'élargir les sujets d'études à l'ensemble des sciences humaines et notamment à l'archéologie.

La veste de son costume de toile beige à la main, il se dirigea vers le bâtiment principal. À l'entrée, les gardes le fouillèrent sommairement mais ne s'inquiétèrent pas des raisons de sa présence. Il respira en se rendant compte que les bâtiments étaient climatisés et se dirigea vers l'accueil.

Une hôtesse aux cheveux noirs tirés en arrière le regarda en souriant et lui répondit dans un anglais parfait en lui montrant l'itinéraire à suivre sur un plan plastifié fixé sur le comptoir.

— Le cours du professeur Gowitz a lieu en salle 12, dans le bâtiment B.

Il remercia et prit la direction qu'elle lui indiquait.

Plus on s'éloignait de l'entrée et plus l'université ressemblait aux autres universités partout à travers le monde, celles de son souvenir. Tommaso traversa une cour pavée, entra dans un des bâtiments annexes. Il eut une pensée pour son passage récent à la Sorbonne en poussant la porte de l'amphithéâtre. La salle, d'une contenance de cent à cent cinquante places, était organisée en gradins couverts de sièges de plastique bleus. Presque tous étaient occupés. Tout en bas, au fond de la salle, un petit homme rond vêtu d'un pantalon noir et d'une chemise à col ouvert déambulait devant le bureau perdu au milieu d'une immense estrade. Sa voix haut perchée, un peu traînante, cadençait ses pas en hébreu.

Tommaso consulta sa montre. Il ne restait que quelques minutes de cours. L'atmosphère un peu lourde des salles de classe en fin de journée, l'éclairage brutal des néons, l'attitude avachie de certains jeunes gens qui luttaient contre l'assoupissement lui rappelaient ses années d'étudiant. Il sourit en pensant à la valeur universelle des comportements de la jeunesse. Sans comprendre un mot de l'enseignement, il devinait aux regards qui était passionné et qui songeait déjà à un examen à venir ou plus sûrement à un rendez-vous de la soirée. Il se rappelait sa propre passion, la joie avec laquelle il avait découvert l'archéologie.

Il attendit patiemment, debout devant la porte, puis lorsque retentit la sonnerie électrique de fin des cours, entreprit de descendre à contre-courant des étudiants qui se précipitaient vers la sortie. Il atteignit l'estrade au moment où le vieil homme achevait de ranger ses dossiers après avoir effacé les mots inscrits sur le tableau. Tommaso estima qu'il mesurait à peine un mètre soixante-cinq et devait peser dans les quatre-vingt-dix ou cent kilos. Il se déplaçait lentement, comme si chaque pas lui coûtait un effort.

Son regard croisa celui de Tommaso. Il interrompit son geste pour refermer la sacoche dans laquelle il venait de glisser ses papiers.

— Professeur Gowitz ? interpella Tommaso en souriant. Mon nom est Tommaso Mac Donnell. Je suis un ami de Claire Garcieux, la fille de Paul Garcieux.

Le nom de Garcieux éveilla la curiosité dans l'œil de Gowitz.

— La fille de Garcieux, répondit-il en anglais. Comment va Paul ?

Tommaso se raidit devant la perspective de devoir aborder si rapidement l'objet de sa venue.

— C'est justement la raison de ma démarche auprès de vous, monsieur : Paul Garcieux est mort.

Gowitz vacilla.

— Paul Garcieux est mort ?

La voix s'était faite plus aiguë. Le vieil homme se retourna d'un air inquiet, comme s'il regrettait d'avoir parlé si fort.

Tommaso laissa passer une seconde. Derrière eux, en haut de la salle, le flot des étudiants retardataires s'écoulait par la double porte battante. Celle-ci claqua une dernière fois puis le silence s'établit.

— Je ne peux pas le croire, reprit le professeur. Nous devions nous reparler. Il avait…

Il s'interrompit et fixa Tommaso à travers ses lunettes. Malgré la climatisation, la sueur perlait sur son front bombé, collant les rares cheveux sur son crâne presque chauve. Il chercha un mouchoir dans la poche de son pantalon de toile sur lequel flottait une chemisette à manches courtes vert olive largement ouverte sur un torse velu.

— Qui êtes-vous au juste ? Et que voulez-vous ?

Tommaso baissa les yeux en soupirant. Ouvrant sa sacoche, il tira à demi les liasses de papiers sur lesquels étaient inscrites des suites de chiffres à côté des plans de bâtiments.

L'universitaire baissa les yeux et pâlit en reconnaissant le croquis de l'esplanade du Temple, à quelques kilomètres de là.

— J'ai besoin de vous parler.

Une heure plus tard, dans son bureau, Aaron Gowitz faisait tourner machinalement entre ses doigts le verre de raki dans lequel les glaçons s'étaient presque dissous. Il les contempla encore un instant d'un air distrait puis releva les yeux. Assis face à lui, Tommaso attendait en silence. Au mur, des photos montraient Gowitz devant des chantiers de fouilles et sur des estrades au cours de remises de diplômes ou de décorations. Le reste du décor était spartiate, chaises et bureau de bois blanc, étagères minimalistes.

Gowitz avait écouté avec une attention attristée Tommaso lui faire part de ce qu'il savait. Il jeta encore un œil aux documents dont l'archéologue avait apporté des copies.

— Ce que vous racontez est inquiétant. Mais je ne sais pas comment je peux vous aider.

Il ouvrit les bras en signe d'impuissance

— J'ignore qui aurait pu lui en vouloir. Aucune idée non plus sur celui qui finançait ses recherches, ni sur la nature exacte de ce qu'il étudiait. Pour être clair, je ne sais pas ce qu'il y a dans les dossiers vides dont vous recherchez le contenu. Il était très mystérieux, posait des questions précises, mais pas toujours reliées.

Il s'avança sur son fauteuil.

— Comprenez, c'était une sorte de jeu entre lui et moi. Un jeu-mystère qu'il se plaisait à entretenir. Et puis il était très secret. S'il n'avait pas eu besoin de gagner du temps grâce à ma connaissance de l'histoire archéologique, je suis convaincu qu'il ne m'aurait rien demandé. Et aussi qu'il ne s'adressait à moi qu'à cause des relations que nous avions.

Tommaso ne s'expliquait pas la confiance naturelle qui le portait à croire le vieil homme. Il pensa que de toute façon il n'avait pas le choix des armes.

— Comment vous êtes-vous rencontrés ?

Gowitz se racla la gorge avant de répondre.

— C'était il y a près de vingt ans, dans un colloque, en Suisse. Je ne sais pas si vous êtes au fait de l'histoire archéologique de cette ville ? demanda-t-il en haussant un sourcil.

Tommaso fit signe que non de la tête.

— À Jérusalem, vous l'imaginez aisément, rien n'est simple. La science n'est jamais uniquement de la science. Il entre aussi toujours des convictions et de la politique. Rien n'est neutre. Il ne vous a d'ailleurs pas échappé que nous sommes ici dans une fondation politique, ajouta-t-il dans un sourire. Donc, ce colloque avait lieu durant une période très tendue : les thèses tendant à prouver que le lien entre Jérusalem et le judaïsme serait artificiel et reconstruit a posteriori étaient alors très actives. Le Waqf, l'autorité musulmane qui administre le Mont du Temple, s'efforçait en particulier de démontrer qu'il n'y avait jamais eu de Temple à cet emplacement. Et menait des fouilles en ce sens, sans hésiter à détruire des éléments. Ces thèses ont fait l'objet de nombreux échos un peu partout.

Il se leva pour aller chercher un ouvrage dans la bibliothèque et le tendit à Tommaso.

— Keith Whitelam, *Le Bâillonnement de l'histoire palestinienne*, école de Copenhague. Le plus connu dans ce genre.

Tommaso reposa le livre sur le bureau.

— Le climat était très tendu, très difficile, plus difficile que je ne l'ai jamais vu dans aucun colloque. Et Paul Garcieux a fait un discours attendu et décisif. Il a parlé du récit biblique, de ses liens avec des traditions orales issues d'Égypte et de Mésopotamie, puis s'est appuyé sur ces liens pour ancrer la réalité sur le terrain de l'existence du Temple à partir de ces témoignages croisés. C'était incroyablement puissant comme raisonnement. Il a été pour nous une aide précieuse. C'est en partie grâce à lui que les découvertes décisives des années quatre-vingt et quatre-vingt-dix ont été réalisées, celles mettant au jour le palais de David, à côté du Temple. C'est ainsi que nous nous sommes rencontrés. Ces vingt dernières années, nous sommes toujours restés en contact. Il est venu me voir ici à deux reprises. Et j'ai pour ma part profité de séjours en Tunisie pour faire des recherches à sa demande, à l'aveugle, sans bien comprendre ce qu'il voulait.

Tommaso tressaillit.

— En Tunisie ?

— Oui, il s'intéressait aux fouilles du site de Carthage. Nous nous parlions essentiellement par courrier, par téléphone, puis récemment par mail.

Tommaso s'efforçait de se calmer pour ne pas montrer son émotion. Carthage ! Il y avait bien un lien entre les recherches de Garcieux et le bateau.

— Oui, j'ai vu l'un de ces mails, reprit-il en s'appliquant à ne pas parler trop vite, mais tous les autres ont disparu. Et celui que j'ai, qui m'a mené vers vous, n'est qu'un texte de transmission qui fait référence à un mémo. Un mémo intitulé ST : que veulent dire ces initiales ?

Gowitz se tortilla sur sa chaise.

— C'est… Cela veut dire *signe de Tanit*. C'est le sujet sur lequel il travaillait depuis deux ou trois ans. Vous savez qui est Tanit ?

Tommaso parvenait mal à dissimuler son trouble. Tanit.

— La… La déesse mère de Carthage ?

— Exactement. Et bien plus que cela aussi. Tanit est une figure tutélaire dont on retrouve les traces à Carthage à partir de 400 av. J.-C., mais également bien avant en Asie Mineure, en Mésopotamie, ici ou en Égypte. Une figure qui a passionné les plus grands savants, d'Héraclite à Diodore de Sicile, Platon, jusqu'à Hérodote et Strabon.

Gowitz se leva, adoptant machinalement son attitude d'enseignant.

— Ce que l'on appelle le signe de Tanit est un symbole courant que l'on retrouve sur des figurines, des amulettes, des mosaïques, des poteries. En fait, c'est un triangle, sur la pointe duquel repose une barre horizontale surmontée d'un disque.

Il saisit un papier et un crayon sur le bureau et s'approcha de Tommaso pour griffonner une représentation schématique.

Tommaso blêmit en reconnaissant les éléments communs aux plans trouvés dans la maison de campagne de Garcieux.

— Vous voyez, poursuivit l'universitaire, on dirait une femme aux bras écartés. Certains ont pensé que c'était une déformation de l'*ankh*, la croix ansée égyptienne, un symbole de vie… Rien n'est établi de manière très certaine. Quant à son sens… Fécondité, vie, rite de passage : là encore, il y a eu de nombreuses hypothèses. Le plus souvent, elles se rejoignent seulement pour faire du signe un lien entre le monde terrestre – représenté par la figure de femme – et le monde céleste – symbolisé par le croissant et le disque.

Étourdi, Tommaso demeura un instant silencieux, les yeux rivés sur le dessin. Les questions tournaient dans son esprit. Le lien entre Garcieux, ses recherches et le bateau, soit : mais en quoi une déesse vieille de plusieurs milliers d'années pouvait-elle être connectée avec des attentats terroristes ? Il s'arracha au vertige qui le saisissait.

— Et Garcieux, que croyait-il ? demanda-t-il en relevant les yeux vers Gowitz.

Gowitz sourit. Ses yeux brillaient.

— Il croyait que c'était un symbole d'architecture. Mais il pensait surtout que l'on avait tort de confondre toutes les variantes. Que toutes les représentations plus ou moins ressemblantes de ce signe n'étaient pas équivalentes et que seule celle-là, martela-t-il en appuyant le doigt sur le dessin, était le véritable signe, c'est-à-dire dotée d'un vrai sens. Le reste n'était qu'un détournement.

Tommaso s'impatientait.

— Mais un symbole d'architecture avec quel sens ? Et quel rapport avec le Temple ?

— Ah ça…

Gowitz le regarda plus intensément. Il tapotait de l'index les feuilles où s'étalaient les suites numériques et les croquis de bâtiments.

— Est-ce que le nom de Fibonacci évoque quelque chose pour vous ?

Tommaso fit signe que non.

— Le nombre d'or ? poursuivit Gowitz.

Tommaso hocha la tête. Il continuait à réfléchir aux éléments incohérents qui s'alignaient devant lui.

— Oui. C'est un thème récurrent, répondit-il comme en récitant une leçon, une proportion mathématique qui permet de décrypter l'effet d'émotion esthétique. Partout où nous trouverions une architecture belle, émouvante, ce serait dû à la présence de ce nombre d'or, de cette équation dans les proportions de l'édifice, le rapport du tout et des parties.

Tommaso regardait les dessins et les suites numériques à son tour.

— Vous croyez que cela a un rapport avec les documents trouvés chez Garcieux ?

Gowitz hocha la tête négativement.

— Pas exactement. En fait, cela concerne bien le domaine que Paul visait à travers ses recherches : l'existence de lois fondamentales de l'architecture permettant de maîtriser et de dominer l'influence esthétique des bâtiments sur les êtres humains. Mais la conviction de Garcieux était totalement divergente de celle de la plupart de ceux qui se sont intéressés, comme Fibonacci, au nombre d'or. Voyez-vous, depuis Pythagore, ce nombre a fait l'objet de recherches incessantes. Pendant des siècles, des hommes se sont efforcés de mettre le monde, la nature, en équation. Ils voulaient comprendre et maîtriser l'émotion esthétique. Fibonacci est l'un des plus fameux. Il y a dans les dessins que vous me montrez quelque chose qui rappelle le mode de calcul classique d'un nombre de la suite de Fibonacci. Cette suite est une série de chiffres qui entretient des rapports multiples avec le nombre d'or. Sa formule générale est que le nombre n de la suite est égal à n-1 + n-2. Regardez, dans les chiffres que vous me montrez, on retrouve ce radical :

$$F_n = \frac{1}{\sqrt{5}} \left[\left(\frac{1+\sqrt{5}}{2} \right)^n - \left(\frac{1-\sqrt{5}}{2} \right)^n \right]$$

— Mais cette formule est beaucoup plus complexe... Et je ne vois pas à quoi correspondent les éléments autour.

Soudain, il se leva, en proie à une certaine agitation, cherchant fébrilement un livre dans sa bibliothèque.

— Le voilà !

Il posa le gros volume broché à la couverture jaune usagée devant lui, le serrant entre ses mains.

— Prenez ce livre par exemple : *La Science de l'harmonie architecturale*. L'auteur essaie sur cinq cents pages de démontrer que l'émotion esthétique peut s'expliquer par un calcul mathématique objectif... pour se heurter à une impasse. Ce n'est pas dans ce sens que travaillait Paul, mais dans une direction exactement inverse. Il était au contraire convaincu qu'il était impossible de mettre en équation ce phénomène liant bâtiments et êtres humains, parce que l'ordre de l'esthétique ne pouvait se résoudre dans l'ordre mathématique. Regardez, ajouta-t-il en prenant une nouvelle feuille. Sur ce dessin, les deux lignes se coupent subjectivement alors qu'elles ne se coupent pas objectivement.

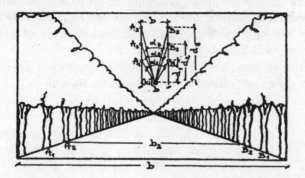

— Regardez sur celui-ci :

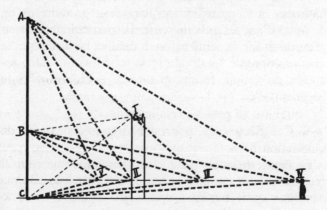

— Vous voyez que pour un homme placé à quelque distance, une façade conçue selon le nombre d'or, soit une division par 1,618, etc., n'offrira pas une perspective traduisant ce rapport, mais une perspective inverse. La géométrie dit une chose et l'optico-physiologique une autre. C'est cela l'erreur que dénonçait Garcieux : il était convaincu que tous les Fibonacci qui pensaient résoudre par les mathématiques le secret de l'esthétique étaient partis d'un postulat erroné. Et c'est l'hypothèse à partir de laquelle il avait lui-même rebâti tous ses propres calculs.

Les plans et les suites de chiffres tournaient devant les yeux de Tommaso. Il revoyait les images de Londres, le corps sans vie de Lowell. Il avait le sentiment de traverser un cauchemar absurde. Comment ces jeux intellectuels plusieurs fois centenaires pouvaient-ils concerner des bombes meurtrières dont les conséquences étaient diffusées en boucle sur CNN ?

Gowitz poursuivit sans paraître remarquer le trouble croissant de Tommaso.

— Pour Paul Garcieux, on ne pouvait analyser un bâtiment et l'impression qu'il pouvait produire qu'en complexifiant les schémas usuels, particulièrement en réintroduisant la dimension humaine, subjective : la vision propre de l'individu et sa modification selon les angles de vision, le circuit de son évolution dans le bâtiment, etc.

Tommaso se pencha vers les plans.

— Ces flèches, là, pourraient indiquer des sens de circulation ?

— Peut-être, mais c'est plus compliqué que cela. Il faut aussi tenir compte de la durée de présence. Je me souviens qu'il parlait souvent d'« infusion », de la nécessité que la contemplation des choses se cristallise dans notre esprit, comme la longueur d'une pause modifie la photographie.

Il s'interrompit une seconde avant de fixer Tommaso dans les yeux.

— Il faut que je vous montre quelque chose.

Il regarda sa montre.

— Vous êtes à l'hôtel ? Où ça ?

— Dans la vieille ville, près de la porte des Lions.

Gowitz hocha la tête.

— Retrouvons-nous ce soir sur le mont des Oliviers, disons à onze heures, à la grille du jardin de Gethsémani. J'apporterai les mémos et je vous montrerai quelque chose que peu de personnes ont vu.

Tommaso sourit.

— Merci, dit-il seulement.

— Ne me remerciez pas. Je ne sais pas si Paul a été assassiné, comme vous le dites. Mais il a fait trop pour moi pour que je n'aide pas qui veut comprendre ce sur quoi il travaillait. Hélas, il était secret et j'espère qu'il n'est pas trop tard.

— Je peux garder le papier ? demanda Tommaso.

Comme Gowitz faisait signe que oui, il le ramassa et le regarda un instant, comme pour fixer dans sa mémoire le petit signe géométrique

Puis il le plia avant de le glisser dans la poche intérieure de sa veste de toile.

Ils se dirigèrent ensemble vers la sortie.

— Quel était le sujet de votre cours ? demanda Tommaso comme ils passaient le seuil.

19

Le commissaire divisionnaire Brantôme slaloma pour éviter les passants qui marchaient d'un pas rapide sur le trottoir étroit de la rue Jean-Mermoz, monta dans la voiture et claqua la porte. Assis à l'avant, à côté du chauffeur, Hermier se retourna, le coude sur le dossier du siège.

— Alors ? interrogea-t-il.

Le policier avait l'air circonspect.

— Alors je ne sais pas trop, répondit-il tandis que la voiture s'ébranlait dans la rue en direction du rond-point des Champs-Élysées.

— Mais qu'est-ce qu'ils voulaient au juste ?

— Nous faire plaisir. L'attaché de défense israélien voulait nous faire plaisir. C'est justement ça qui m'embête, figure-toi.

Le hurlement de la sirène que le chauffeur venait de brancher au niveau du Pont-Neuf pour échapper à la circulation embouteillée le contraignit un instant au silence.

La voiture déboîta d'un coup sec pour se glisser dans la file de droite, coupant la route à un véhicule qui pila net. Le cahot renvoya Hermier contre son siège. Il rajusta ses lunettes cerclées d'acier.

Brantôme le fixa plus attentivement. Quand il était énervé, l'enthousiasme de son subordonné lui portait encore davantage sur les nerfs.

— *Timeo danaos et dona ferentes*, articula-t-il.

L'air interdit d'Hermier lui arracha un sourire.

— « Je crains les Grecs, même quand ils me font des cadeaux », traduisit-il d'un air suffisant. Tu vois, je n'aime pas ne pas comprendre et je me demande pourquoi le Mossad éprouve le besoin de me tuyauter sur Mac Donnell.

— Ils l'ont trouvé ?

— En tout cas, ils savent qu'il est entré chez eux. Il y a trois jours. Ils ne se seraient rendu compte de rien, mais ce sont les Américains qui les tympanisent – eux comme tous leurs alliés – pour essayer de savoir où Tommaso Mac Donnell se trouve. Alors comme ils ont eu l'info, qu'ils savent que cela nous intéresse, et que faire de temps à autre une petite blague à leurs amis de la CIA ne les dérange pas, ils nous préviennent... Et ils nous diront si jamais il quitte leur territoire.

— Et les Américains ? On fait quoi pour l'instant ?

— Rien, on bouge pas, et pas un mot non plus chez nous. C'est un coup de bol que je connaisse l'attaché de défense et qu'il m'ait appelé, alors surtout, ne gâchons pas tout. Pas un mot à quiconque.

La voiture s'arrêta sur le parking au pied de la tour du quai des Orfèvres.

Hermier se retourna et ouvrit la portière avant d'interrompre son geste.

— Et l'archéologue est où pour l'instant ?

Brantôme sortait lui aussi par la portière droite. Il s'arrêta à hauteur de son subordonné et laissa tomber son regard sur lui.

— À Jérusalem.

20

Le soleil achevait de disparaître derrière les toits lorsque Tommaso sortit à pied par la porte des Lions. Les phares allumés des voitures quittant la ville en direction de l'autoroute de Tel-Aviv dessinaient des arabesques sur les pierres des remparts. Il traversa la route en courant et s'engagea dans la côte raide qui grimpait droit entre maisons et terrains vagues sur le mont des Oliviers. Vingt minutes plus tard, il atteignait le sommet et longeait les hôtels avant d'attaquer la descente de l'autre versant, le long de la petite route qui bordait le cimetière juif. L'air chaud lui caressait le visage.

La grille du jardin de Gethsémani s'ouvrit en grinçant. Tommaso traversa le jardin, passa devant la chapelle et se figea soudain devant le paysage qui s'offrait à lui. Par-dessus un petit mur de pierre, toute la ville lui apparaissait d'un coup dans la clarté lunaire. Le dôme de la mosquée scintillait dans la nuit. Les lumières de la ville, déjà en partie éteintes, maintenaient l'ancienne cité dans un halo jaunâtre qui soulignait les arrondis des toits et les lourds murs de pierre. Seules quelques voitures au loin troublaient le silence. Fasciné, Tommaso ne pouvait détacher ses yeux du spectacle. Il pensa qu'il émanait de cette ville une atmosphère qu'il n'avait rencontrée en nul autre endroit. Il y puisait un sentiment semblable à celui que procure le retour sur la terre de ses racines. Un mélange de douceur et d'émotion incomparable. Il ne discernait pas la moindre trace de la tension ou de la violence qui habitaient sans discontinuer la région depuis si longtemps.

La voix de Gowitz retentit soudain à côté de lui sans qu'il l'ait entendu venir.

— Vous voyez la porte devant vous, là ? Vous savez pourquoi elle est murée ?

Tommaso sourit. Il se demandait comment ce petit homme gros et soufflant pouvait se mouvoir aussi discrètement.

— Ça oui, pour le jour où le Messie reviendra.

Gowitz sourit à son tour.

— J'ai appelé Claire.

Tommaso ne dit rien.

— Je voulais juste vérifier ce que vous disiez. Elle a du sang-froid. Elle était à peine surprise de mon appel.

— Je peux vous poser une question ? reprit l'archéologue en tendant le doigt vers l'immense cimetière qui descendait à leur droite le long de la colline. Pourquoi les tombes sont-elles en si mauvais état dans le carré supérieur du cimetière juif ?

Le sourire de Gowitz s'effaça.

— Parce que nous les avons laissées comme ça. Pour que les gens se souviennent de l'état dans lequel étaient les cimetières juifs avant 1967.

Le vieil homme posa les mains sur le muret de pierres sèches et plongea à son tour son regard sur la vue embrassant toute la ville. Puis il se tourna vers Tommaso.

— Vous n'êtes pas universitaire. Vous n'enseignez pas. Vous avez une activité privée, en somme. Pourquoi ce choix ?

Tommaso hésita. Le regard clair de Gowitz lui inspirait confiance. Il décida de jouer franc jeu.

— J'ai été chercheur pour un organisme public. J'étais associé à un laboratoire français. Je participais à un chantier de fouilles, au large de Toulon. Je me suis peut-être trop passionné pour ce que je faisais. Trop exclusivement. Je n'imaginais pas qu'il fallait se méfier. Ce monde était pour moi un monde idéal, heureux. Et puis des objets ont disparu, enfin ont été mal inventoriés et soustraits pour être revendus. On en a retrouvé chez deux antiquaires. Il y a eu un scandale. Et j'ai été montré du doigt. Rien n'a été prouvé, et pour cause, puisque je n'étais coupable de rien, mais le mal était fait. Je n'avais pas de quoi me défendre, je n'avais pris aucune précaution. Et je crois que je n'avais pas envie de me justifier. J'étais trop écœuré qu'on ait pu même me soupçonner. Ce monde-là m'avait trahi. Ma démission a permis de refermer pudiquement le dossier et d'épargner les vrais acteurs de ces petits trafics.

Gowitz eut une moue de contentement. Tommaso songea qu'il ne s'était pas contenté d'un simple coup de fil à Claire. Il retenait son souffle.

— Regardez, enchaîna tout à coup Gowitz en se rapprochant de nouveau du muret, je voulais vous montrer d'ici ce que nous allons voir avant que nous ne descendions.

Soulagé, Tommaso écoutait Gowitz poursuivre comme si de rien n'était.

— En face de vous, vous voyez l'esplanade du Temple. Et en bas dans la vallée, vous voyez cette tache sombre ? C'est l'entrée d'un canal qui apportait l'eau à la piscine de Siloé. Il longe les fondations de l'ancien palais de David, qui est en dessous de la vieille ville, celle du temps du Christ. C'est là que les découvertes les plus importantes ont été faites. Celles dont on a parlé il y a peu, la rue principale empruntée par le Christ dans la montée vers le Golgotha. Et c'est là aussi que nous avons fait d'autres découvertes que je vais vous montrer. Des découvertes que peu de gens connaissent. Et dont Paul était au courant.

Tommaso fronça les sourcils.

— Pourquoi lui avez-vous dit cela, si c'était si secret ?

Gowitz soupira.

— Parce que je ne lui ai rien appris.

Tommaso ouvrit des yeux étonnés.

La lune glissa sur les feuillages argentés des oliviers.

— C'est lui qui m'a dit ce que nous allions trouver et où. Allons, venez, ajouta-t-il sans prêter attention à l'expression interdite du jeune homme.

*****

— Ne restez pas là, souffla Gowitz.

Tommaso fit un pas en avant. Il ne distinguait que le bras massif de l'universitaire, éclairé par la lampe torche qu'il tenait à la main. Tout le reste du tunnel était plongé dans une obscurité complète.

— Refermez la grille, chuchota encore Gowitz.

Tommaso avança encore puis tendit le bras pour saisir les barreaux rouillés. La grille pivota avec un petit grincement. Tommaso récupéra la clé sur la serrure et referma par l'intérieur.

— Venez, ne perdons pas de temps, le pressa Gowitz.

Le bruit de ses pas indiqua à Tommaso qu'il s'était mis en route.

L'archéologue accéléra pour le suivre. Leurs pieds clapotaient dans un peu d'eau résiduelle qui suintait des murs de pierre calcaire taillés à même la roche, d'un seul bloc. Il régnait dans le souterrain un froid glacial, plus saisissant à mesure qu'ils progressaient sur le sol en pente. Mètre après mètre, les murs semblaient se rapprocher et bientôt Tommaso, qui marchait courbé pour ne pas heurter la voûte, se trouva obligé de se tenir légèrement de biais pour ne pas se cogner sans cesse le bras sur la paroi.

— Où sommes-nous ? demanda-t-il, intrigué.

Gowitz lui fit signe d'attendre.

— Ça va aller mieux, glissa-t-il en poursuivant sa route. Nous avons cessé de descendre.

Effectivement, la voûte commença à s'élever pour atteindre une hauteur que dans la lumière incertaine de la lampe Tommaso évalua à quatre ou cinq mètres. La largeur se fit aussi plus confortable. De nouveau, il faisait chaud.

— C'est là, indiqua Gowitz en soufflant.

Tommaso entendait sa respiration.

— Les variations de température sont dues au passage le long des anciennes citernes. Ce sont celles que les armées de Nabuchodonosor ont coupées de leur alimentation pendant le siège de la ville. Nous les avons dépassées.

La voix de Gowitz trahissait son émotion.

— Et nous sommes à présent presque sous le mont du Temple… En continuant tout droit, nous arriverons tout à l'heure dans la piscine de Siloé, là où Jésus a guéri l'aveugle. Mais pour l'instant, j'ai plus intéressant à vous montrer, ajouta-t-il avec une excitation nouvelle dans la voix.

Tommaso entendit le bruit du trousseau de clés qu'il sortait de sa poche. Il fourragea un moment avant de pousser un grognement de satisfaction.

— Ce doit être celle-là. Tenez, dit-il en se retournant vers Tommaso, regardez à vos pieds.

185

Tommaso s'accroupit. Une plaque de bois couverte de poussière, à peine visible depuis le tunnel, était posée en biais au pied de la paroi de gauche, sur une cinquantaine de centimètres de hauteur.

— Aidez-moi, l'enjoignit Gowitz. Il y a deux poignées repliées sur les bords.

Tommaso tâtonna, puis, saisissant les poignées, tira de toutes ses forces. Avec un craquement, la plaque se souleva, découvrant une grille aux barreaux épais.

Gowitz se faufila pour passer devant Tommaso et tourna une clé dans la serrure.

— C'est un escalier. Il faut se glisser les pieds en avant.

Tommaso s'exécuta, se retenant par les mains aux barreaux de la grille.

Il s'engagea tout entier.

— Tenez, souffla Gowitz en lui tendant à tâtons la lampe. Il y a quinze marches puis un couloir praticable. Il faut faire cinquante mètres.

Tommaso compta les marches puis s'engagea dans le couloir. Il entendait toujours la respiration ahanante de Gowitz derrière lui. Puis son pas lourd se fit plus pressant et la main de l'universitaire frôla son bras.

— C'est là. Posez vos mains sur le mur à votre gauche. Vous sentez les jointures des pierres ? Ce n'est plus taillé dans la roche, ce sont des blocs. Les blocs du palais de David, le palais attenant au Temple.

Sa voix tremblait.

— Nous sommes sous l'esplanade maintenant, trente mètres sous le dôme du rocher. C'est pour cela qu'il faut être silencieux. L'écho ne doit pas résonner au-dessus.

— Mais comment est-ce possible ? Cette galerie ?

— Ne me demandez pas ce que je ne peux savoir. Paul a réussi à reconstituer le plan complet du bâtiment et à déduire où arrivait le système d'adduction d'eau. C'est le couloir que nous avons emprunté, latéral depuis l'aqueduc. En fait, il préexistait à l'aqueduc principal que nous avons emprunté, c'est pour cela que nous sommes descendus encore. Primitivement, il devait être raccordé sur un aqueduc creusé plus profond et comblé lors de travaux ultérieurs. D'ailleurs cette galerie était bouchée elle aussi. Nous l'avons rouverte, en secret, sur toute cette distance...

Sa paume droite ouverte semblait caresser la pierre.

— Et nous sommes arrivés à ça...

Il amena la lampe à niveau et se retourna vers Tommaso. Dans l'étroitesse du tunnel, l'archéologue sentait le souffle de Gowitz sur son visage.

— Touchez, dit celui-ci.

Tommaso avança la main. Il sentit un creux. Un dessin en creux. Quelque chose était gravé au centre du bloc de pierre.

Il tressaillit et se pencha tandis que Gowitz approchait la lampe. Le signe apparut, un rond, une barre et un triangle. Le signe de Tanit.

Gowitz sourit.

— Il y en a cinq semblables. J'ai demandé à Paul comment il avait su. Il m'a dit que c'était « logique », à cause de l'endroit où nous nous trouvons.

Tommaso tourna un regard interrogateur vers l'universitaire.

— Il m'a dit que ce mur est celui du corridor qui reliait le palais au Temple de David. Le corridor vers le Saint des Saints.

*****

Assis sur le rebord du réservoir creusé au débouché de l'ancien aqueduc souterrain dans la ville, Tommaso époussetait son pantalon du revers de la main. Le courant d'air chaud qui caressait de nouveau son visage lui semblait le plus doux du monde après le confinement du tunnel et l'odeur moisie dont il avait encore le goût dans les narines et la bouche. Dans le ciel sans un nuage, la pleine lune jetait une lumière froide qui éclairait les cailloux et l'herbe au fond des immenses citernes.

Il jeta un regard sur le trou noir qui s'ouvrait sous ses pieds, au fond de la citerne, là où ils avaient surgi du tunnel quelques minutes auparavant. Une grille semblable à celle qui en fermait l'accès au pied du mont des Oliviers barricadait ce côté. Ils étaient remontés par le petit escalier de pierre qui permettait à l'origine d'accéder au réservoir pour le nettoyer. Essoufflé, en nage, Gowitz avait sollicité un instant de repos.

Assis à côté de lui, Tommaso le considérait d'un air inquiet tant il avait l'air épuisé.

L'universitaire reprit d'une voix basse :

— J'étais subjugué lorsque nous avons découvert cela. La probabilité que Paul Garcieux ait eu raison était infime.

— Comment a-t-il su ?

— En analysant des stèles trouvées dans le tophet de Carthage et en les comparant à d'autres écrits ou objets. Vous avez entendu parler de l'astrolabe découvert près d'Athènes vers 1900 ?

Tommaso fit signe que non.

— Je sais juste qu'un astrolabe est une sorte de sextant en moins perfectionné, répondit-il, un outil inventé dans l'Antiquité pour permettre aux marins de se situer dans l'espace et abandonné justement après l'invention du sextant, quelque part vers 1750.

— Exact, et le premier connu remonte au IIe siècle avant notre ère, inventé par un savant du nom d'Hipparque. Eh bien vers 1900, des pêcheurs d'éponge ont remonté près de la Crète un objet curieux, très abîmé, fait de roues imbriquées. On a cru jusqu'en 1959 que c'était un astrolabe. Sauf qu'en 1959, un Anglais du nom de Solla Price a procédé à une nouvelle analyse démontrant que le mécanisme était beaucoup plus complexe que celui d'un simple astrolabe. Cela ressemblait davantage à une horloge astronomique, mais ce n'en était pas une. Une nouvelle étude aux rayons X menée il y a peu a même épaissi le mystère au lieu de le simplifier. Garcieux avait suivi tout cela de très près. Mais il avait complété ces études en les croisant avec les textes anciens trouvés à Carthage et d'autres évoquant des dispositifs longtemps considérés comme des récits mythiques. Il m'en a reparlé il y a deux ans environ. Il était très excité. Il avait trouvé là une équation, quelque chose qui relie l'astronomie, les positions célestes, l'orientation des bâtiments, leur construction et leur destination.

— Les suites de chiffres…

— Je ne sais pas, je sais seulement qu'il y avait selon lui à Carthage quelque chose qui avait été perdu… Et puis récemment, il y a peut-être un an, il a aussi découvert un document qu'il jugeait décisif, un parchemin vieux de plusieurs siècles, mais il n'a jamais voulu m'en dire plus. Il m'a seulement indiqué qu'il avait pu reconstituer à partir de là une partie de ce « quelque chose » disparu, que la description était dans ce parchemin, et qu'il en avait déduit les éléments nécessaires pour trouver le signe de Tanit sur les vestiges du Temple. Je n'y croyais pas. J'ai mis des semaines à accepter de suivre ses indications. J'avais peur de passer pour un hurluberlu. J'étais éberlué. Et il devait venir sur place dans les prochains mois. Il y avait aussi quelque chose à propos d'un bateau…

Tommaso sursauta.

— Un bateau ? Quelque chose de perdu ?

— Oui, peut-être simplement une stèle de pierre, semblable à celles que l'on peut voir à Manchester, en Angleterre, ou à Leyde. Peut-être autre chose. Je ne sais pas. Il disait que s'il trouvait cela, il pourrait comprendre la totalité du mécanisme à l'œuvre dans ces architectures, les « maîtriser », sans quoi il était « comme quelqu'un qui aurait le vocabulaire mais pas la grammaire ». Il voulait d'abord trouver le bateau. J'ai effectué des recherches pour lui, en marge d'autres recherches que je menais. À Carthage, mais aussi à Londres, au Public Record Office. Il faut dire que je connais – il s'interrompit avec une moue triste – enfin que je connaissais mieux que lui le monde maritime. Ce n'était pas sa sphère, il avait peur de commettre des impairs, de se tromper dans l'interprétation des distances, des lieux, des unités de mesure…

Il désigna le sac à dos accroché à ses épaules.

— Tenez, tout est là, dans les mémos qu'il m'a adressés, je vous ai apporté des copies, ainsi que des éléments que j'ai trouvés pour lui à Carthage et ailleurs…

Soudain, un bruit semblable à des cailloux roulant sous un pas les figea sur place.

— Vous avez entendu ? souffla Gowitz.

Tommaso se redressa à demi, scrutant les environs du bassin sans répondre.

— Attention ! hurla l'universitaire.

Une ombre couvrit la clarté lunaire derrière Tommaso. Ce dernier se retourna d'un bond, pas assez vite cependant pour éviter le choc. L'homme ne parvint pourtant pas à le plaquer et glissa contre lui. Paralysé, Gowitz n'avait pas bougé. L'agresseur fit encore un pas et vint le percuter lourdement, le précipitant dans le vide tout en perdant lui-même l'équilibre.

Un double cri traversa le silence avant que le choc sourd des deux corps s'écrasant dix mètres plus bas au fond des citernes ne résonne dans l'espace désert.

— Gowitz !

Tommaso se retourna, affolé. Il sentit une présence derrière lui mais n'eut que le temps de lever un bras pour se protéger.

La douleur explosa dans son épaule lorsque le coup s'abattit, manquant de peu la tête qu'il visait.

Tommaso tomba sur le côté en se forçant à ne pas fermer les yeux. La souffrance lui arracha un grognement. Il roula sur lui-même et vit l'ombre se pencher et manquer de perdre l'équilibre avant de se retourner pour s'enfuir. De sa main valide, Tommaso essaya d'attraper la cheville du deuxième homme. Celui-ci trébucha, posa une main à terre et se retourna à demi. Il jura en anglais en lançant un coup de pied qui atteignit Tommaso en plein front. Étourdi, ce dernier entendit des pas précipités. Puis plus rien.

Il resta encore un instant à quatre pattes avant de s'approcher en chancelant du rebord du réservoir. Glacé, il contempla les deux corps désarticulés avant de se relever pour gagner péniblement l'escalier de pierre qui permettait de descendre au fond de la citerne.

Il se précipita sur Gowitz. Ses yeux fixes et la flaque de sang répandue sous sa tête ne laissaient subsister aucun doute. Tommaso se pencha pour lui fermer les paupières dans un réflexe. Il sentait monter en lui un sentiment de rage et de peur mêlées. Ses mains tremblaient. Il bloqua sa respiration une seconde pour reprendre le contrôle de lui-même, puis, dans un arrachement, se redressa et dégagea de ses bras le petit sac à dos que son agresseur n'avait pu lui prendre.

L'autre homme était mort aussi. Tommaso le retourna. Il portait un holster garni d'une arme contre la hanche. Tommaso arracha le sac-banane calé sous l'aisselle gauche et en vida le contenu sur la pierre. Un peu d'argent, un téléphone. Une courte liste de numéros sans indication de noms. Tommaso secoua le sac une dernière fois. Une carte plastifiée glissa sur le sol. Un aigle occupait la trame sous la photo du mort. Médusé, Tommaso égrena entre ses dents les trois lettres qui trônaient au-dessus :

— C, I, A...

21

La voix douce d'une hôtesse annonça dans un sourire le dernier appel pour les passagers Caine, Torris et Thorne en provenance du Cap et à destination dc Montréal. Le hall 2E de l'aéroport de Roissy-Charles-de-Gaulle bruissait de mille conversations où se croisaient une multitude de langues. Tommaso voyait à travers le mur de plexiglas cet ensemble multiforme courir en tous sens autour des tapis roulants acheminant les bagages enregistrés. Enfin, il déboucha dans la salle de la douane. Des barrières organisaient des files régulières depuis l'entrée jusqu'à la rangée de cahutes où les fonctionnaires observaient les passeports des arrivants. Quatre des six cabines étant fermées, seuls deux comptoirs écoulaient lentement le flot des passagers. Tommaso se rangea au bout de la file.

Il jeta un coup d'œil machinal vers le hall qui s'étendait en bas de l'escalier, tout en sachant qu'il n'avait aucune chance d'apercevoir ceux qui attendaient les passagers débarquant des avions.

« Pourvu qu'Isabelle soit là et qu'elle ait réussi… » Il se remémorait sa voix quand il l'avait appelée depuis un arrêt de bus, dans le quartier étudiant de Jérusalem. Sa crainte qu'elle ne réponde pas, son pincement au cœur lorsqu'elle avait décroché. Il avait éludé les questions sur ce qu'il faisait. Il lui avait semblé qu'elle s'inquiétait de quelque chose. L'effet du courrier reçu avec les lieux de rendez-vous clandestins. Et puis sans doute avait-elle perçu dans sa voix… Elle le connaissait si bien, après tout. Du moins n'avait-elle pas insisté. Elle lui avait donné quelques nouvelles de Mathilde. Elle avait renoncé à partir. Tout allait bien. Il se mordait les lèvres pour ne pas perdre trop de temps.

— À part ça il n'y a rien de neuf, avait-elle dit. Seulement une lettre qui est arrivée pour toi. Une enveloppe kraft sans expéditeur… Non, attends, il y a un truc au dos à la main : « C/O Paul Garcieux »…

Il avait presque fait un bond sur place, brûlant de lui demander d'ouvrir cette lettre qui lui était adressée à ce qui n'était plus vraiment « leur » domicile depuis longtemps. Il avait retenu son impatience, pour ne pas l'exposer davantage, et ne pas prolonger la conversation. Il avait senti sa tension au téléphone, la colère qu'elle s'efforçait de ne pas montrer. Il avait cru que c'était par égard pour lui avant de comprendre en entendant le petit rire clair derrière sa voix que c'était pour ne pas inquiéter Mathilde qui jouait à proximité. Ils étaient convenu d'un rendez-vous à l'aéroport pour récupérer l'enveloppe. Il s'était servi d'événements qu'eux seuls pouvaient connaître pour indiquer le jour et l'heure. Une précaution de plus. « J'ai besoin de toi. Je suis désolé de te demander… » Elle l'avait interrompu : « Arrête. » Il lui avait semblé que sa voix était moins froide. Une nouvelle fois, il se reprochait d'avoir mis Isabelle à contribution…

Il avait ensuite appelé Claire. Elle était à Paris, supposait que la police la surveillait mais n'avait rien trouvé de nouveau dans les dossiers de son père. Il avait hésité avant de renoncer à lui parler de l'enveloppe au téléphone.

L'un des deux policiers qui examinaient les passeports, jeune, le crâne rasé, observait silencieusement ceux qui passaient devant lui, l'œil précis. L'autre jetait des œillades brusques mais moins longues et ne dédaignait pas d'échanger un mot ou un sourire. Mentalement, Tommaso opta pour le second. Il jeta un œil au document qu'il tenait ouvert, un doigt intercalé à la page de la photo : il souriait à peine.

Le policier attendit que le voyageur précédent, un Américain dont les bagages à main trop nombreux noués par un savant jeu de courroies autour de sa poitrine imposante brinquebalaient en tous sens, ait rangé son passeport et contourné sa guérite. Puis il leva un sourcil vers Tommaso qui patientait sagement derrière la ligne blanche tracée au sol. L'archéologue s'approcha. Le policier le regarda, laissant ses yeux aller et venir deux ou trois fois de la photo sur le passeport au visage. Tommaso s'efforçait de rester impassible. Il sentait les battements de son cœur dans la paume de sa main. Puis le policier tendit le document en retour et fit signe de passer d'un geste las.

Tommaso attendit d'avoir contourné la guérite pour relâcher sa respiration. Il s'engagea dans l'escalier mécanique. En bas, les tapis roulants des bagages étaient encore immobiles. Il traversa à grands pas le hall des bagages et se dirigea vers le hall d'arrivée. À travers le mur vitré, il pouvait voir une petite foule se presser, certains arborant des pancartes avec des noms inscrits au feutre, des parents portant des enfants qui faisaient de grands gestes à certains des passagers qui marchaient à côté de lui.

Il aperçut soudain Isabelle. Les deux mains nouées sur la barrière, elle avait le visage pâle et l'air tendu. Leurs yeux se croisèrent et il sourit mais elle demeura impassible puis détourna le regard au moment où la vitre laissait place à un mur d'acier pour les dix derniers mètres des passagers à qui il restait à passer devant la douane.

Il contourna le comptoir sous le regard morne de deux douaniers et déboucha dans le hall. Isabelle n'était plus au même endroit. Il s'arrêta, cherchant à la retrouver dans la foule des retrouvailles. Un cri lui fit tourner la tête.

— Tommaso !

Il reconnut la voix d'Isabelle. Stupéfait, il la vit se jeter au cou d'un des passagers qui venait de débarquer et avait passé la douane juste avant lui. Elle avait noué ses bras autour de son cou. Éberlué, Tommaso hésita une seconde avant de réagir. Un nouveau cri l'arracha à sa stupeur.

— Police ! Ne bougez pas !

Quatre hommes venaient de se précipiter vers Isabelle et l'homme qu'elle avait abordé. En un instant, ils furent ceinturés et entraînés vers la douane.

Tommaso s'écarta en baissant la tête. Isabelle, un bras fermement tenu par un homme en blouson, passa à un mètre de lui sans un geste. Devant elle l'homme se débattait en protestant tandis que trois policiers le traînaient sans ménagement vers le local des douanes. Sans se retourner, Tommaso accéléra le pas en direction de la sortie.

22

Tommaso se frotta les yeux. Il se pencha et tendit la main pour retourner le vieux radio-réveil en plastique ivoire qui trônait sur la table de chevet en bois blanc. L'affichage à cristaux liquides rouge indiquait 01 : 37 AM. Il soupira et se redressa dans le lit. Il s'ébouriffa les cheveux puis saisit le bloc-notes raturé qu'il avait posé par terre avant de s'endormir tout habillé sur le couvre-lit vert. Les lettres et les chiffres dansaient devant ses yeux. Des documents, plans et cartes, étaient étalés partout dans la chambre d'hôtel, couvrant le lit, une partie du plancher et jusqu'aux murs sur lesquels il avait punaisé certains des croquis.

Par la fenêtre, l'éclat glauque du néon d'un bar scintillait par intermittence. Tommaso se leva, manqua tomber en posant sa jambe droite ankylosée par terre et se rattrapa à la table de chevet qui vacilla dangereusement. Il alla jusqu'au placard qui faisait office de salle de bains, hésita à remplir le verre à dents d'une propreté douteuse et jugea préférable de boire dans ses mains. Puis il s'aspergea le visage et retourna dans la chambre. En passant devant la fenêtre, il jeta un œil sur les façades borgnes des immeubles qui bordaient l'autre côté de la rue. Toutes étaient dépareillées, deux avaient leurs fenêtres obstruées par des parpaings pour éviter les squatters.

Il soupira. Dans cet hôtel miteux d'un quartier de passage près de la gare de l'Est, choisi au hasard après avoir quitté aussi vite que possible l'aéroport pour rejoindre Paris, il était invisible, pour quelques heures au moins.

L'image d'Isabelle entraînée par les policiers dansait devant ses yeux. Il songea de nouveau avec émotion à la manière dont elle s'était jetée en première ligne pour faire diversion et lui offrir une chance de prendre la fuite. Il tremblait en pensant qu'il avait dû la laisser là et s'enfuir. Il se demanda où elle se trouvait maintenant et ce que signifiait cette mascarade. Comment avait-elle perçu la présence des policiers et décidé de les entraîner sur une fausse piste ? Et pourquoi étaient-ils là ? Les précautions prises étaient-elles insuffisantes ? Quelqu'un les avait-il prévenus ? Mais alors, qui ?

Il alla jusqu'à la petite table de bois clair placée contre le mur et saisit l'enveloppe kraft retrouvée dans une consigne de la gare du Nord. Isabelle lui en avait indiqué l'adresse, le numéro et le code permettant de l'ouvrir par un message laissé sur son portable une demi-heure avant la scène de l'aéroport.

Tommaso avait écouté sa voix le cœur serré, cherchant à retrouver derrière les mots chuchotés des accents familiers. Il s'en voulait des risques qu'il avait dû lui faire courir. Il avait jeté son propre portable après avoir écouté le message, espérant qu'elle avait fait de même.

Il se remémora ce qui était inscrit sur l'unique feuille blanche glissée dans l'enveloppe. Sous un numéro de téléphone figuraient ces mots : « Si vous cherchez toute la vérité sur la mort de Garcieux, appelez-moi. »

Des bruits de pas dans l'escalier résonnèrent à travers les murs de papier de la chambre. Dix secondes plus tard, un couple sortit dans la rue. Tommaso vit l'homme s'éloigner à pas pressés tandis que la fille allumait une cigarette. Il sourit en pensant à la mine méfiante du réceptionniste lorsqu'il l'avait vu entrer seul avec un petit bagage...

L'archéologue reposa l'enveloppe. Il brûlait de découvrir qui était l'auteur de ces lignes anonymes. Mais il n'était pas encore temps d'appeler. Quel que soit le responsable de ce message, mieux valait se présenter à lui avec les meilleurs atouts en main. Et pour cela, il devait exploiter les documents en sa possession.

Son regard retomba sur le bloc-notes. Il le ramassa, rabattit les pages noircies pour revenir à la première et se laissa retomber sur le lit en les parcourant. La formule de Gowitz lui tournait dans la tête : « Le vocabulaire mais pas la grammaire. » Il attrapa son crayon et approcha la mine des questions inscrites sur la première feuille :

Position du bateau ?
Signe de Tanit ?
Contenu du bateau ?
Assassin de Garcieux ?
CIA ?
Lien entre les bâtiments ?
Lien avec les attentats ?

Il souligna cette dernière ligne de deux traits puis soupira. Les automatismes accumulés pendant les années passées à pister les bateaux engloutis dans les bibliothèques du monde lui offraient une sensation familière. Depuis ce soir, au moins possédait-il presque la réponse à la première de ses questions...

Ce n'était plus qu'une histoire de temps. Joints à certains de ceux trouvés en Auvergne, les documents fournis par Gowitz constituaient les fondations d'une enquête minutieuse accumulant relevés météorologiques, extraits des journaux de bord d'autres bateaux croisés en route, etc. Autant d'éléments d'information dont la combinaison ne voulait sans doute rien dire pour l'universitaire israélien. Autant d'éléments qu'il avait apportés patiemment à Garcieux, lui fournissant quelques clés du puzzle qu'il était en train de bâtir. Mises ensemble, toutes ces pièces pouvaient en quelques heures mener un œil averti à une estimation précise du lieu du naufrage de la frégate qui convoyait à destination du Louvre des antiquités carthaginoises...

Tommaso se sentait revenir en arrière, comme pour reprendre la conversation interrompue avec John Lowell. « Lowell, Gowitz, Garcieux, trois morts qui se liguent pour me faire fouiller ce bateau, songea-t-il. Et toujours à l'aveugle, sans savoir ce qu'il faut chercher dans l'épave, en quoi cela est lié aux attentats perpétrés ces derniers jours, ni qui est prêt à tuer pour obtenir ce quelque chose... Autant plonger sans bouteilles et les yeux bandés... »

Sur le mur, l'éclat du néon vert éclairait d'une lumière blafarde le plan de la coupole de Saint-Pierre de Rome.

L'emplacement de l'épave était une chose. Mais le reste du mystère demeurait... Tommaso songea qu'il n'était pas très chaud pour se lancer dans une expédition de ce genre en ignorant où il mettait les pieds. Fouiller à l'aveugle pour le compte d'un mécène généreux était une chose. Mais là...

Tout en réfléchissant, il s'approcha, détacha la feuille du bloc pour la poser par-dessus un autre plan, comme il l'avait fait en Auvergne pour montrer à Claire les superpositions des signes géométriques.

Gowitz… Les soubassements du palais de David. Une idée lui traversa l'esprit. « C'est Garcieux qui lui avait indiqué… » songea-t-il. Il se retourna et fouilla dans les documents. D'une main soudain fébrile, il exhiba un plan des fouilles sur lequel Aaron Gowitz avait tracé des cercles et des figures. Sous la dictée de Garcieux, pensa Tommaso. Du doigt, il suivit les deux traits qui figuraient la trappe par laquelle ils étaient entrés, les puits intermédiaires. Celui dont ils avaient ouvert la trappe était marqué en vert sur le plan, et le trait de couleur suivait leur progression à mesure qu'ils pénétraient dans les soubassements de l'esplanade. Un cercle figurait la marque de Tanit qu'il avait vue. Il saisit son crayon et relia à la hâte d'un trait malhabile ce point aux autres cercles identiques figurés sur le dessin. Tommaso contempla un instant le résultat de son travail puis alla décrocher les dessins affichés sur les murs. Il les étala également sur le lit avant de fouiller de nouveau dans les dossiers, à la recherche des croquis trouvés en Auvergne. Il sortit trois feuilles d'un coup, fourragea sans succès avant de se relever en contemplant un quatrième dessin. Il le posa sur les trois autres et resta quelques secondes à suivre du doigt les contours esquissés d'un fleuve, longeant la berge jusqu'à un bâtiment tracé en gras, puis revenant en arrière comme s'il dessinait à main levée.

— Londres aussi, dit-il sans s'apercevoir qu'il venait de parler à voix haute.

23

Londres – 1666

Christopher Wren pressa plus fortement contre sa
bouche le chiffon trempé qui le protégeait un peu de
la chaleur écrasante et de la fumée. Des nuages épais
et noirâtres tournoyaient, occultant la lumière du
jour, piquant les yeux et obstruant le nez et la bouche. L'odeur entêtante de bois brûlé et la pestilence
des chairs carbonisées qui passait par instants dans
l'air provoquèrent un nouveau haut-le-cœur qui le
plia en deux. Ni les fenêtres ni les portes de l'entre-
pôt où avait été aménagé son atelier, au milieu des
marchandises hétéroclites déposées là par les bateaux
de commerce, ne parvenaient à stopper la diffusion
de ces odeurs qui se déposaient et contaminaient
tout.

Il s'assit un instant pour reprendre des forces. L'air
lui manquait et il fut saisi d'un accès de vertige. La
pièce immense, couronnée d'un toit ajouré, tournait à
présent autour de lui. Il respira profondément.

Il se força à se redresser pour contempler de nouveau le spectacle. Devant ses yeux, depuis les bords de
la rive ouest de la Tamise, au niveau de la Tour de

Londres, toute la ville n'était qu'un gigantesque brasier.

Depuis trois jours, l'incendie dérivait, dévorant quartier après quartier tout le périmètre de l'ancienne cité, à peine contrarié par les efforts des habitants et des régiments mobilisés pour essayer de bloquer la progression des flammes. Des étincelles portées par le vent sautaient les lignes de défense et les tranchées creusées à la va-vite par les volontaires épuisés, piégeant en un instant des dizaines d'hommes derrière le rideau de feu allumé sans qu'ils puissent l'anticiper, dans leur dos.

L'incendie semblait à présent une tempête, occupant le ciel comme la terre, colorant les visages de la rougeur de son brasier.

Une bourrasque chargée de cendres tourbillonna devant l'architecte. Détournant le visage, il se plia en deux pour protéger ses yeux. Sa cape grise se releva, dévoilant une doublure rouge sombre et un pourpoint noir brodé d'un mince liséré or.

Il attendit un moment puis releva la tête. Devant lui, l'eau de la Tamise s'était colorée du reflet rouge orangé des façades en feu.

— Christopher…

La voix douce fit tout de même sursauter l'architecte abîmé dans la contemplation du cataclysme. Il se retourna. Tout de noir vêtu, un chapeau aux bords larges sur la tête, un curieux sourire flottant sur ses lèvres minces perdues au milieu de sa face lunaire, Inigo Jones était apparu comme à son habitude, dans la plus totale discrétion. Jones fit encore un pas, et se trouva presque au contact de Christopher Wren. L'architecte fit un effort pour contrôler son geste de recul. Jones faisait mine de ne pas remarquer les yeux inquiets avec lesquels Wren le considérait. Recherchant une contenance face à l'assurance orgueilleuse de son visiteur, l'architecte baissa la tête en portant la main à son visage.

— La fumée, la fumée et la lumière me brûlent les yeux et me font larmoyer sans cesse.

L'autre posa la main sur son épaule. La prise ferme paraissait brûlante.

— Il y en a pour des jours encore, répondit-il. Tu devrais te reposer. Prendre des forces. Ensuite, il n'y aura plus de repos. Il faudra travailler sans cesse et ne pas perdre de temps. Nous devons poser des bases telles que nous prenions de vitesse tous les efforts qui seront entrepris pour reconstruire la ville. Nous allons sans tarder entrer en contact avec les amis que nous avons au conseil de la municipalité, préparer les choses.

Wren hocha la tête en s'efforçant de sourire, sans parvenir à masquer l'angoisse qui le tenaillait.

— Quelque chose ne va pas ? interrogea Inigo Jones. Wren releva la tête et planta ses yeux dans ceux du petit homme.

— Tout va bien. N'aie crainte. Je sais ce que j'ai décidé et à quoi je me suis engagé.

Un an seulement s'était écoulé depuis que Christopher Wren avait entrepris un voyage qui devait le mener en Italie. Cette expérience initiatique dont il avait tant rêvé s'était en fait achevée à Paris, auprès d'un architecte nommé François d'Orbay. Un an aussi depuis la première rencontre avec Inigo Jones, cet homme mystérieux, intermédiaire commercial et diplomate, homme discret et pourtant connu de tous à la cour de France. Christopher Wren avait été fasciné par sa culture. Ils s'étaient rapprochés à travers un goût commun de l'astronomie et des sciences occultes. C'est Jones qui l'avait poussé à creuser la voie de l'architecture, à développer les intuitions qui lui faisaient regarder cette discipline à travers ses études antérieures de mathématiques. Puis il l'avait présenté à d'Orbay, l'homme qui avait la haute main sur les projets architecturaux pharaoniques du Roi-Soleil. Il avait gagné sa confiance, peu à peu. D'Orbay lui avait décrit dix ans de travail laborieux et discret, dans l'ombre de Louis Le Vau, pas à pas, pour influencer discrètement tant de constructions successives : le Vaux-le-Vicomte du surintendant Fouquet, le Louvre, Versailles… Autant de places qui lui avaient permis de tester les progrès de cette science imparfaite et mystérieuse qu'il évoquait à demi-mot. Jusqu'au projet de la galerie des Glaces, cette idée parfaite, cet essai où il avait placé tout son espoir. Un espoir anéanti à présent. Il était trop tard, avait indiqué François d'Orbay à Wren. Il avait perdu la main, desservi par son inimitié avec la favorite du roi. Il savait qu'il n'aurait plus de sitôt l'opportunité de vérifier la validité de ses théories, de combler les lacunes, les connaissances manquantes, et d'achever réellement son œuvre. Ce qui était déjà réalisé jouerait son rôle. L'abandon par le roi du Louvre comme résidence principale avait été pour d'Orbay une grande victoire. Il savait en effet qu'il ne pourrait suffisamment modifier les lieux pour arriver à ses fins. Et les premiers aménagements réalisés à Versailles dans le cabinet de travail du roi étaient un progrès décisif. En un sens, il avait déjà influé plus que le plus puissant ministre sur le destin du règne du grand roi et sur l'avenir de la France. Mais sans contrôler les effets de sa création, et sans dicter sa loi. Wren avait longuement évoqué ces conversations avec Inigo Jones. Celui-ci l'avait guidé tout au long de cette année. Jusqu'à ouvrir la possibilité que le rêve inachevé de d'Orbay puisse se poursuivre ailleurs. À travers lui… On pouvait tirer des leçons de l'échec partiel de d'Orbay. Il fallait être plus radical…

Un an qui semblait à présent à Wren une éternité.

— Ceux qui… enfin ceux que tu as envoyés… demanda-t-il à Inigo Jones. Ceux qui ont…

Il hésita à prononcer les mots.

— … mis le feu, murmura-t-il.

Inigo Jones posa son bras sur celui de l'architecte.

— Ne te soucie pas de cela. Ce qui devait être fait l'a été. Le résultat dépasse nos espérances. Et ne te soucie pas du prix à payer. Ce fardeau-là n'est pas pour toi. Rien ne doit te distraire de ta tâche.

Il jeta un regard en arrière. Dans le grand atelier, là où la voûte en bateau s'élevait au plus haut, une immense toile noire était tendue sur des piquets, comme une tente.

— La maquette est là ? demanda-t-il.

L'excitation faisait vibrer sa voix.

Wren hésita, cherchant ses mots.

— Oui, mais… Ce n'est qu'une esquisse, les calculs sont à peine dégrossis et je ne suis pas sûr… Il y a encore…

Il se tourna vers la ville. Au loin, une explosion sourde venait de retentir et une gerbe d'étincelles traversa le ciel.

Wren songea que la plus grande ville du monde disparaissait peu à peu dans le chaos, sous ses yeux, s'écroulant sur elle-même comme une bête blessée. Même la Tamise semblait brûler du feu qui consumait la capitale.

— Ce n'est que la réserve de poudre d'une caserne qui vient de sauter, commenta Jones. Regarde devant toi, toutes tes forces doivent être concentrées sur l'avenir. Tu ne dois pas voir ici la destruction. Voici une feuille blanche, Christopher, la feuille blanche où nous allons écrire un destin différent pour ce peuple et pour ce pays.

Il se rapprocha encore, sa bouche touchant presque l'oreille du jeune architecte.

— Nul n'a jamais eu cette occasion par le passé. Nous allons écrire notre avenir, Christopher, et tu seras l'architecte de ce destin.

24

Le radio-réveil indiquait 4 h 37. Immobile, Tommaso ne pouvait détacher ses yeux des feuilles qui demeuraient devant lui sur le couvre-lit. Tout à la fois épuisé et excité, il avait l'impression de flotter. Il resta encore quelques instants sans bouger.

Dehors, le bruit d'un camion-benne, mêlant le moteur et le fracas des sacs jetés dans la broyeuse, traversa le silence avant de s'estomper.

Un puzzle… Gowitz savait pour le temple de Jérusalem, mais il était concentré sur sa ville et n'avait pas cherché à faire le lien avec les informations auxquelles il avait eu accès à Carthage. Pas plus qu'avec les autres informations recueillies par Garcieux sur d'autres villes et d'autres bâtiments, parce qu'il n'en disposait à l'évidence pas. Gowitz prêtait son concours dans un simple pacte de bons procédés entre universitaires. Ainsi n'avait-il pas imaginé…

Tommaso hésita à formuler encore ce qu'il pensait. Il fallait vérifier d'abord. S'il avait vu juste, il ne lui faudrait pas longtemps. Lui-même pouvait aller à Bruxelles, quelqu'un devrait se charger des vérifications plus lointaines. Voyager devenait trop dangereux.

La tête lui tournait. Il ne savait plus si c'était dû à la fatigue ou à ce qu'il venait de mettre au jour. Les éléments qu'allait lui apporter Claire confirmeraient-ils ce qu'il avait compris ?

Il regarda sa montre. Il avait hâte qu'elle arrive, et priait pour qu'elle soit aussi prudente qu'elle le lui avait promis lorsqu'il l'avait appelée brièvement. Elle lui avait semblé étonnamment calme, précise et économe de ses mots.

Saisissant le bloc-notes, il tourna une nouvelle fois les pages en arrière jusqu'à la liste de ses questions. Il ne savait toujours pas ce que contenait le parchemin retrouvé par Garcieux et qui avait orienté ses recherches, ni ce qu'il devait rechercher au fond de l'eau…

— Mais je sais ce qui relie les bâtiments entre eux et le lien qui unit le signe de Tanit et les attentats, murmura-t-il en rayant les deux dernières lignes.

Il jeta un œil par la fenêtre. Les premiers rayons de l'aube pointaient presque au-dessus des toits, comme un halo de lumière qui rendait le ciel moins sombre.

Il revint vers le lit. Claire serait là dans quatre heures. Comme ils en étaient convenu, elle lui apporterait le reste des dossiers qu'ils avaient trouvés en Auvergne. Avec eux, il pourrait compléter et valider son travail de la nuit et si ce n'était pas le cas, il aurait de quoi orienter plus précisément Antoine dans les recherches qu'il allait lui demander. D'ici là, il ne pouvait rien faire de plus. Il décida de s'accorder trois heures de sommeil. « C'est la voie de la sagesse, pensa-t-il dans un sourire. Et puis vu ce que je vais demander à Antoine, autant le laisser dormir encore un peu lui aussi… »

*****

L'alarme stridente le fit bondir dans le lit. Tommaso se redressa et arrêta l'appareil sans ménagement. Il lui semblait avoir dormi cinq secondes. Il se passa de nouveau de l'eau sur la figure, hésita à descendre à la recherche d'un café, puis se résolut à ne pas bouger. Saisissant l'enveloppe kraft récupérée grâce à Isabelle, il en sortit la feuille blanche. Son cœur battait lorsqu'il débrancha le téléphone portable muni de la nouvelle carte qu'il avait mis à charger. Tendu, il composa le numéro inconnu qui figurait sur la feuille. Il y eut deux sonneries, puis quelqu'un décrocha.

— Allô ?

Tommaso reconnut dans la voix d'homme teintée d'un éclat métallique l'accent anglais. Il pensa qu'il ne l'avait jamais entendue auparavant.

— Tommaso Mac Donnell ?

— Lui-même. Qui êtes-vous ?

— Ne posez pas de question. Nous avons peu de temps. Vous avez en votre possession des documents relatifs à la personne dont le nom était mentionné sur l'enveloppe ?

Tommaso ne répondit pas. L'homme poursuivit sans attendre.

— Vous en avez pris connaissance ?

— Oui.

— Et alors ?

Il y eut un silence d'une seconde, puis Tommaso changea le combiné de main et reprit avant que son interlocuteur ne poursuive.

— Que recherchez-vous ? demanda-t-il.

La voix lui sembla se détendre.

— Votre fraîcheur m'est sympathique. Entre nous, elle serait dangereuse avec n'importe qui d'autre. Mais vous avez de la chance. Comme vous, je suis partie prenante dans cette affaire. Comme vous, je veux en connaître le fin mot. Et comme vous, je crois qu'il se trouve sur ce bateau…

Tommaso sentait l'énervement le gagner.

— Que dit d'autre le manuscrit qu'avait trouvé Garcieux ? Qu'y a-t-il de si précieux sur ce bateau ? Pourquoi ces attentats et ces meurtres ?…

Son interlocuteur demeura muet. Tommaso s'efforça de reprendre le contrôle de sa voix. Sa main gauche lissait machinalement la couverture du lit à côté de lui.

— Pourquoi prendre contact avec moi, me faire rentrer dans le jeu, vous pourriez vous-même ?…

— Premièrement parce que vous avez une partie des documents que nous n'avons pas, et en particulier, je l'espère, les coordonnées exactes du lieu du naufrage, et qu'il faut une vision complète pour mener à bien dans des conditions satisfaisantes ce chantier. Deuxièmement, parce que je suis convaincu, pour vous avoir observé depuis un moment, et notre conversation ne peut que renforcer cela, de votre parfaite innocence, voire de votre honnêteté dans ce dossier dans lequel vous êtes entré par hasard. Et cela fait de vous, croyez-moi, un être vraiment exceptionnel. Enfin, parce que vous avez une compétence remarquable dans le domaine de la recherche archéologique sous-marine.

— Et qu'espérez-vous ?

— Partager avec vous le résultat de vos recherches.

— Et qu'est-ce qui vous dit que j'ai ces informations et que je vais les partager avec vous ?

Il y eut un nouveau silence pendant lequel Tommaso eut l'impression que son correspondant souriait. Puis il reprit, sans rien laisser paraître de son éventuelle ironie.

— Parce que je vais financer vos recherches. Vous voulez mener à bien ce chantier. Je vous en offre la possibilité. Sans limite.

— J'ai besoin de réfléchir. Si, j'ai dit si, c'est moi qui ai les coordonnées, c'est moi qui ai les cartes en mains.

La voix se rembrunit imperceptiblement.

— Certaines cartes… Ne tardez pas. Je vous laisse soixante-douze heures. Appelez ce même numéro.

— Attendez !

Pour la première fois, un accent de surprise perça dans la voix grave.

— Qu'est-ce qu'il y a ?

— J'ai besoin de savoir : où avez-vous eu la partie des documents en votre possession ?

Tommaso hésita encore une seconde avant d'essayer de pousser son avantage :

— Ou plutôt comment avez-vous eu la sacoche de Garcieux ?

Il n'entendit aucune ombre de déstabilisation dans la voix de son correspondant.

— Ce serait trop long…

Tommaso crispa les mâchoires.

— Cette réponse ne peut pas me satisfaire. Je déteste être instrumentalisé et j'ai déjà ma dose dans cette histoire. Alors soit vous me dites si je parle à un assassin, soit…

La voix coupa Tommaso.

— Nous n'avons pas le temps d'entrer là-dedans. Mais vous n'imaginez pas une seconde la vraie nature des choses : vous ne savez ni qui sont vos adversaires, ni vos amis. Excusez-moi d'être cruel, monsieur Mac Donnell, mais vous ne savez rien du tout. Vous êtes honnête et compétent. Vous voulez rester en vie et sortir de cette affaire. Alors appelez-moi si vous avez besoin d'argent ou d'aide. Ou des deux. Nous finançons tout. Vous avez soixante-douze heures. Et ne vous préoccupez pas du reste.

— Vous oubliez que c'est moi qui ai… commença Tommaso avant de se rendre compte que la communication avait été coupée.

Il raccrocha le combiné. D'un air pensif, il se tourna vers la glace poussiéreuse qui faisait face au lit, au-dessus d'une commode bon marché. Le Tommaso qu'il vit en face de lui fit une grimace. Il ramassa le dossier sur le lit et d'un geste d'humeur, le balança à terre.

Ce type paraissait trop sûr de lui. Reprendre l'initiative. Il saisit de nouveau son téléphone et composa le numéro d'Antoine…

*****

Il venait juste de raccrocher lorsque des coups frappés à la porte le firent sursauter. Il déverrouilla et entrebâilla le battant. Le visage fin de Claire apparut. Il ouvrit pour laisser entrer sa silhouette enveloppée dans un manteau bleu nuit, un gros sac fourre-tout serré sous le bras, ses cheveux bruns ébouriffés.

Elle se tourna vers lui et sourit en hochant la tête.

— Charmant, ton lieu de villégiature…

Tommaso referma la porte. Elle se pencha vers lui et l'embrassa sur la joue.

La voix de Tommaso était brusque, presque agressive :

— Tu as les documents ?

Elle se recula, surprise, avant d'acquiescer en touchant de la main la sacoche qu'elle portait en bandoulière.

— Tout est là, dit-elle en l'ouvrant avant d'en extraire une pochette de plastique qu'elle lui tendit.

Quand il s'en saisit, elle lut de l'impatience dans son regard.

— J'ai failli me faire attraper à Roissy, répondit-il pour justifier à la fois le décor sordide et son attitude tendue.

Elle avança dans la chambre et s'assit sur le bord du lit.

— Personne ne t'a suivie ? demanda-t-il.

Elle hocha la tête.

— Je ne crois pas, non. J'ai laissé la voiture à deux stations d'ici et j'ai pris deux fois le métro en sens inverse pour brouiller la piste. De toute façon, les flics sont très distants. Je les ai juste eus au téléphone une fois. Rien de plus. Et ils ne m'ont rien dit d'intéressant.

Son regard parcourut les feuilles épinglées au mur, celles crayonnées au sol.

— Et toi, tu as trouvé quelque chose ?

— Gowitz m'a appris des trucs. Et montré des trucs. Pour faire court, je cerne mieux ce que cherchait ton père, mais sans pouvoir le saisir précisément. En tout cas, c'est évidemment à cause de cela qu'on l'a tué. Et qu'on s'en est pris à nous. Le hic, c'est qu'à présent, Gowitz est mort lui aussi. J'ai été suivi là-bas.

Claire sursauta.

— Mort ?

— Je t'expliquerai. Et un autre type aussi, un Américain, avec une carte de la CIA.

Le regard de Claire se durcit.

Tommaso expliqua dans le détail ses conversations avec Gowitz, leur visite nocturne, les éléments qui lui avaient permis de lier les événements et l'attaque des deux hommes. Il s'arrêta, comme hésitant à poursuivre.

Claire l'interrogeait du regard.

— Je te raconterai après. Le temps presse. Il faut que je quitte ce pays. Je vais mettre Isabelle et Mathilde à l'abri. Et il faut surtout que je suive une nouvelle piste.

Claire le fixa.

— Tu repars en Espagne ? Je viens avec toi.

— Je pars à Bruxelles et…

Il ouvrit la bouche pour continuer sa phrase, mais elle avança sa main pour l'arrêter.

— Pas la peine. Cette fois, ce n'est pas négociable. Soit ce rendez-vous est encore un traquenard et tu auras besoin de monde. Soit c'est sérieux et tu auras besoin de moi pour identifier les documents ou l'écriture de mon père.

— Il n'y a pas de rendez-vous, mais…

Il s'interrompit avant de reprendre, désignant les dossiers qu'elle avait apportés :

— Entendu, dit-il. Mais je dois d'abord regarder un peu ça. Tu vas m'aider à exploiter ce que j'ai récupéré auprès de Gowitz. Et puis après, tu vas m'attendre ici un moment. Et puis enfin, ajouta-t-il en esquissant cette fois un sourire, tu vas à nouveau partir sans bagages…

*****

Tommaso sortit du métro à la station Plaisance et prit la rue de Vouillé. Il traversa la rue de Brancion, et longea les grilles du parc Georges-Brassens jusqu'à l'entrée ouvrant sur le square Jacques-Marette. Il jeta un coup d'œil à sa montre. Il avait cinq minutes d'avance. Isabelle n'était pas là. Il décida d'attendre dehors.

Il avait hésité une seconde seulement avant de venir à ce rendez-vous. Le temps d'écarter l'objection. Oui, il courait un risque et lui en faisait courir un une nouvelle fois. Pour autant, il ne se voyait pas renoncer. Et son cœur se serrait à l'idée qu'elle puisse ne pas venir, qu'elle soit encore retenue par la police, isolée… Il ne supportait pas de ne pas savoir de ce qui lui était arrivé depuis Roissy et de n'avoir aucun moyen de prendre des nouvelles. Ce point de rencontre convenu à l'avance, au cas où, était le seul lien, ténu, dont il disposait pour la revoir avant son départ.

Tommaso songea que lorsqu'il avait fixé ces codes de rencontres « en cas de besoin », avant de quitter Valence pour Jérusalem, il avait souri devant le côté John le Carré de la lettre qu'il écrivait. Un lieu pour chaque jour, une heure fixe, une plage d'attente de quinze minutes…

Une semaine à peine avait suffi pour faire de ces précautions d'espions amateurs une réalité… Tommaso plongea ses mains dans ses poches et ferma les yeux un instant dans une sorte de prière muette, certain qu'il ne pouvait se résoudre à poursuivre sans s'être assuré du sort de sa famille.

Il pensa que c'était la fatigue et non le vent frais qui le faisait frissonner. Il avait passé toute la matinée à travailler avec Claire sur l'identification la plus précise du lieu du naufrage. Elle reportait ses indications sur une carte marine qu'elle était allée acheter dès l'ouverture des magasins. Ils s'étaient arrêtés dix minutes pour manger un sandwich avant de reprendre l'examen des dossiers.

Dans le square, un petit garçon jouait au ballon entre les toboggans. Sur un banc, un homme âgé distribuait à gestes lents des biscottes émiettées entre ses doigts à une troupe de pigeons. Le vent soulevait son col, balayait le sable au sol.

Cinq minutes de retard. L'inquiétude montait en lui.

Il pensa avec amertume au nombre des cadavres semés sur sa route : il ne savait rien de plus sur l'identité des assassins de Garcieux ni sur ceux qui avaient essayé de les tuer, Claire et lui, dans l'appartement. La présence des services américains – à condition que la carte soit bien un document officiel et non un faux – et son statut de témoin suspect aux yeux de la police française ne simplifiaient pas les choses.

Dix minutes de retard…

Il sursauta brusquement.

À l'autre bout du square, une silhouette familière venait de passer le portillon vert. Il entra à son tour, en s'efforçant de ne pas marcher trop vite, et vint s'asseoir près d'Isabelle, sur le banc le plus isolé. Elle avait déplié un journal. Il sortit *L'Équipe* de la poche de son blouson, croisa les jambes, et se plongea à son tour dans la lecture de la dernière page.

Il réprima l'envie de la serrer contre lui. Il cherchait à la dérobée à lire sur son profil quelque chose susceptible de lui indiquer comment elle allait.

— Tu t'intéresses au sport automobile maintenant ? glissa-t-elle.

Il soupira.

— Tu ne peux même pas t'imaginer tous les trucs nouveaux auxquels je m'intéresse ces temps-ci… Comment vas-tu ?

Elle éluda.

— Ça va. Ils m'ont gardée moins longtemps que je ne m'y attendais.

— Comment va Mathilde ?

— Elle va bien. Tu lui manques.

Il y eut un silence. Tommaso tourna une page puis reprit à voix basse :

— Merci. Je suis désolé de t'avoir mise là-dedans.

Elle eut une moue sans répondre. Il poursuivit :

— Heureusement que je voyageais avec le passeport d'Antoine. Et que tu as sauté sur ce pauvre type…

— Heureusement surtout que j'ai reconnu le flic blond à lunettes. Il est sorti de l'intérieur. Il parlait avec les douaniers et puis il est venu se mêler à la foule.

— Il t'a suivie, tu crois ?

Elle tourna la tête machinalement.

— Non, je ne crois pas. Ils ont dû avoir un renseignement. Quand je l'ai vu, j'ai compris qu'ils savaient que tu arrivais, et que la seule manière de détourner leur attention était de les entraîner sur une fausse piste. Il m'avait vue lui aussi, bien qu'il se soit aussitôt détourné. Il a dû croire que je ne l'avais pas repéré et trop ravi de voir son renseignement confirmé, il n'a même pas pris le risque d'essayer de te repérer avant. Je lui offrais une solution beaucoup plus simple.

Elle sourit avec cet air narquois qu'il ne lui avait pas vu depuis longtemps.

— Toujours parier sur la fainéantise des hommes…

Les cernes autour de ses yeux et ce petit pli aux commissures des lèvres qu'il connaissait bien indiquaient qu'au-delà de la bravade, elle était à bout de nerfs.

Tommaso se retint de nouveau pour ne pas la serrer dans ses bras. Il jeta un regard autour d'eux. Le vieil homme qui nourrissait les pigeons se levait en secouant les dernières miettes.

— Je suis heureux que tu sois venue. J'avais peur que tu sois partie, j'ai eu si peur pour vous, pour toi, de ne pas savoir où…

Elle fixait les pelouses droit devant elle.

— Ça faisait longtemps.

Il s'interrompit et la regarda d'un air interrogateur.

— Longtemps ?

— Que tu n'avais pas eu peur pour nous.

Il sentit sa gorge se serrer.

— Moi aussi, j'ai eu peur pour toi, ajouta-t-elle, très vite.

— Ils n'ont pas été trop désagréables ? répondit-il après un instant de silence.

Elle enchaîna, comme soulagée qu'ils quittent ce terrain.

— Si, mais ils ne pouvaient pas faire grand-chose. Ils hésitaient visiblement à m'ennuyer plus longtemps, mais ils ont fini par me relâcher. Pour le reste, ils n'ont même pas essayé la méthode du gentil et du méchant flic. Juste méchant, enfin plutôt désagréable. Je crois surtout qu'ils ne comprenaient rien. Et qu'ils n'ont même pas encore fait le rapprochement avec Antoine sur la liste des passagers.

— Faut tout de même faire gaffe. Ça ne marchera pas éternellement. Surtout s'ils comparent les photos et celles qu'on a changées.

— Ce qui les inquiète, c'est qu'ils ne voient pas du tout pourquoi j'ai sauté sur ce type totalement inconnu…

— Ils n'ont pas trouvé ton portable ?

Elle le regarda d'un air blessé.

— Qu'est-ce tu crois ? Je l'ai jeté après t'avoir envoyé le message…

— … qui était une fameuse idée. Risquée, mais parfaitement adaptée à cette situation limite…

Elle frotta ses paumes l'une contre l'autre.

— Qu'est-ce qu'on fait maintenant ? Je veux dire : à part se congratuler ? Tu as besoin d'autre chose ?

Elle avait parlé durement.

Il la regarda une seconde en silence, refrénant son envie de passer sa main sur sa joue où le maxillaire serré dessinait une petite ombre.

— Sérieusement, Isabelle, je veux que tu partes avec Mathilde. Que tu rejoignes l'Espagne, Valence, le bateau.

— Il…

Il la coupa avec douceur.

— Je ne dis pas demain. Antoine sera de retour sur place dans quarante-huit heures, trois jours au plus. J'y arriverai au même moment.

Il lui tendit un nouveau portable.

— Je te contacterai là-dessus. Garde-le ouvert.

Il la fixa intensément.

— On ne joue plus du tout. Je ne sais pas exactement qui sont les types qui sont derrière cette histoire, mais j'ai vu de quoi ils sont capables.

Elle ne répondit rien. Tommaso poursuivit :

— J'ai rencontré un type en Israël. Il m'a appris certaines choses. J'ai compris quel est le lien. Le lien entre la mission qui m'était demandée, ce bateau naufragé, les recherches de Garcieux et peut-être même les attentats. Mais je ne sais toujours pas qui a tué Garcieux et qui me poursuit depuis l'autre jour. Tout tourne autour de cette épave et de Carthage.

Il s'interrompit une seconde avant de reprendre :

— La lettre que tu as reçue, c'était aussi à ce sujet. Encore des gens qui veulent que je fouille pour eux.

Il eut un sourire forcé.

— Une manie…

Isabelle eut un mouvement pour poser la main sur la sienne puis retint son geste. Deux passants traversèrent non loin devant eux. Ils se turent jusqu'à ce qu'ils se soient un peu éloignés.

— Il y a quelque chose dans ce bateau coulé, reprit Tommaso. Je ne sais pas encore de quoi il s'agit, mais je sais désormais où se trouve l'épave. Et je crois avoir compris à quoi sert ce mystérieux objet qui se trouvait à bord. C'est cela que je dois vérifier à présent. Je veux être sûr que mon hypothèse est la bonne avant d'aller plonger. De toute façon, il faut du temps pour préparer les fouilles.

— Antoine s'en occupe ?

— Il s'en occupera si nous décidons d'y aller, mais plus tard. Pour l'instant, je lui ai confié une autre mission plus urgente.

Il fouilla dans sa poche et lui remit l'enveloppe marquée du nom de Garcieux.

— Je veux aussi que tu gardes ce numéro. S'il arrive quoi que ce soit, que tu as un problème et que tu ne peux pas me joindre…

Une ombre passa dans le regard d'Isabelle. Elle saisit le papier. Ses doigts tremblaient légèrement.

— … ce papier et ce numéro sont les seuls liens qui existent avec ceux qui tournent autour de cette affaire. Eux savent que je ne suis pour rien dans toutes ces histoires.

Elle glissa l'enveloppe dans son manteau.

— Et ce type, l'Israélien, qu'est-ce…

Tommaso coupa d'une voix sèche :

— Il est mort. Deux types nous ont attaqués. Je ne crois pas qu'ils voulaient vraiment nous tuer, mais il est tombé, un des types aussi.

Isabelle lui jeta un regard effrayé.

— Tommaso, j'ai peur.

Il sourit.

— Et si je te dis que l'autre type qui est mort était apparemment un agent de la CIA, ça te rassure ?

25

Le Thalys filait à travers la plaine picarde. Tommaso consulta sa montre. Il acheva d'une gorgée son café et froissa le petit gobelet de carton avant de le jeter dans une poubelle sous la table centrale. Deux téléphones aux sonneries stridentes sonnèrent en même temps dans le compartiment. Leurs propriétaires, des hommes d'affaires à la chemise blanche et au costume sombre presque identiques, se ruèrent simultanément vers la sortie, manquant de se télescoper. Tommaso se tourna vers Claire assise à côté de lui. Dans trente minutes, ils seraient à Bruxelles.

— Il faut que je te dise un truc.

Elle leva les yeux de son journal et ramassa machinalement son porte-bonheur posé sur la table.

— Un type anonyme a déposé une enveloppe à mon nom, il y a trois jours. Isabelle l'a trouvée dans sa boîte aux lettres. Seulement un papier avec un numéro de téléphone. Je l'ai appelé et…

Claire leva vers lui un regard interrogateur.

— … ça mérite vérification, mais je pense que ces types ont le dossier que ton père avait dans sa sacoche quand il est mort.

Elle blêmit.

— Mais alors, ce sont…

— Ses assassins, oui, très probablement. Ils ont une partie des recherches et il leur manque la clé pour déchiffrer ce qui est à leur disposition et avoir tout le dossier. La clé que nous avons, nous : la position du bateau.

Il lui sembla qu'elle tremblait intérieurement, comme si elle allait se mettre à pleurer. Elle avait la même respiration longue et nerveuse que lorsqu'elle dormait l'autre jour, à leur arrivée en Auvergne. Il tendit la main et la posa sur la sienne. Elle ne la retira pas.

— Et qu'est-ce que tu vas faire ?

Le regard acéré de Claire démentait le ton faussement calme avec lequel elle avait posé sa question.

— Je vais démêler cette histoire.

Elle enchaîna du tac au tac :

— Et après ?

Il hésita, reprit son verre, le fit tourner entre ses doigts.

— Franchement je ne sais pas. Tout dépend de ce que nous trouverons.

Son ton se fit acide.

— Tu veux dire de la valeur ?

— Pas seulement. Cette histoire est grave, Claire. Il y a trop de morts, ton père, Gowitz…

Elle le fixait. Il se rappelait ce regard, le premier qu'il avait vu d'elle, quand elle le tenait en joue dans l'appartement.

— Mais tu me diras…

Il pensa que c'était la même inquiétude qui se trouvait dans ce regard, une inquiétude teintée d'agressivité.

— Bien sûr que je te dirai. Je te le promets. D'ailleurs, je compte bien sur toi pour nous aider à exploiter les documents.

— Et Antoine ? Il va préparer les fouilles ?

— Je l'ai appelé. Enfin, il va faire ça après un truc que je lui ai demandé de faire, un petit voyage.

— Et il va où ?

— À Moscou et à New York.

Elle le regarda d'un air incrédule.

— Je peux y aller moi aussi, si tu veux, proposa-t-elle.

Il hocha la tête.

— Peut-être. Ce serait de toute façon moins dangereux que moi… On verra. Et pour cette conversation avec ces types, si je ne t'en ai pas parlé avant, c'est juste que je voulais…

Elle le coupa d'une voix plus douce :

— … me protéger ?

Il baissa les yeux un quart de seconde. Quand il les releva, quelque chose avait changé dans le regard de Claire.

— … te protéger de ce qu'ils pourraient dire, des questions que j'allais poser.

Deux contrôleurs apparurent à l'entrée du wagon. Claire fouilla dans sa poche puis se leva pour récupérer les billets dans son manteau placé au-dessus d'elle. Le contrôleur poinçonna sans un regard et poursuivit son chemin. Claire se rassit. Tommaso remarqua la tension perceptible tout à coup sur ses traits. Sa question fusa à mi-voix :

— Tommaso, est-ce que tu es absolument certain que ces types avec qui tu as été en contact sont ceux qui ont tué mon père ? reprit-elle abruptement.

Elle le fixait droit dans les yeux.

— Je ne sais pas, répondit-il d'un ton neutre.

Claire se pencha vers lui.

— Je sais que tu leur as posé la question et qu'ils n'ont pas répondu, mais c'est ton propre sentiment que je te demande.

— Je n'en ai pas. Je pense que nous ne saurons pas tant que nous ne serons pas en mesure de les obliger à dévoiler leur visage.

De grosses gouttes claquaient sur les fenêtres. L'orage qui se dessinait à l'horizon depuis un moment venait de les rattraper, bouchant la vue sur la campagne et obscurcissant l'espace du compartiment.

— Reste à savoir pourquoi, après avoir essayé de nous tuer, ils se mettent soudain à vouloir travailler avec nous, reprit-il. Et là, franchement je ne vois pas trop.

— Sauf si les meurtriers de mon père ne sont pas les mêmes que nos agresseurs.

Tommaso fit la moue.

— Exact. Mais pas plus simple pour autant…

26

Tommaso tendit la main pour attraper le verre de bière glacée que le serveur venait de poser devant lui. Il savoura l'amertume légère et la couleur ambrée tout en dévisageant d'un œil distrait les passants qui longeaient la façade vitrée du bar où il s'était attablé avec Claire, rue Antoine-Dansaert, dans l'enchevêtrement de petites rues cachées derrière l'hôtel de ville de Bruxelles. Assise en face de lui, son manteau jeté négligemment sur la chaise à côté d'elle, la jeune femme trempa les lèvres dans son thé et reposa rapidement la tasse.

— Trop chaud, souffla-t-elle en grimaçant.

En arrivant à la gare de Bruxelles-Midi, ils avaient traversé au pas de course le nouveau hall futuriste dédié à l'accueil du Thalys pour déboucher sur une esplanade de pierre grise où ils avaient sauté dans un taxi. Tandis qu'il traversait le quartier en chantier peuplé de grues et de palissades, Tommaso pensa qu'il avait toujours vu cette ville en travaux au cours des vingt années passées. Comme si le développement de la « capitale » de l'Europe se nourrissait de sa propre énergie jusqu'à engloutir à peine bâties les réalisations architecturales successives dans des aménagements et des transformations sans cesse plus complexes. Ce n'est qu'en arrivant dans le cœur historique de la capitale belge, pour venir directement se perdre autour de la Grand-Place, au milieu du flot mélangé des touristes et des Bruxellois, reconnaissables au pas nonchalant des uns, pressé des autres, que Tommaso avait senti s'apaiser le vertige qui l'envahissait chaque fois qu'il se trouvait incapable de s'orienter dans cette ville en perpétuelle construction.

Une chaleur moite, étrange à cette période de l'année, recouvrait la cité. Comme une menace d'orage, de gros nuages métalliques traversaient le ciel, imprimant sur les toits des reflets d'un gris plombé.

La sonnerie de son portable coupa net le demi-sourire de Tommaso. Il décrocha sans hésiter.

— Antoine ?

Il parlait bas, pour ne pas attirer l'attention des consommateurs attablés à quelques mètres au zinc du bistrot. Autour d'eux, des habitués commentaient les élections municipales à venir avec des exclamations désabusées.

Tout en parlant, Tommaso devinait la frustration de Claire de n'entendre que la moitié de la conversation.

Antoine acquiesça.

— Devine où je suis ? Au croisement de la 40ᵉ rue et de First Avenue.

Tommaso sentit son cœur se mettre à battre plus fort. Le croisement de la Première Avenue et de la 40ᵉ rue à New York débouchait sur le siège des Nations unies…

La voix d'Antoine reprit l'intonation bougonne que l'archéologue connaissait si bien.

— Dis, tu me le copieras ton petit séjour en trombe ! Figure-toi que je pourrais aussi bien être en train de pourrir dans une prison américaine, mon pote. Parce qu'un Français venant d'Espagne, ayant passé douze heures à Moscou avant d'atterrir à New York avec un billet de départ pour le lendemain et sans bagage, ils aiment modérément.

Tommaso s'efforçait de masquer son impatience.

— Ah les Français, toujours à ronchonner... commenta-t-il.

L'intonation d'Antoine passa au grondement.

— Oui, oui. Passe six heures avec l'Immigration américaine et puis tu m'en reparleras de l'habeas corpus britannique.

Il se racla la gorge avant de poursuivre :

— Bref, j'ai fait tout ce que tu m'as dit. J'ai acheté un ticket pour visiter les Nations unies, j'ai passé une demi-heure à me faire fouiller dans les préfabriqués au pied du building, je suis entré avec les touristes, je me suis tapé tout le laïus à la gloire de l'Institution, j'ai visité les commissions, l'étage du Secrétariat général, la salle du Conseil de Sécurité et puis je me suis fait enfermer dans les toilettes avant de me glisser dans la salle du Conseil après six heures de plus passées à me morfondre et à éviter le personnel d'entretien en jouant à Spiderman collé au plafond. Visiblement, ils vérifient tout sauf le nombre exact des visiteurs...

Toute ironie avait disparu de la voix de Tommaso.

— Et alors ?

— Alors tu as raison. J'avais une trouille folle de me faire choper et j'ai dû mettre un quart d'heure pour arriver en bas de la tribune et dix autres minutes pour me retrouver au pupitre de l'orateur. Ensuite, j'ai eu un peu de mal à glisser un œil derrière le sceau fixé sur le mur. Je suis resté à genoux pour n'être pas visible. On a eu du bol qu'il n'y ait pas de travaux en ce moment. Et puis je crevais de trouille qu'une caméra m'attrape...

Tommaso refrénait son envie de crier à son ami d'aller au fait, de lui dire... Antoine continuait son récit.

— Tommaso, je ne sais pas comment tu as pu savoir ça, mais tu avais raison !

Au comble de l'excitation, Tommaso serra l'appareil en s'efforçant de ne pas hausser la voix.

— Il y était ? Le même signe ?

— Le même, exactement le même.

Tommaso sentait son cœur battre. Il se mordit les lèvres. En face de lui, Claire ouvrait des yeux intrigués.

— Et je pouvais pas me tromper, poursuivit Antoine, parce que j'ai vu une forme exactement identique dans le tombeau de Lénine sur la Place Rouge moins de vingt-quatre heures plus tôt.

La voix de Tommaso était un souffle.

— Répète-moi ça.

— Tu as bien entendu. Là, ça a été facile de se faire enfermer, mais j'ai failli mourir de chaud dans ce truc. Le plus compliqué c'était de ressortir. Ça ferme à treize heures et ça ne rouvre qu'à dix heures le lendemain matin. Bref il ne m'a fallu que dix minutes pour le trouver, sur le mur opposé à l'entrée, du côté donnant sur le mur du Kremlin, derrière un plaquage à la gloire des travailleurs russes frappé d'une énorme faucille et d'un marteau monumental...

Il y eut un silence puis la voix d'Antoine reprit :

— Me remercie pas. Et ne m'explique rien, surtout. Je te rappelle que j'ai juste failli me faire envoyer au trou avec tes conneries, grommela-t-il.

— Attends, balbutia Tommaso. Je ne peux pas te raconter ça au téléphone. Et ce serait trop long. Mais c'est parfait.

— Tu veux que je te bascule les photos par mail ?

— Non, non, laisse tomber. Rentre vite, mon ami, et surtout prends soin de toi.

Tommaso raccrocha le téléphone et le posa sur la table. Sa tête tournait. Il avait donc raison. Le lien entre les lieux et les époques, si divers, ce qui traversait et unifiait cette liste en apparence incohérente, était bien ce petit signe géométrique, tracé il y a plusieurs milliers d'années à Jérusalem et de nouveau en 1920 à Moscou, lors de la construction du tombeau de Lénine, puis en 1947 à New York lors de la construction du siège de l'ONU.

Le regard pressant de Claire le fit revenir à leur bistrot bruxellois.

— De quoi parliez-vous ? Qu'est-ce qu'il a vu là-bas ?

Tommaso hésita avant de répondre.

Claire se pencha en avant, son visage retrouvant l'expression de colère que Tommaso avait déjà observée.

— Est-ce que cela a quelque chose à voir avec la mort de mon père ?

Il avança les deux mains vers le milieu de la table pour signifier qu'il allait parler et ne cherchait pas à éluder sa question.

— Ne t'énerve pas. Je vais te dire. Je cherchais juste par où commencer… Il y a tant d'histoires. As-tu déjà entendu parler du Palais des Vents ?

27

Jaipur, Inde – 1740

Jai Singh fit un geste de la main et l'escorte s'arrêta au milieu de la route. La poussière soulevée par le cortège s'éleva dans un coup de vent et le rattrapa, l'enveloppant tout entier, avant de retomber au sol. De nouveau, la vue dégagée permit à Jai Singh de contempler son œuvre. Jaipur, sa ville, bâtie à partir de rien. Il apercevait les neuf quartiers qui en dessinaient la trame. Au centre, en contrebas de la route, à plusieurs lieues de là, on voyait se dessiner la façade immense de l'Hawa Mahal, la Maison des Vents, percée de centaines de trous d'épingles qui étaient autant de fenêtres. Jai Singh sourit. Il s'appuya sur le rebord de la litière en bois précieux portée par douze hommes où il avait pris place. En se penchant, il pouvait voir le spectacle le plus prodigieux du monde. À cette distance, l'illusion était parfaite. Nul, par-delà le prétexte de protéger les femmes de la famille royale du regard du monde, n'aurait pu deviner la nature réelle de ce palais gigantesque surgi comme un trompe-l'œil au milieu de sa capitale. Ce bâtiment était son œuvre majeure et couronnait son règne. Sans attendre que s'exacerbe l'inquiétude de ses conseillers qui regardaient avec effroi ce corps amaigri, aux joues émaciées et aux membres fiévreux, faire un effort minime, il ordonna que la progression reprenne.

Jaipur n'était qu'une petite ville lorsqu'il en était devenu le maharadjah. En vingt ans, il avait su faire de son royaume une entité puissante, courtisée des plus grands. Le commerce s'était assis sur cette stabilité politique qui ravissait les souverains étrangers de l'Europe et rassuraient les investisseurs. La France de Louis XIV, les principautés italiennes avaient contribué à faire de Jaipur une plaque tournante régionale. La capitale, totalement reconstruite, était bien à présent la sienne. Comme lui semblaient loin les premiers temps de son règne, lorsqu'il n'était encore que l'objet des luttes courtisanes, quand son pouvoir était réduit au choix de ses conseillers. Il revoyait souvent passer dans son esprit sa première rencontre avec ces Vénitiens, aux méthodes brusques et aux voix douces, aux propositions étranges. Il n'avait tout d'abord pas compris ce qu'ils lui apportaient mais il avait su les accueillir. Il avait saisi là sa chance. Il dominait à présent de très haut les maîtres qui l'avaient initié. Le palais et l'observatoire astronomique, le Yantra Mandir, le plus accompli des cinq observatoires dont il était le concepteur, étaient son œuvre, sa contribution à la science. S'il ne s'était pas trompé et si la maladie qui gangrenait son corps lui laissait encore un peu de répit pour achever son œuvre, il serait aussi son triomphe pour des générations. L'empereur mogol Aurangzeb imaginait-il seulement lorsqu'il lui avait donné le droit de porter le titre de Sawaï – l'homme qui vaut un plus un quart – accolé à celui de Maharadjah, combien il était prophétique ?

Il avait alors seulement onze ans, et n'était que le trop jeune héritier d'une dynastie épuisée dans les complots et les divisions. Le vieil Empereur l'avait fait venir à lui, amusé et intrigué par cet enfant au regard fier, qui ne paraissait pas le moins du monde impressionné de paraître devant son souverain alors même que celui-ci l'avait convoqué pour répondre des comportements belliqueux des siens.

Il était entré sans crainte dans l'immense salle des audiences couverte de marbre sur lequel ses sandales claquaient au rythme de son pas. Il s'était agenouillé, calme, les mains jointes. À peine avait-il frémi lorsque l'Empereur, d'un geste incroyablement vif pour un homme aussi lourd, avait saisi ses deux bras entre ses mains grasses aux doigts épais. L'enfant avait baissé les yeux. Il sentait le souffle du vieil homme tout contre son front.

— À quoi te servent tes bras, maintenant ? avait soufflé le souverain, pour manifester son autorité.

La réponse avait fusé, la voix fluette causant le silence dans le cercle des courtisans :

— À rien, monseigneur. Mais les bras de l'épousée que son mari enserre le jour du mariage ne lui sont non plus d'aucune utilité. Et pourtant elle est en pleine sûreté, forte de la garantie qu'il lui offre...

L'Empereur avait souri, relâchant son étreinte. Le jeune prince avait sauvé sa tête et la puissance de sa maison. Il avait gagné la bienveillance du souverain. Elle l'avait protégé jusqu'à la mort de celui-ci. Alors, les dissensions avaient repris, plus terribles, jusqu'à ce jour où étaient venus ces étranges marchands désireux de faire du commerce, et prêts à partager leur savoir pour faire de lui bien plus encore qu'un homme et un quart...

28

Claire marchait devant Tommaso, sa silhouette fine paraissant glisser le long de la palissade métallique dressée à la hâte pour empêcher l'accès au lieu de l'attentat, au milieu du quartier de Tour et Taxis, le plus à la mode de Bruxelles pour l'extravagance et le luxe de ses constructions futuristes. En sortant du tramway souterrain, au-delà de la silhouette vieillotte de la gare du Midi et des friches désaffectées en attente de rénovation où achevaient de tomber en ruine les usines qui faisaient autrefois la fierté de l'industrie bruxelloise, on apercevait seulement la structure métallique, haute de plusieurs dizaines de mètres et en partie inachevée, de ce qui aurait dû devenir le futur siège de la Commission et du Parlement européens réunifiés géographiquement. Des pans de béton traversés de fer et, au milieu de la façade immense à demi élevée, un trou béant ouvert en demi-cercle, là où la charge avait explosé, constituaient tout ce qui restait d'apparent à distance de ce chantier pharaonique.

Tommaso pensa que Claire avait retrouvé toute sa maîtrise. Dans l'atmosphère chaude et enfumée du café, elle l'avait écouté décrire les destins d'architectes et des bâtiments qu'ils avaient conçus, déroulant le cheminement de sa pensée avec un calme grandissant. Elle avait oublié même pour un instant le geste machinal avec lequel elle faisait rouler sa petite pierre verte entre ses doigts, comme si l'inquiétude reculait à mesure qu'elle comprenait mieux les ressorts de sa pensée. Ils parlaient à voix basse pour éviter d'être entendus des tables peu éloignées, s'interrompant lorsque le ballet des serveurs pressés les frôlait. Elle avait posé seulement des questions courtes, précises :

— Pourquoi New York ? Moscou ?

Tommaso avait sorti une feuille de papier pour appuyer sa démonstration et tracé quatre colonnes.

— Si l'on revient aux dossiers de la Sorbonne et d'Auvergne, nous avons quatre catégories de villes ou de lieux, sans rien qui permette de les relier ni dans le temps, ni dans l'espace. Et puis pour quelques-uns de ces lieux, ces mêmes séries de calculs et ces points sur les plans. J'ai commencé par l'endroit que je connaissais le mieux : Jérusalem. Je savais qu'au lieu désigné par un point dans la carte se trouvait le signe de Tanit, celui auquel faisait référence le mémo ST, et qu'il y avait cinq autres signes sur ce site d'après Gowitz. Alors je suis reparti des croquis que nous avions et j'ai essayé de vérifier si les dessins géométriques de Jérusalem se retrouvaient aussi dans les autres sites. J'ai dû tâtonner car contrairement à Garcieux, qui a reconstitué les points à partir de sa formule et savait ce qu'il cherchait, je ne pouvais partir que d'un exemple. Et puis je ne maîtrise ni la dimension du temps – qui correspond je pense à la durée d'exposition pendant laquelle un individu reste dans un lieu – ni celle de l'espace – c'est-à-dire qu'un bâtiment se conçoit dans un plan à trois dimensions et que j'étais moi dans deux dimensions seulement. C'est pour cela que les calculs sur la plupart des bâtiments ne collaient pas. J'ai pris ceux pour lesquels le résultat était le plus parlant et ceux dont j'étais sûr qu'ils étaient concernés parce que les attentats y avaient eu lieu. Ce sont les deux premières catégories. La troisième correspond à ceux pour lesquels je n'ai pu établir ou comprendre les correspondances. La quatrième est celle des bâtiments qui n'ont pas été construits ou qui n'existent plus...

Il s'était interrompu en déplaçant sa chaise pour laisser passer un client qui alla s'installer un peu plus loin à une autre table.

— Comme par exemple ? reprit Claire.

— Par exemple le temple construit à Alexandrie, en 240 avant J.-C., par Dinocratès de Rhodes. Un temple unique, bâti en l'honneur du souverain régnant, Ptolémée Philadelphe, le descendant de la dynastie des pharaons fondée par un compagnon d'Alexandre. Le pharaon sentait que son pouvoir était sur le point de chavirer, il a tenté de remédier au mal en construisant un édifice inédit...

— « Remédier au mal », c'est-à-dire ?

— Je ne sais pas très bien. Mais je sais que ce temple était à nul autre pareil : une statue du pharaon déifié y flottait dans l'air, par un jeu d'attirance et de répulsion des matériaux utilisés.

— Et il a été détruit ?

— Quelques années plus tard, oui. Totalement. Et du jour au lendemain, Ptolémée Philadelphe a été balayé. Jusque-là, il a tenu, et du jour où le temple a disparu, son règne s'est écroulé.

— Alors ce serait de la magie !

— Non, pas de la magie.

Tommaso avait cherché le mot juste. Le garçon qui les avait servis s'approchait pour leur demander dans un sourire s'il pouvait encaisser le prix de leur consommation avant le changement de service.

— Quelque chose de mystérieux, avait poursuivi Tommaso en rangeant son portefeuille tandis que le serveur s'éloignait. Mais davantage comme une science perdue dont il ne subsisterait aujourd'hui que des bribes.

Il s'était penché vers Claire.

— Mais il y a plus récent : tu as entendu parler des projets d'Albert Speer ?

— L'architecte d'Hitler. J'ai vu le stade de Berlin...

— Mais tu n'as pas pu voir le Deutsche Stadion, son projet de stade destiné à accueillir les grand-messes de l'Allemagne nazie. Imagine un peu, un stade de quatre cent mille places au cœur de Nuremberg. Et tu n'as pas vu non plus le Grand Dôme, le projet de nouvelle chancellerie, le cœur du pouvoir rêvé, avec un hémicycle de cent cinquante mille places, couvert par un dôme immense culminant à deux cent quatre-vingt-dix mètres du sol. Rien d'étonnant à cela : ni l'un ni l'autre n'ont vu le jour. Ils sont restés à l'état de plan.

— Mais qu'est-ce que ça veut dire au juste ? Qu'est-ce que les attentats et mon père viennent faire là-dedans ?

— Ces plans, ton père les a vus, étudiés, et il y a reconnu un essai de mettre en pratique des éléments de cette théorie disparue. Ces tentatives avortées lui ont permis cependant de mieux comprendre, et de repérer ensuite d'autres tentatives bien réelles, plantées au nez et à la barbe de l'humanité par leurs constructeurs, au cœur de notre quotidien.

— Moscou ? New York ?

— Eh oui, le tombeau de Lénine, le grand œuvre d'Alexei Victorovitch Chtchoussev, l'architecte à qui l'on doit l'autre lieu du pouvoir symbolique, le siège du NKVD, l'ancêtre du KGB. Le grand architecte tenu ensuite dans la surveillance la plus étroite par Staline, empêché de plus rien construire de sérieux, mais pas déporté, lui, comme si le nouveau tsar rouge craignait quelque chose de lui…

— Mais à New York, ce qu'Antoine est allé voir, c'est…

— Le siège de l'ONU, ma chère. Rien que cela. Bâti il y a soixante ans, en 1947.

— Et qu'est-il allé voir ?

— Il est allé vérifier qu'exactement là où je l'avais indiqué, sur la foi des travaux de ton père, se trouve ce signe, le même qu'à Jérusalem.

Il avait dessiné le signe de Tanit avant de retourner la feuille vers Claire.

— Quant aux attentats, reprit-il tandis qu'elle restait à contempler le petit dessin, j'ai vérifié pour deux d'entre eux, l'Assemblée nationale à Paris et Saint-Pierre de Rome. Ces deux édifices appliquent les mêmes règles de base, avec des variantes : autant de variations autour d'une même racine.

— Mais qui a commis ces attentats ? Et pourquoi là et pas ailleurs ?

— D'abord, rien ne dit que la série est finie. Mais j'ai remarqué une spécificité. Chacun des édifices visés comprenait une autre série de marquages faits par ton père, dans une autre couleur. J'ai cherché un moment avant de comprendre de quoi il s'agissait. Tous les édifices attaqués ont fait l'objet ou font l'objet de travaux récents réalisés par des sociétés différentes mais dans lesquels, à des niveaux différents, ou via un certain nombre de prête-noms, est intervenu le même bureau d'études. C'est ainsi que les accès à l'hémicycle, la salle où se déroulent les séances de l'Assemblée nationale, ont été entièrement remodelés ; et que des fouilles ont eu lieu en 2003, lors du creusement d'un parking dans l'enceinte du Vatican, sous la basilique Saint-Pierre de Rome.

Claire le regardait fixement.

— Je ne sais pas quel rôle jouait ton père. Mais il poursuivait une sorte de guerre. J'ignore pour, contre et avec qui il la menait. J'ignore selon quelles règles. Mais il ne fait aucun doute qu'il la menait.

— Et le bateau coulé au large de Carthage, dans tout ça ?

— Je crois que ton père ne dominait pas plus que les architectes qui l'ont précédé les règles en cause. Il en approchait l'existence seulement. Et il croyait que la clé était sur ce bateau.

Silencieuse, Claire avait continué de le fixer. Enfin, elle avait repris la parole pour glisser :

— Alors si nous sommes ici ?…

— C'est pour achever notre vérification, avait-il conclu en consultant sa montre.

La lumière commençait à décliner au-dehors.

— Viens, avait dit Tommaso en se levant, nous avons un peu de marche à faire…

Ils étaient sortis du café et avaient marché quelques minutes, le temps de trouver un nouveau taxi. Ils s'étaient fait déposer à quelque distance du lieu de l'attentat. Silencieux, ils se hâtaient à présent vers le site.

Ils longèrent la palissade au plus près, à pas rapides, jusqu'à sortir de la zone éclairée par les lampadaires ultramodernes alignés sur le trottoir large comme une rue moyenne du centre-ville. Tommaso fit signe qu'il fallait passer par-dessus. Il se baissa pour lui faire la courte échelle. Claire prit appui sur ses mains, sauta pour agripper le haut de la palissade de métal ondulé vert et y bloquer ses coudes. Puis elle se hissa et fit basculer son bassin et ses jambes. Tommaso l'entendit atterrir de l'autre côté. Il sauta à son tour, agrippa le haut de la palissade du bout des doigts et se hissa péniblement avant de franchir l'obstacle.

Ils restèrent immobiles un instant, attentifs aux bruits, puis à pas lents, courbés en deux, ils traversèrent la dalle à découvert. Trente mètres devant eux, les poutres métalliques tordues et à demi brûlées semblaient une sculpture monstrueuse d'un poulpe géant lançant ses tentacules en tous sens.

Ils atteignirent la façade et se coulèrent contre le mur.

— Qu'est-ce que tu veux trouver là-dedans ? murmura Claire. Il ne reste rien d'intact.

Il lui fit signe de ne pas parler et de le suivre.

Des pas crissaient sur les graviers qui parsemaient la dalle de béton grossière devant le bâtiment.

Tommaso s'effaça contre le mur et étira le cou pour couler un regard vers l'origine du bruit.

L'éclat d'un faisceau lumineux le fit se rejeter dans l'ombre. Il se retourna vers Claire et la saisit par le bras pour la pousser plus loin vers le trou d'ombre et le cratère à demi empli d'eau laissé par l'explosion.

— Des vigiles, chuchota-t-il comme elle le regardait d'un air interdit.

Tendant l'oreille, Tommaso n'identifia qu'un pas. Il respira avec plus de soulagement : pas de chien et un seul homme. Collé au mur, il attendait en retenant sa respiration.

L'ombre précédait le garde. Tommaso jugea qu'il devait être petit et pas de la première jeunesse. Il attendit sans bouger que l'homme tourne la courbure de la façade qui le masquait. L'autre progressait prudemment, d'une démarche un peu maladroite. Tommaso entendit sa respiration puis aperçut son visage. L'autre l'aperçut à son tour. Il ouvrit la bouche pour crier et tenta de saisir le talkie walkie pendu à sa ceinture. Sans lui en laisser le temps, Tommaso le percuta de toutes ses forces en pleine poitrine. Souffle coupé, l'homme chuta lourdement avec un cri étouffé. Tommaso hésita puis se pencha pour l'attraper par le col de son blouson et le remettre debout. L'homme essaya de l'agripper dans un geste machinal. Tommaso le frappa de nouveau au ventre puis lui assena un coup de genou dans le menton qui l'envoya rouler au sol sans connaissance.

Essoufflé, Tommaso attendit une seconde pour s'assurer qu'il n'entendait plus rien puis prit le temps de pousser l'homme le long du mur avant de plonger lui aussi dans l'obscurité.

— Par ici, chuchota Claire.

Tapie dans l'ombre, elle se tenait à droite du trou ouvert par l'explosif.

Tommaso se rapprocha à pas prudents.

— Il ne faut pas perdre de temps, glissa-t-il.

Pétrifiée, Claire regardait le corps allongé.

— Il est mort ?

— Non, assommé seulement, mais je ne sais pas pour combien de temps. Dépêchons-nous.

À sa suite, elle se baissa pour passer sous le ruban jaune qui indiquait « police – investigation en cours – interdiction de pénétrer » en français, anglais et flamand.

Ils progressaient lentement à présent, attentifs aux pièges que recélait chaque pas : ossature métallique d'un bloc de béton éventré, cavité masquée où l'on pouvait glisser une jambe en une seconde.

Tommaso se retourna soudain en entendant Claire déraper sur une dalle posée en équilibre. Il attrapa sa main et l'attira jusqu'à lui.

— Par là, murmura-t-il en désignant une porte dont le chambranle était demeuré à peu près entier.

Un escalier s'ouvrait sous leurs pas. Marche à marche, presque à tâtons, ils descendirent les degrés. Claire se tenait derrière Tommaso, assez proche de lui pour le toucher. Vingt marches plus bas, ils étaient presque dans l'obscurité complète. Des gouttes d'eau perlaient le long de groupes de fils électriques arrachés. Le plafond n'avait pas encore été posé mais la plus grande partie des câblages se tordaient contre la voûte de ciment, lançant dans la pénombre des reflets cuivrés.

Tommaso sortit une lampe torche étroite. Le pinceau de lumière balaya les murs des trois couloirs qui partaient du palier où ils étaient arrivés.

— Celui de droite mène aux commissions. Celui de gauche à la présidence. Celui du centre au cabinet des ministres et aux salles de réunion.

— Ils avaient prévu des bureaux en sous-sol ? s'étonna Claire.

— Non, ce sont des salles de réunion, répondit-il.

— Comment tu sais tout ça ?

Il eut un demi-sourire.

— J'ai une excellente documentation…

Ils avancèrent vers le couloir central. Vingt mètres plus loin, il était obstrué par des blocs de pierre tombés de la voûte écroulée.

Tommaso désigna une porte à demi ensevelie. Claire hésita. Il hocha la tête pour confirmer, et sans attendre, s'agenouilla pour se glisser dans l'anfractuosité.

L'atmosphère à l'intérieur était saturée de poussière qui collait au palais et au nez de Tommaso et de Claire. Ils pressèrent des mouchoirs sur leur visage, avançant à présent courbés, Tommaso comptant en silence ses pas.

L'archéologue s'arrêta et se retourna vers Claire en indiquant le plancher.

— Ce doit être là, murmura-t-il en s'agenouillant.

À tâtons, sa lampe entre les dents, il chercha la jointure entre les larges dalles de plastique posées au sol.

Il se redressa à demi en prenant sa lampe dans une main.

— Aide-moi. Ils ont posé l'isolation en plastique, pas encore le soubassement du futur parquet. C'est seulement fixé, pas même collé.

Claire se mit à genoux à son tour et joignit son effort au sien. La dalle de plastique se souleva puis céda d'un coup. Ils la levèrent et la basculèrent en arrière. La poussière agitée par le mouvement les fit reculer en se protégeant le visage pour ne pas être aveuglés.

Ils attendirent quelques instants que le nuage retombe puis Tommaso pointa la lampe sur la surface qu'ils avaient dégagée.

À ses côtés, Claire tendit la main vers le pavement. Elle toucha le sol de ciment et se raidit. Tommaso sentait une étrange émotion l'envahir. À son tour, il posa la paume à plat sur le sol : là, sous ses doigts, profondément gravé dans la dalle, se dessinait, aisément reconnaissable, le signe tracé par Tommaso deux heures auparavant sur sa feuille dans le café ; un cercle surmontant un trait horizontal et un triangle.

*****

Tommaso regarda le train franchir au ralenti les balises de zone protégée de la gare. Le convoi poursuivit encore un instant en ligne droite le long du quai, puis s'inclinant sur la gauche, entama une longue courbe tandis que le bruit qui s'éloignait indiquait que le conducteur venait de mettre pleins gaz.

Même à cette distance, Tommaso imaginait aisément Claire, la tache de ses cheveux courts apparaissant par intermittence entre les deux dossiers de la première rangée du premier wagon.

Ils étaient ressortis du chantier aussi prudemment qu'ils y étaient entrés et s'étaient éloignés à pied, après avoir jeté dans une poubelle les survêtements poussiéreux qu'ils portaient par-dessus leurs vêtements. Ils avaient marché un moment en silence. C'est Claire qui avait parlé la première.

— Qu'est-ce que ça veut dire, Tommaso ? Ce signe caché, là, et dans les autres bâtiments ?

Tommaso jetait par instants un coup d'œil machinal derrière eux. Dans la rue, la fraîcheur commençait à tomber. Une Mercedes passa en trombe, puis le silence reprit ses droits.

Tommaso tourna le visage vers elle.

— C'est une marque. Une tradition. Les architectes ont toujours signé de manière symbolique les édifices qu'ils construisaient. Et souvent de manière cachée. Au Moyen Âge, les tailleurs de pierre qui ont contribué à bâtir les cathédrales posaient leur marque au burin sur le côté de la pierre destiné à demeurer invisible. Ils perpétuaient une tradition plus ancienne, venue d'Égypte, dans laquelle les signatures des artisans désignaient les points de force des constructions, là où leurs bâtisseurs pensaient que passaient les flux d'énergie.

— Et ceux qui ont fait ces marques, ils croient cela ?

— Je ne sais pas. Je crois que ces inscriptions sont avant tout un code, une manière entre ceux qui partagent tout ou partie du secret que nous recherchons de témoigner de leur projet. Ce dont il s'agit, c'est ce qu'il nous faut découvrir maintenant.

Ils continuèrent un instant en silence.

— Et maintenant ? interrogea encore Claire.

— Maintenant, nous allons rejoindre Antoine en Espagne. Mais séparément. Par voie aérienne, la circulation à deux serait trop dangereuse. Et je préfère passer inaperçu. Toi tu rentres à Paris, tu récupères les archives à la consigne de la gare du Nord et tu attends que je te contacte pour te faire venir.

Cette fois, Claire n'avait pas protesté.

Tommaso attendit que le train ne soit plus qu'un point à l'horizon puis retourna vers la voiture de location qu'il avait laissée sur le parking à ciel ouvert près de la gare du Midi. Il traversa de nouveau le hall et sortit pour couper le trajet plus long par la galerie vitrée destinée à protéger les voyageurs des intempéries. Il hésita à poursuivre par l'esplanade puis se résolut à gagner l'abri plus discret de la promenade le long de laquelle s'étendait le parking. Il parcourut deux cents mètres, entra dans le parking et monta au premier niveau. La Ford bleue qu'il avait louée en arrivant pour préparer la suite attendait là, garée en épi.

Venant en sens inverse, l'homme qui s'arrêta à sa hauteur portait des lunettes noires. Ses cheveux longs et bouclés tombaient sur ses épaules. Tommaso le dévisagea avec un mouvement de recul. L'autre désigna la cigarette qu'il avait entre les lèvres et mima le geste de l'allumer avec un briquet.

Tommaso sonda machinalement les poches de son jean puis ouvrit les mains pour signifier qu'il était désolé. L'homme fit signe avec un sourire que ce n'était pas grave. Jugeant que cet entretien muet était clos, Tommaso se détourna pour poursuivre sa route.

248

L'ombre au-dessus de sa tête passa trop vite pour qu'il puisse même se retourner. Un bras se referma autour de sa gorge, l'étranglant à demi. Il sentit deux autres mains se saisir de ses bras, et une silhouette jaillit de derrière une voiture. Il essayait de desserrer l'étau lorsqu'il sentit une aiguille s'enfoncer dans son cou. Il donna un dernier coup de reins avant que ses jambes ne se dérobent sous lui. Il tenta encore de crier, mais il ne sentait plus ses lèvres. Un froid glacial l'envahit. Ses yeux se brouillèrent. Dans le tunnel sombre où il s'enfonçait, il vit seulement l'homme aux lunettes noires arracher sa perruque. Puis plus rien.

*****

La première chose que sentit Tommaso en se réveillant fut une puissante odeur de kérosène qui lui provoqua un haut-le-cœur. Allongé, il manqua s'étouffer en vomissant. Il essaya de bouger pour se redresser et réprima un gémissement quand la barre qui enserrait son cou heurta sa gorge meurtrie. Il ouvrit les yeux dans la plus profonde obscurité. Un tissu ou une capuche opaque lui cachait le visage. Il respirait à peine et sa tête le faisait horriblement souffrir. Il attendit quelques instants que le spasme se calme et s'efforça de contrôler sa respiration haletante. Il essayait de rappeler à lui les souvenirs de ses cours de plongée, lorsqu'il fallait apprendre à surmonter l'anxiété : obscurité, manque d'oxygène, pression excessive et douleurs à la tête… La réminiscence de ces situations familières desserra un peu l'étau d'angoisse qui lui broyait le cœur.

Tommaso se concentra pour analyser les informations autour de lui. Il était allongé sur ce qui ressemblait à une plaque de tôle. Des liens lui maintenaient les pieds, les bras, le corps et le cou, rendant tout déplacement impossible. La plaque trépidait légèrement et une odeur de gas-oil écœurante régnait autour de lui. Il sentait aussi l'odeur surchauffée de l'atmosphère et le bruit lancinant d'un moteur. Un bourdonnement caractéristique le fit sursauter. En dessous de ses jambes, un train d'atterrissage était en train de se déployer.

Un avion. Une douleur plus vive lui vrilla les tempes, interrompant sa pensée. Des taches de couleur surgissaient devant ses yeux. Il serra les dents pour ne pas s'évanouir. De nouveau, il avait du mal à respirer. Une sueur froide coulait sur son torse. Il crut qu'il avait perdu connaissance. Un virage plus prononcé et le vrombissement des moteurs le ramenèrent à la conscience. Il sentit le choc des roues sur la piste d'atterrissage, et le rugissement des freins mêlé à la poussée inversée des réacteurs.

29

Tommaso tira sur les bracelets qui maintenaient ses bras attachés derrière son dos à la chaise sur laquelle on l'avait assis. Il frissonna. La température lui paraissait polaire. Sa tête le faisait souffrir. Il essaya de lever les yeux et renonça sous la morsure de la lumière aveuglante du néon au-dessus de lui. Il inspira profondément et essaya de se rappeler les dernières heures. Il se souvenait seulement avoir été porté, puis le contact d'un sol froid, du ciment. Ensuite, il s'était réveillé dans cette pièce. Il entendait le cliquetis des menottes que l'on refermait sur ses poignets. On lui avait enlevé sa cagoule. Puis plus rien, jusqu'à son réveil.

La pièce où il se trouvait était un cube de métal sans fenêtre. Cinq mètres sur cinq, une table rectangulaire de métal boulonnée au sol, une seule chaise du même métal, placée un peu trop loin de la table et fixée elle aussi. Il y était attaché par les mains et les pieds. L'éclairage, deux tubes protégés par un grillage et couvrant toute la longueur du plafond, diffusait une lumière blanche surexposée. Tommaso avait froid. Il chercha du regard un système de chauffage, mais n'en vit aucun. Seule une petite grille au sol sur le mur de droite ressemblait à une bouche de chaleur.

Le bruit de la porte le fit sursauter. Il songea qu'il avait les nerfs à vif. Ne rien montrer, prendre garde à tout ce que l'on pouvait dire. Ne rien montrer. La douleur éclatait dans sa tête.

L'homme qui entra esquissa un sourire. Il plongea les mains dans les poches de son jean et soupira. Avec son teint hâlé, son air juvénile, ses cheveux blonds coupés court, sa chemise beige passée sur un tee-shirt blanc et sortie de son pantalon, il semblait tout droit sorti d'un remake de *Mr et Mrs Smith*. Une sorte de petit frère de Brad Pitt. Tommaso lui donnait vingt-cinq ans, trente au maximum.

L'homme fit quelques pas sans parler, comme pour mesurer la pièce. Il s'arrêta puis fixa en silence Tommaso. Celui-ci s'efforçait de contrôler le clignement de ses paupières. Il pensa qu'il l'avait peut-être drogué. Ne pas céder à la panique. Il sentait la peur s'infiltrer en lui par tous les pores de la peau. Il était en sueur malgré l'impression de froid qui le paralysait.

— Vous n'avez même pas idée dans quoi vous avez mis les pieds, mon pauvre ami, entama l'homme en anglais. J'aurais de quoi vous envoyer en prison pour deux cent cinquante ans, ou mieux, sur la chaise électrique.

Il tournait autour de lui, puis s'arrêta derrière sa chaise. Il se pencha en avant. Tommaso sentait son haleine contre sa tempe. Une odeur d'eau de toilette citronnée émanait de sa peau.

— Mais c'est encore pire que ça peut-être.

Il se redressa et reprit sa déambulation. Ses chaussures de marche claquaient sur le sol.

— Comment vous expliquer ? Vous voyez Guantanamo ? Eh bien au moins, c'est un lieu, ça existe. Ici c'est différent. Ce lieu n'existe pas. Je n'existe pas. Et vous non plus, par conséquent.

Il se releva pour désigner les angles de la pièce.

— Pas de caméra. Pas de vitre sans tain. Pas d'enregistrement. Rien du tout. Le désert, le néant.

Tommaso le coupa du ton le plus froid qu'il put puiser en lui-même. Il entendait sa voix trembler légèrement.

— Je sais que la CIA merde et fait des coups tordus un peu partout. Pas besoin d'être un espion pour savoir ça. Il suffit de lire *Time*. Ils ont tous les détails. Et c'est là le souci. Vos trucs, ça dure jamais si longtemps que ça, et ça se finit généralement devant une cour de justice.

L'homme s'assit sur un coin de la table et posa ses paumes sur le métal.

— Ce que vous dites n'est pas faux, un peu agressif, mais pas faux. Seulement là, c'est plus compliqué. Je ne peux pas vraiment vous donner de détails mais pour vous faire une petite idée, imaginez que toutes les opérations que vous décrivez là sont des opérations autorisées camouflées en opérations non autorisées. Bref, des trucs dans lesquels il y a toujours des fuites possibles parce que des types au Congrès, des tas de politiciens, sont au courant même si c'est officieux et qu'ils peuvent nier l'être. Eh bien là, non. Mettons que nous sommes vraiment entre nous et que les types en question n'ont pas la moindre idée de notre histoire.

L'homme se leva.

— Donc revenons à vous. Vous êtes super-mal. Pire que ça. Vous venez de passer plusieurs heures dans un Hercule C-130, je le reconnais peu confortable, après un premier voyage dans un C-37 Gulfstream V beaucoup plus discret. Autant dire que vous êtes très loin de Bruxelles, dans un lieu dont vous n'avez même pas idée. Soit dit en passant, c'était assez peu malin de vous montrer à Bruxelles sur les lieux de l'attentat.

Bien. Vous n'avez donc à la base plus aucun espoir. Et moi, j'ai deux hypothèses et trois questions. Hypothèse numéro un, vous êtes le mec qui a monté cette opération contre nous. Notre adversaire en quelque sorte. Et alors vous avez des choses qui m'intéressent. Hypothèse deux, vous êtes juste un chien dans notre jeu de quilles, un épouvantable connard fouteur de merde entré là-dedans par hasard ou presque. Et alors vous n'avez rien pour moi et vous en savez certes déjà trop mais beaucoup moins que moi.

Il marqua un temps pour observer la réaction de Tommaso. L'archéologue soutenait son regard, les yeux grands ouverts plongés dans ceux plissés de son interlocuteur.

— Dans l'hypothèse un, reprit celui-ci, vous avez une valeur. Dans l'hypothèse deux, aucune. Sauf peut-être à travers quelque chose que vous avez entendu ou vu sans même savoir l'importance que cela pouvait avoir.

Brad Pitt revint s'asseoir et poursuivit en relevant le menton, détachant ses mots comme un animateur de jeu télévisé pour faire monter le suspense à l'instant de la question cruciale.

— Maintenant, je vais vous poser mes trois questions. Et puis vous allez réfléchir. Je reviendrai chercher la réponse un peu plus tard. Question numéro un : où sont les documents de Garcieux, le manuscrit et le bateau ? Question numéro deux : est-ce vous qui avez tué Garcieux ? Question numéro trois : que savez-vous exactement de Tanit ?

Tommaso le fixait toujours d'un air neutre, sans répondre. Curieusement, entendre des questions le rassurait un peu. Il s'efforçait de mesurer si l'homme mentait. Sa volonté se manifestait de nouveau à travers la douleur.

L'homme se dirigea vers la porte et frappa deux fois du plat de la main. La porte s'ouvrit. Il se glissa dans l'entrebâillement puis se retourna une seconde.

— Réfléchissez bien.

Il sourit.

— De toute façon, vous n'aurez pas trop l'occasion de dormir.

*****

Le bruit de la porte métallique qui claquait arracha Tommaso à sa torpeur. Il sursauta et sa tête tombée sur sa poitrine se releva à demi avant de s'affaisser. Il s'était évanoui et cette fois, ils l'avaient abandonné sans essayer de le réveiller.

Sans avoir la force de rouvrir les yeux, il sentit une main brutale lui relever le menton. Il se contracta avant de se rendre compte que c'était une hallucination. Il était seul de nouveau. Était-ce la cinquième, la dixième fois qu'il revenait aujourd'hui ? Était-ce aujourd'hui ? Le jour, la nuit ? Il était incapable à présent de se souvenir du temps écoulé depuis qu'il avait été enchaîné dans cette pièce.

Les questions désordonnées, répétitives, mélangeant routine et sujets sensibles dans un désordre en apparence totalement incohérent, l'accumulation du bruit, des lumières vives : tout l'environnement de ce lieu de cauchemar l'abrutissait et le laissait pantelant. Tous ses muscles le faisaient souffrir.

Il laissa retomber le stress de l'interrogatoire, reprit le contrôle de sa respiration puis essaya de revenir à des réflexions utiles. Il devait exister un élément qu'il n'avait pas compris ou mal interprété.

Pour garder le contact avec la réalité, Tommaso s'astreignait à faire défiler de manière ordonnée tous les événements survenus au fil des jours et à placer sur cette trame chacun des protagonistes, ses actions, identifier où il se trouvait, quand… Chaque effort lui coûtait un peu plus que le précédent. Chaque nouvelle plongée en lui-même pour puiser dans la masse des données et des expériences une question ou une réponse lui devenait plus pénible. Il ne parvenait plus à se concentrer que durant des périodes excessivement courtes. Une information traversa son esprit. Il essaya de la saisir, ferma les yeux. L'information passa sans qu'il puisse la retenir. Il eut le sentiment qu'il venait de frôler une pièce essentielle du puzzle. Puis il s'évanouit de nouveau.

30

Tommaso se contraignit à regarder la lumière qui tombait d'une fente de trente centimètres de long et quinze de hauteur, placée contre le plafond de la cellule. À cette différence près, la pièce était presque identique à celle des interrogatoires, hormis le mobilier, un lit, un tabouret lui aussi fixé au sol. Le rayon de lumière haché par les trois barreaux qui coupaient le petit espace venait de frapper obliquement le côté du lit.

Il tenta encore de se rappeler ce qui s'était passé depuis la dernière fois où il s'était trouvé dans cette configuration. Une journée et une nuit sous les mêmes éclairages. Ou deux journées ?... Il s'efforça de se concentrer. Il avait l'impression que son cerveau fonctionnait au ralenti. Son bras lui faisait mal là où il y avait des traces de piqûre.

Ils étaient venus deux fois depuis ce matin et l'avaient ramené deux fois dans cette cellule où il n'était pas attaché. Sans que l'intervalle paraisse régulier. Sans même qu'ils prennent en compte ses demandes de boire, se nourrir ou aller aux toilettes, de manière cohérente : parfois ils semblaient ne pas entendre, parfois lui donnaient satisfaction au bout d'une heure ou plus.

Il avait essayé de se remémorer le parcours. Sa cellule donnait sur un couloir d'environ trente mètres de long éclairé par les mêmes néons et des ouvertures semblables tout en haut des murs de béton gris. Il desservait six ou sept cellules identiques alignées côte à côte. À une extrémité, ce couloir donnait sur ce qui ressemblait à un bloc sanitaires. L'autre extrémité ouvrait sur l'extérieur et c'est par là qu'il avait été extrait pour les séances d'interrogatoire. Avant qu'ils lui passent de nouveau une cagoule, il avait juste eu le temps d'apercevoir des bois, et un ciel nuageux surplombant une sorte de clairière défrichée au centre de laquelle se dressait un bâtiment aux murs vert foncé. D'autres, plus petits, comme celui où se trouvait sa cellule, étaient placés tout autour de la clairière. Tous étaient peints de manière étrange, dans une couleur kaki semblable à celle des tenues de camouflage des soldats.

Tommaso avait aperçu aussi des rangées de barbelés, mais la cagoule dont il avait été affublé l'avait ensuite empêché d'observer plus avant la disposition des bâtiments. Le nombre de pas entre celui où il était détenu et celui où il était interrogé lui avait toutefois permis d'estimer qu'il s'agissait probablement du grand bâtiment central.

Il devait y avoir aussi à proximité un héliport car il avait entendu un bruit caractéristique de moteur pendant l'un de ses trajets.

Il respira profondément pour combattre la bouffée de haine qui lui montait à la poitrine et menaçait de le submerger.

— Calme-toi, murmura-t-il, calme-toi.

La fatigue le faisait trembler. Il s'assit sur sa couchette.

— Fais un effort…

Il se déchaussa et prit dans la main les sortes d'espadrilles en plastique bleu et en tissu qui lui avaient été affectées. Aucune étiquette, pas plus que sur l'espèce de pyjama sans col également bleu dont il était revêtu en se réveillant. La même toile un peu rêche, apparemment de coton.

Le rayon de soleil touchait à présent le mur au-dessus du lit.

Des heures s'écoulèrent. Aucun bruit ne traversait l'espace. De nouveau Tommaso peinait à évaluer le déroulement du temps. Seule l'arrivée de la nuit, sans qu'aucune nouvelle visite se présente, lui avait fourni un repère. Il venait de se recoucher sur la couchette étroite, les mains sous la nuque, lorsqu'un hurlement le fit se redresser d'un bond. Il monta sur la couchette pour essayer de glisser le regard par la fente donnant sur l'extérieur, mais ne vit rien.

Un nouvel hurlement lui glaça le sang. On aurait dit un dément. Puis un brouhaha de voix se mêla aux cris. Il cherchait à comprendre d'où venait le bruit et dans quelle langue étaient poussées ces vociférations, mais il ne reconnut aucun son familier.

Le choc sourd d'une masse heurtant le métal retentit, de nouveaux cris se firent entendre plus près. Il y eut encore un gémissement puis plus rien. Tommaso tendait l'oreille. Vingt minutes étaient passées quand il perçut des bruits de pas tout proches dans le couloir, le cliquètement d'une cellule qu'on ouvrait. Cinq minutes s'écoulèrent encore en silence, puis la cellule fut refermée et Tommaso entendit les pas se rapprocher de sa propre porte. Il y eut un échange à voix étouffées puis certains pas continuèrent le long du couloir. Tommaso pensa qu'ils se dirigeaient vers la sortie. Il entendit encore quelques mots.

— Sous contrôle…

— Mieux vaut évacuer ce bloc... transférer l'autre...

Une porte claqua. Le verrou de sa cellule joua et un homme qu'il ne connaissait pas, vêtu d'un uniforme vert anonyme, tête nue, entra dans sa cellule. Il lança une paire de menottes au sol pour réveiller Tommaso qui s'était rallongé et feignait de dormir, les paupières presque closes. Comme il ne bougeait pas, l'homme fit un pas et tendit le cou pour observer le prisonnier. Derrière la porte, l'ombre d'un deuxième homme s'étendait au sol. Tommaso pensa qu'il avait dû se passer à proximité quelque chose qui échappait à la redoutable mécanique en œuvre pour le détenir. Il ne savait pas quoi, mais c'était sans doute une chance minuscule et unique de fuir.

L'homme fit un nouveau pas et déboucla la lanière de cuir qui fermait le holster accroché à sa ceinture. La main sur la crosse de son revolver, il s'approcha encore, demeurant à un mètre du lit.

— Debout ! intima-t-il d'une voix forte. Allez, debout !

Tommaso demeura immobile. L'homme hésita, regarda la porte et fit un signe d'impuissance.

La voix de l'autre côté de la porte claqua.

— Reviens !

Tommaso sentit comme un coup de fouet dans son dos : c'était maintenant, et pour un instant seulement...

L'homme demeura une seconde immobile, puis se tourna pour sortir, masquant la couchette à l'homme qui se tenait dehors. Il n'avait pas raccroché la lanière qui protégeait son arme. Sa main glissa de la crosse. Tommaso bondit en avant. Il le frappa de toute sa masse au milieu du dos, le déséquilibrant et le projetant tête la première contre la porte ouverte. L'homme s'écrasa contre le battant qui rendit un son sourd. Le second geôlier se déhancha pour sortir son arme tout en cherchant des yeux Tommaso. Il se ravisa. Tommaso sut en le regardant qu'il allait essayer de refermer la porte. Dans la seconde où l'homme tendait le bras, il ouvrit le feu sans hésiter. L'arme fit tressauter son poignet tandis que le gardien était projeté en arrière dans un vacarme rendu assourdissant par l'écho des murs métalliques. Tommaso le vit s'effondrer contre le mur du couloir, laissant une traînée sanglante depuis le seuil. Puis sans un regard pour l'autre gardien, il arracha le trousseau de clés resté sur la porte et se précipita au-dehors.

Le silence lui paraissait encore chargé du claquement du coup de feu. Il attendit un instant, tendant l'oreille. Les mains tremblantes, il coinça le revolver sous son bras et détailla le trousseau dont il s'était saisi. Les sept premières clés d'un format identique devaient correspondre aux serrures des cellules. Il les laissa de côté. Il en restait six, dont deux ressemblaient à des passes, petites clés plates à bout rond. Les quatre autres étaient des clés de sécurité.

Tommaso s'approcha à grands pas de la porte qui ouvrait sur l'extérieur. Il essaya de faire jouer le loquet, sans succès. Il essuya la sueur qui, malgré le froid, coulait sur son front, reprit le revolver dans sa main droite et essaya la première des quatre clés de sécurité. Elle refusa de tourner, tout comme la deuxième et la troisième.

L'archéologue inspira un grand bol d'air en jetant un œil nerveux derrière lui et engagea la dernière clé dans la serrure. Elle tourna avec un bruit de cliquetis et il sentit la porte céder devant lui.

Une bourrasque de vent l'accueillit, menaçant d'emporter la porte. Il la retint à peine, évitant de justesse qu'elle n'aille claquer contre le béton du mur. Dans la nuit, on distinguait seulement les masses sombres des bâtiments du camp. Les lumières puissantes des projecteurs fixés sur la clôture et balayant non pas les abords mais l'intérieur du camp rendaient paradoxalement plus difficile la vision précise du terrain depuis la position qu'occupait Tommaso. Il se laissa couler le long du mur pour se terrer dans l'ombre.

La fatigue plongeait Tommaso dans la confusion. Il fut obligé de se concentrer pour rétablir l'enchaînement des faits. La progression à pas lents, tapi contre les murs de la baraque puis de cette autre, plus grande, au centre du camp. L'instant de découragement, lorsqu'un petit groupe d'hommes étaient passés tout près de lui, mais heureusement sans le voir, le contraignant à se glisser d'un bond dans le vide laissé sous les baraquements préfabriqués montés à la hâte dans la clairière. Il ne savait plus où aller. Il était resté là, transi de froid, pendant un temps qui lui avait paru infini et n'avait pourtant pas dû excéder deux minutes. Puis il était ressorti pas à pas, centimètre par centimètre, jusqu'à oser passer les yeux au-dessus du rebord d'une des fenêtres. La nourriture laissée sur la table, une sorte de beignet et une bouteille d'eau, l'avait poussé à essayer d'entrer dans la pièce. Il s'y était hissé, et avait pris le risque de la verrouiller de l'intérieur sans allumer la lumière. Celui qui avait abandonné le beignet lui avait offert l'impression de faire un festin. Il avait bu aussi beaucoup d'eau. Dans un placard, il avait trouvé une combinaison de travail verte et une casquette qu'il avait troquées avec plaisir contre son vêtement de détenu. Il avait enfin attrapé un dossier pour se donner une contenance, sans en regarder le contenu.

Il était ressorti par la fenêtre après avoir pris soin d'accrocher à la poche poitrine de sa combinaison deux badges d'identification sur lesquels étaient apposés des codes qui ne signifiaient rien pour lui. Ils étaient peut-être périmés mais il jugea que de loin au moins ils rendraient le tableau plus crédible. Une pendulette à cristaux liquides rouges posée sur le bureau métallique indiquait 02 : 12. Il crut qu'il avait mal lu. Deux heures du matin. Même avec un dossier à la main, la promenade risquait de paraître curieuse. Aussi curieuse que cette alerte qui ne venait pas. Dix minutes au moins. Il ne fallait pas espérer que le répit durât beaucoup plus. Il se lança et émergea à découvert à quelques mètres du bâtiment. Les silhouettes de véhicules endormis dans le parc se dressaient à travers la brume devant lui. Il hésita une seconde, puis se dirigea dans leur direction. Il avait parcouru cinquante mètres, il en restait cent cinquante. Un vrombissement se fit entendre en même temps qu'un phare s'allumait juste en face de lui. Il manqua déguerpir et se retint à peine. Il stoppa son avancée. Les feux étaient ceux d'un hélicoptère qui faisait chauffer son moteur. Dans la poche de sa veste, il serra la main sur la crosse de son arme et reprit sa marche vers le phare blanc qui tressautait devant lui.

À vingt mètres de l'appareil, il leva le bras qui tenait le dossier et fit signe qu'il apportait ça. Puis il poursuivit sans savoir si le pilote l'avait vu. Il se baissa lorsque le souffle du rotor commença à balayer son vêtement. Il retint sa casquette, ravi d'avoir une bonne raison de baisser la tête. Il venait de poser la main sur la portière gauche lorsque l'alarme se déclencha. À travers la vitre, Tommaso vit le pilote se crisper. Ses mains se paralysèrent sur le manche, tandis que ses yeux couraient vers l'horizon à la recherche d'une explication. Toutes les lumières s'allumèrent derrière eux. Le pilote tourna la tête vers Tommaso qui agrippa la poignée et ouvrit la portière. Il tendit la main vers la sacoche devant lui, mais stoppa son geste en apercevant le canon du revolver brandi à la hauteur de ses yeux. Tommaso lut la panique dans son regard. Il se hissa d'un bond dans la cabine puis fit signe au pilote d'ouvrir l'autre portière. Tremblant, l'homme obtempéra. Tommaso lui arracha son casque. Des ombres couraient à présent dans l'esplanade non loin d'eux. Le pilote ouvrit la bouche. Tommaso pointa l'arme plus près de son visage, s'installa mieux sur le siège de gauche et referma sa portière. Puis d'un violent coup de pied, il déséquilibra le pilote qui tomba lourdement au pied de l'appareil. Tommaso se glissa à sa place et rattrapa la portière droite. Il la verrouilla. Il respira et poussa le rotor au maximum.

Le bruit emplit l'espace. Plaqué au sol, le pilote ne s'était relevé qu'à demi. Des hommes accouraient vers l'hélicoptère. Tommaso tira le manche. L'hélicoptère se souleva de l'arrière, parut hésiter avant de s'arracher tout à fait à la pelouse. Enfin, il s'éleva d'un coup. Tommaso voyait les silhouettes en dessous de lui rapetisser. Les hommes s'agitaient. Un ou deux essayèrent d'ouvrir le feu. Quelques détonations claquèrent, assourdies par les écouteurs, puis ils disparurent dans la pénombre.

Tommaso coupa la radio. La jauge d'essence était normale. Il pensa que s'il venait vraiment de quitter un des camps fantômes de la CIA, il courait le risque de voir surgir d'autres hélicoptères ou des chasseurs. Et cela en quelques minutes. Il fallait donc atterrir sans tarder. L'angoisse, masquée un instant par l'adrénaline, le submergea de nouveau. Il pouvait se trouver n'importe où, aux États-Unis peut-être ?

Aucun halo lumineux de villes n'apparaissait au-delà des collines montagneuses qu'il apercevait devant lui, masses noirâtres dans la nuit brumeuse et presque sans lune qui lui semblait une copie des eaux profondes des océans. Attentif à maintenir sa stabilité, Tommaso bénissait les leçons prises avec Antoine depuis le début de leur association. Dix ans de pratique régulière ne lui paraissaient pas de trop pour compenser l'état d'épuisement physique et nerveux dans lequel il se trouvait. Il réduisit un peu son altitude et scruta le sol. La forêt couvrait en continu le territoire au relief tourmenté qu'il survolait, donnant à voir une fausse impression de douceur. Il regarda l'horloge du tableau de bord. Il volait depuis trois minutes. Il jugea qu'il lui en restait au moins trois, mais peut-être seulement trois.

31

La fatigue le rattrapait, rendant difficile l'effort de concentration qu'exigeait le délicat pilotage de nuit dans un environnement inconnu. Ses yeux le brûlaient, tous ses muscles lui paraissaient douloureux. Sa jambe droite, qu'il avait crue un moment cassée par les coups reçus lors des interrogatoires, le faisait terriblement souffrir. Son visage meurtri le tiraillait aussi. Tommaso eut un éblouissement et l'appareil vacilla un instant. In extremis, il en reprit le contrôle. Cinq minutes. Il scrutait le ciel et l'espace autour de lui. Aucun bruit ne troublait la nuit froide, aucune lumière ne l'éclairait. Mais il fallait atterrir.

L'hélicoptère jaillit en vrombissant au-dessus d'une crête. Les collines s'étaient changées en montagnes. En contrebas de la pente, la forêt semblait marquer une pause. La tache plus claire de pâturages se détachait dans la faible clarté. Tommaso essaya d'évaluer la déclivité de la pente. Au loin, une route serpentait à travers la plaine puis escaladait de nouveau le coteau mangé de forêt, droit devant. Il jugea que la plaine devait mesurer trois à quatre kilomètres de large sur un de profondeur. Il choisit de se diriger vers l'ouest. Doucement, l'hélicoptère s'inclina vers l'espace le plus dégagé. Il tourna encore une minute au-dessus de la zone pour détecter d'éventuels obstacles, puis réduisit les gaz et descendit en cercles successifs, le plus près possible de la lisière de la forêt pour s'efforcer de masquer un peu l'appareil. Quand les patins touchèrent rudement le sol, l'un d'eux dérapa sur un rocher affleurant, invisible dans l'herbe couché. Le choc manqua de jeter Tommaso hors de son siège. Sa jambe gauche heurta le tableau de bord, lui arrachant un cri de douleur. L'appareil oscilla puis retomba d'aplomb. Tommaso serra les dents et coupa les gaz. Un moment, il lui fut impossible même de déboucler son harnais. L'effort l'avait épuisé. Il gisait là, comme vidé de ses forces. Tête baissée sur sa poitrine, il laissa son souffle s'apaiser. Ses yeux s'ouvrirent sur le revolver toujours passé dans sa ceinture. Il y avait aussi du sang sur sa main, celui du garde abattu. Il essaya de contrôler le tremblement de ses membres et appuya sur l'attache du harnais. Le cliquetis libéra les sangles et il tomba à demi sur le tableau de bord. Il savait qu'il fallait fuir sans attendre.

Toute sa volonté était à présent mobilisée pour résister à la torpeur qui l'envahissait et lui commandait de relâcher son attention et de céder au sommeil. D'un mouvement sec, il se redressa et ouvrit la portière. L'air froid le frappa au visage comme un coup de fouet. Il s'appuya à la poignée de cuir et descendit le marchepied en grimaçant. Il fit dix pas, puis s'arrêta pour jeter un dernier regard à l'appareil. Le calme était redevenu total et déjà, l'hélicoptère rendu au silence et à l'immobilité se fondait dans la nuit venteuse. Le paysage lui était inconnu. Tommaso pensa que l'idéal était de se diriger vers la route qu'il avait repérée depuis le ciel, et d'essayer de la suivre à distance pour se rapprocher d'un lieu habité. La voie se détachait au loin, aussi petite qu'un trait de feutre sur un dessin d'enfant, ligne claire dans la noirceur des conifères. À pas lents, titubant, il entra dans la forêt. Il se força à pousser encore cent mètres à couvert puis se coucha sur le sol sous un bouquet d'arbustes touffus et d'épineux. Il se recroquevilla en chien de fusil. Dix secondes plus tard, il dormait à poings fermés.

*****

L'aube pointait. Tapi dans un buisson à vingt mètres de la route, Tommaso somnolait encore à demi. Au réveil, tremblant de froid, la gorge sèche, il avait marché de nouveau, hésitant à boire l'eau d'un ruisseau rencontré au bout d'une heure avant d'accepter le risque tant il souffrait de la soif. Puis il avait continué, s'efforçant de ne pas s'écarter de la route, qu'il devinait à distance, sans s'en approcher trop. Épuisé, il avait mangé quelques fruits qui ressemblaient à des baies et s'était accordé un peu de repos. Sa jambe le faisait souffrir et il avait des étourdissements dont le dernier l'avait fait chanceler si fort qu'il avait dû prendre appui sur un arbre pour ne pas tomber. Avant que le jour ne baisse de nouveau, il avait vu d'autres hélicoptères noirs passer au-dessus de sa tête. Il avait jugé qu'ils étaient trop haut dans le ciel pour effectuer une mission de recherche. Vingt-quatre heures à peu près avaient dû s'écouler depuis sa fuite. Peut-être était-il plus chanceux qu'il ne l'imaginait ?

Le bruit d'un moteur le fit se redresser sur les coudes. Il coula un regard par-dessus le rocher qui l'abritait de la route. Au loin, au-delà du rideau d'arbres qui bordait la mauvaise chaussée, deux phares ronds approchaient à faible vitesse. Au bruit, il estima que c'était un camion. Tommaso se leva et se rapprocha encore de la route. Le camion était maintenant à cinq cents mètres. Il fallait qu'il monte à bord, d'une manière ou d'une autre. Les routes seraient peut-être barrées, mais en tout état de cause, la fuite à pied était vouée à l'échec. Le camion hors d'âge qui ahanait vers lui était sans doute sa seule chance. Il voyait à présent la couleur indéfinissable de la carrosserie, qui avait due être blanche il y a longtemps, les pare-chocs aux extrémités rouillées. Une bâche beigeâtre recouvrait des arceaux métalliques qui pointaient à travers comme les côtes d'un animal décharné. Le camion roulait lentement mais trop vite encore pour qu'il espère avec sa jambe blessée le suivre en courant et sauter à l'intérieur. Sans compter que le chauffeur pouvait le voir et accélérer… Il lui restait dix secondes pour inventer un moyen de stopper le camion. Cinq. Le caillou lancé à toute volée fit éclater le pare-brise. Dans un fracas, il s'étoila, s'habillant d'un voile blanc opaque. Le camion fit une embardée. Les roues se bloquèrent, leur crissement sur la chaussée se mêlant aux hurlements des freins. Il dépassa Tommaso, parcourut encore cinquante mètres, tanguant dangereusement vers le fossé, puis stoppa au milieu de la route. Tommaso courait à couvert, aussi vite que sa jambe le lui permettait. Il entendit la portière s'ouvrir de l'autre côté du véhicule et s'engagea sur la chaussée. Le bruit des pas du chauffeur lui indiqua qu'il contournait la cabine pour inspecter les dégâts. Dégainant son arme, Tommaso fit le tour lentement. Mains sur les hanches, une casquette de base-ball sur la tête, le chauffeur lui tournait le dos, planté devant le spectacle de son camion arrêté. Vêtu d'un pantalon de toile bleu de mécanicien et d'un pull noir à grosses côtes, il paraissait ne rien comprendre à ce qui lui était arrivé. Il jeta un œil autour de lui puis repoussa sa casquette sur son front d'un air dubitatif. Il devait avoir dans les cinquante ans, pensa Tommaso tout en cherchant quelle pouvait être sa nationalité. Il fit encore deux pas sans que l'homme l'entende. Il aurait pu le toucher en tendant le bras. Il hésitait, lorsque l'homme se retourna d'un coup. Stupéfait, il ouvrit la bouche pour crier, pointant son doigt vers Tommaso avec une expression où la peur le disputait à la colère. Tommaso entendit un cri « Ségitség ! » Le coup de crosse donné du bas vers le haut atteignit l'homme en plein menton. Rejeté en arrière, il s'effondra comme une masse. Tommaso attendit une seconde, puis s'approcha et se pencha pour poser la main sur la poitrine de l'homme. Il était inconscient, mais son cœur battait. Tommaso jeta un regard sur la route déserte, saisit l'homme sous les aisselles et le tira vers le bord de la route. Puis il retraversa en courant, monta dans la cabine et démarra. Le camion hoqueta tandis qu'il passait la première en grinçant. D'un coup de coude, il acheva de faire tomber les morceaux de pare-brise qui demeuraient en place. L'air le fouettait au visage, mais il voyait de nouveau la route. Il fit demi-tour et reprit le chemin qui montait à flanc de colline. Derrière lui, l'aube enflammait le ciel nuageux d'éclats pourpres et or.

Tout en conduisant, Tommaso passa en revue les documents qui se trouvaient dans la boîte à gants et dans le portefeuille du chauffeur. Ils étaient tous rédigés dans une langue qui ne lui disait rien. La plaque minéralogique était tout aussi obscure. En caractères noirs sur fond blanc, elle était composée de deux lettres suivies de deux chiffres puis trois lettres : CJ43BNE.

Il roulait depuis une heure quand il croisa une vieille Mercedes. Le véhicule disparut dans son rétroviseur aussi vite qu'il était venu. Devant lui le paysage sauvage s'étalait à perte de vue, montagnes surmontées de neige, forêts noires, routes sinueuses. Il constata que la jauge était encore aux trois quarts pleine et repoussa de nouveau les assauts de la fatigue pour poursuivre sa route. Trois kilomètres plus loin, la route s'abaissait vers une petite vallée au milieu de laquelle passait une route plus importante. Tommaso s'arrêta pour lire les panneaux indicateurs. Défraîchis, ils indiquaient d'un côté Cluj-Napoca et de l'autre Targu-Mures, Brasov et Bucuresti.

Tommaso se passa la main sur le front en murmurant.

— Bucuresti…

La tête lui tournait. Il répéta :

— Bucuresti.

Il respira profondément et repassa la première tout en s'encourageant à mi-voix :

— Bienvenue en Roumanie, Tommasino…

*****

Il ne parvenait plus à savoir combien de temps s'était écoulé depuis sa fuite, ni depuis qu'il avait abandonné le camion dans un faubourg de Cluj-Napoca, contre le mur de briques d'une usine dont les cheminées crachaient une fumée grise et épaisse. Il avait enfilé une veste trop grande qui traînait dans la cabine, enfoncé sur ses yeux un bonnet de laine, jetant sa casquette, et avait ensuite marché jusqu'au centre-ville, évitant les rues trop passantes, s'arrêtant vingt fois.

Lancinante, la sonnerie résonnait dans le vide. Quatre, cinq fois. Puis le répondeur automatique se déclencha de nouveau avec un bip sonore. Tommaso raccrocha, récupéra les pièces trouvées dans la veste du chauffeur et décida de recommencer deux heures plus tard. Il se demandait combien de jours avaient pu passer depuis sa disparition. Il ne voulait pas mettre en danger Antoine, Claire ou Isabelle et ne pouvait s'adresser à personne d'autre qu'à ce curieux inconnu qui lui avait proposé son aide. Que se passerait-il s'il ne pouvait le joindre ? Il lui fallait attendre là, caché sous un porche, prêt à bondir sur cette cabine publique délabrée tout en restant sur ses gardes. Il compta les pièces dans le creux de sa main. Encore cinq. Il avait déjà laissé deux messages sur le répondeur anonyme en indiquant juste le numéro de la cabine.

Des passants se promenaient d'un pas nonchalant, sans lui prêter la moindre attention. Le col de sa veste remontée pour masquer les hématomes sur son cou et sa mâchoire, Tommaso leur jetait des regards méfiants, inquiet que l'un d'eux puisse vouloir utiliser l'appareil. Une vieille femme, l'avisant d'un air inquiet, risqua un sourire. « Jo napot », dit-elle doucement. Il fit un signe de tête en baissant les yeux. Il sentait sa main et ses jambes trembler par intermittence. L'épuisement le rendait moins lucide, plus agressif, il le savait. Sa jambe l'élançait là où les bleus étaient les plus importants. Il se donna encore une heure puis décida qu'il faudrait se mettre en quête de quelque chose à manger. S'évanouir sur place serait pire que tout. L'horloge sur le mur de ce qui ressemblait à un bureau de poste indiquait six heures du soir.

*****

La sonnerie du téléphone dans la cabine le tira de la demi-torpeur dans laquelle il rêvassait. Il bondit pour décrocher.

273

— Tommaso Mac Donnell ?

Tommaso reconnut la voix de l'inconnu.

— C'est moi.

— Vous avez de la chance, le délai était écoulé, je…

— Laissez-moi parler, coupa Tommaso. Je suis en Roumanie, dans une ville du nom de Cluj-Napoca. J'appelle d'une cabine. J'ai été amené de force et je me suis évadé. Vous aviez raison… Je n'ai ni argent, ni papiers et je dois être recherché.

C'est la voix anonyme qui le coupa.

— N'en dites pas plus. Allez à la gare s'il y en a une. Au cimetière s'il n'y a pas de gare. Vous avez une montre ?

— Non, mais j'ai des moyens d'avoir l'heure. En revanche, je ne sais pas un mot, ni gare, ni cimetière ni rien en roumain.

La voix ne laissa transparaître aucune émotion.

— Vous êtes en Transylvanie. Les habitants parlent hongrois, pas roumain. Et en hongrois cimetière se dit *temeto* et gare *palyaudvar*. Soyez-y toutes les quatre heures à partir de huit heures demain matin. Une voiture vous récupérera.

Tommaso eut une hésitation avant de répondre.

— Merci, balbutia-t-il.

La tonalité lancinante au bout du fil lui indiqua que l'homme avait déjà raccroché.

*****

— Cigarette ?

Tommaso hésita puis accepta l'offre. L'homme secoua légèrement le paquet souple pour faire jaillir une cigarette et tendit un zippo usé.

274

Tommaso remercia de la tête et alluma sa cigarette. Il rejeta la fumée par la fenêtre entrouverte, puis regarda l'homme assis à côté de lui à l'arrière de la voiture. L'autre sourit, avant de fixer de nouveau la route qui défilait à grande vitesse devant eux. Ils traversaient une forêt noire semblable à celle dans laquelle Tommaso avait erré durant trente-six heures. Tommaso songea qu'il n'arrivait pas à se rappeler le visage du chauffeur. À peine l'avait-il aperçu lorsqu'il avait enfin stoppé sa berline devant le cimetière, vers midi. Il y était monté avec un soulagement curieux pour quelqu'un qui se livrait à des inconnus. Il avait mis cela sur le compte de la fatigue et s'était endormi. Au réveil, ils roulaient déjà sur une route semblable, entre les arbres, et il ne restait du chauffeur que cette nuque anonyme, aux cheveux coupés presque trop ras.

La voiture ralentit puis s'arrêta au coin d'un croisement avec un chemin de terre que ponctuait seulement une pancarte délavée dont Tommaso ne put déchiffrer l'inscription.

— Safe, l'informa l'homme en se penchant vers lui, dans un mauvais anglais, safe place. Somewhere to wait for your exfiltration…

Tommaso acquiesça et tira une dernière bouffée sur sa cigarette avant de la jeter par la fenêtre. En se penchant, il aperçut les tours d'un petit château perdu au milieu de bois, une façade blanche et ocre et un perron de pierre.

La voiture s'engagea dans une allée couverte de gravier avant de stopper devant la façade.

— Bienvenue !

L'homme avait parlé en français, debout sur le perron du château.

Tommaso acheva d'ouvrir la porte et eut à peine le temps de sortir à sa rencontre. Sa stature imposante, ses yeux bleus et son sourire franc avaient quelque chose de rassurant qui tranchait avec les jours passés. Vêtu d'un pantalon de velours à grosses côtes et d'une veste de tweed, l'homme ressemblait à un gentleman farmer anglais égaré dans les Balkans. « Ou à un aristocrate de la côte est des États-Unis », songea Tommaso. Il avait le sentiment, pour la première fois depuis trop longtemps, qu'il pouvait relâcher un peu la pression qui pesait sur ses épaules.

— Je suis Tibor Kuryany, le propriétaire de cet endroit. Ici, vous êtes chez vous, l'accueillit-il avec une poignée de main amicale.

Et en s'effaçant pour le laisser passer, il l'engagea à gravir les marches usées qui menaient au corps du bâtiment.

*****

Assis dans un grand salon devant un feu de bois, Tommaso détacha son regard des tapisseries qui ornaient les murs blancs, relevées seulement par les encadrements ocre des fenêtres. Elles figuraient des scènes de chasse dont le traitement réaliste n'était atténué que par l'âge, qui avait estompé le rouge carmin du sang versé par les animaux.

Tout dans la demeure était à l'unisson, mélange de goût classique, de pièces anciennes et de mobilier reconstitué. La conséquence, avait expliqué Kuryany en montrant sa chambre à Tommaso lors de son arrivée, de l'état dans lequel il avait récupéré la maison après quarante ans d'exil passé à l'Ouest. Le château avait été transformé successivement en école, en maison forestière, puis en sanatorium et enfin en résidence pour les hiérarques du régime. Ce dernier avatar l'ayant sans doute sauvé de la ruine. Lorsqu'il avait décidé de rentrer dans le pays fui par ses grands-parents, à la fin des années quatre-vingt-dix, il avait réussi à faire valoir ses droits sur ce qui n'était plus qu'une maison à l'abandon. Il avait donc fallu reconstruire et remeubler.

Ils avaient bavardé ainsi un long moment, Kuryany racontant sa vie sans poser de questions et Tommaso trouvant dans ces demi-confidences et la gentillesse de son hôte un agréable divertissement.

Baissant les yeux, l'archéologue se replongea dans le carnet noir où il avait pris des notes durant l'après-midi, paisiblement attablé au bureau recouvert de cuir disposé dans sa chambre devant une grande fenêtre ouvrant sur le parc.

Sur la dernière page, il avait écrit :

« Mission officielle ? »

Puis en dessous :

« Une question qu'ils ne m'ont jamais posée : connexion PG-Attentats / paternité des attentats ? »

Il se retourna en croyant entendre des pas. La pièce était déserte. Il porta son regard vers le hall sur lequel donnait le salon sans percevoir non plus de présence. Une fois le soulagement de l'arrivée dissipé, le silence, l'isolement et surtout l'inaction dans ce château perdu au cœur des Carpates commençaient à lui peser. Depuis quarante-huit heures qu'il attendait là, il avait certes pu se reposer et se soigner, on lui avait fourni tout ce dont il avait besoin, mais il lui avait en revanche été impossible d'obtenir des informations précises sur ce qui allait se passer. Ni aucune nouvelle d'Isabelle et de Mathilde. L'entrevue trop brève du square parisien le poursuivait, comme l'espoir d'un fil renoué puis aussitôt distendu.

À peine l'homme à la cigarette, dont il ne connaissait toujours pas le nom, avait-il accepté de lui préciser qu'il allait se passer deux à trois jours avant que n'arrive son passeport et la possibilité de le faire sortir du pays. Après le premier entretien au cours duquel il lui avait fait visiter la maison, le propriétaire s'était encore montré charmant, prenant presque tous ses repas avec lui, l'abreuvant de récits sur les légendes locales et jouant remarquablement aux échecs, mais il avait en revanche décliné avec une moue les questions sur ceux qui l'avaient missionné pour l'accueillir ou la raison pour laquelle toutes les autres chambres du château-hôtel étaient vides.

Tommaso attendit encore dix minutes puis se résolut à utiliser le portable que venaient de lui fournir ses sauveteurs anonymes.

— Tu peux l'utiliser, maintenant, avait précisé son garde du corps. La ligne est sûre et on ne nous a pas suivis.

Antoine répondit à la troisième sonnerie. Il ne parvenait pas à cacher son inquiétude.

— Cinq jours ! T'étais où bon Dieu ? ! J'étais mort de trouille. Ton portable qui ne répond pas, aucune nouvelle… Et c'est quoi ce nouveau numéro ?

Tommaso le coupa et résuma aussi sobrement que possible les événements.

— Je t'expliquerai en détail quand on se verra. J'ai été enlevé, je me suis évadé et je me suis perdu dans la nature grâce à ceux qui nous avaient contactés l'autre jour.

À l'autre bout du fil, Antoine semblait abasourdi. Il bredouillait :

— Enlevé ! Mais par qui ? Et tu es où, bon sang ?

— Ça aussi, je t'expliquerai plus tard. Et je préfère ne pas en parler au téléphone. Je sais que c'est compliqué pour toi, mais fais-moi confiance.

Tandis qu'il parlait, Tommaso ressentait le décalage créé autour de lui par son enfermement. Il se sentait à présent engagé dans un combat personnel, et y puisait une curieuse distance avec les éléments les plus familiers de son univers. Même Antoine n'échappait pas à ce mécanisme, lui en qui il avait une confiance absolue et qui le connaissait mieux que quiconque. Il sentait dans la voix de son ami que son incapacité à peser sur les événements le rongeait. Il l'imaginait aisément tournant en rond sur le bateau, vérifiant encore et encore chaque pièce du moteur et chaque élément du matériel de plongée, fumant cigarette sur cigarette.

— Ce qui compte à présent, poursuivit-il, c'est de ne plus perdre de temps. Il faut aller trouver ce bateau au large de la Tunisie, le fouiller, et régler ce truc. J'en ai ras-le-bol d'être en permanence à la traîne, et la seule manière de reprendre l'initiative et d'avoir un atout dans notre jeu est de mettre la main sur ce truc avant tout le monde. Nous ne savons pas quel est cet objet caché à bord : eh bien c'est justement pour ça qu'il faut que nous l'ayons avant tout le monde.

La voix d'Antoine était un peu plus calme. Mais Tommaso y entendait le doute.

— Et… eux ? Tu as confiance ?

Tommaso soupira.

— Je ne me suis pas posé la question. De toute façon, on n'a pas le choix. Sans eux on est aveugle et sourd. Et à l'heure qu'il est, je serais sans doute encore en train d'essayer de comprendre comment on dit bonjour en roumain.

— En roumain ?

Tommaso soupira.

— Oui… enfin laisse tomber. Après tout, ce ne sont pas eux qui m'ont enlevé. Alors c'est peut-être la peste et le choléra, mais…

Antoine émit un grognement qui signifiait qu'il ne pouvait pas s'opposer à cette vision des choses.

— Donc tu files dès que possible en Tunisie, et tu nous trouves une base acceptable pour organiser les recherches. Prends du matériel chez nous. Et pour ce qui manque, tu as les adresses à Tunis. Il faut un bateau potable, une demi-douzaine de types capables de manœuvrer, fiables, malins, pas effrayés par l'improvisation et ne posant pas de questions. Et surtout un submersible.

— Ça j'ai. J'avais mis une option quand on a commencé cette dinguerie. Je vais confirmer tout de suite. Il faut assurer le transport et que je vérifie qu'il ne va pas couler à la première manœuvre mais bon...

— Tu peux être opérationnel en combien de temps, à ton avis ?

— Ça dépend du blé.

— De ce côté-là, aucun problème. Je te rejoindrai en Tunisie dès que possible et je te dirai tout. On peut acheter ou louer tout ce qu'on veut. Tu peux même voir grand et faire tomber les délais. Ça coûtera ce que ça coûtera.

Antoine réfléchit quelques secondes.

— Alors disons cinq à sept jours.

— OK. Fais au mieux. Et prends soin de toi.

— C'est à toi qu'il faut dire ça, mon pote...

Antoine avait raccroché.

Le bruit de pas derrière lui l'avertit d'une présence. Il reposa le téléphone sur la table basse devant lui et se retourna à demi.

L'homme à la cigarette se tenait debout, un autre téléphone à la main. Il le lui tendit en lui signifiant que c'était pour lui.

— Tommaso ?

L'archéologue reconnut la voix de Claire.

— Claire ? Mais comment tu as eu ce numéro ?

— Je t'expliquerai. Mais ce n'est pas l'essentiel. Tommaso, c'est horrible.

Dans sa voix, Tommaso ne percevait pas l'angoisse, mais une peur froide, tranchante, au-delà de l'affolement.

— Nous avons eu si peur, Tommaso, si peur…

— Quoi ? coupa-t-il en se sentant gagné par l'inquiétude. Qu'est-ce qui se passe ?

Il rugissait à présent, la réponse ne venant pas assez vite.

— Claire ? Qu'est-ce qu'il y a ? Un problème avec les flics ?

— Non.

Il y eut un silence.

Tommaso l'entendit avaler sa salive. Sa main se raidit sur le combiné.

— C'est Mathilde, lâcha Claire.

Le cœur de Tommaso tressauta comme s'il venait de recevoir un coup au plexus. Il manqua de lâcher le téléphone tandis que l'adrénaline se diffusait dans son cerveau.

— Comment ça, Mathilde ?

— Elle a disparu.

Tommaso crut qu'il allait lâcher le téléphone. Il ouvrit la bouche pour parler, mais aucun son ne sortit. Il écarta le téléphone de sa tête, se leva et respira profondément. Puis il reposa l'appareil près de son oreille.

Sa voix claqua comme un coup de fusil.

— Explique-moi.

— Isabelle était sortie faire une course avec Mathilde. Dans la rue, un homme l'a bousculée, un autre a attrapé Mathilde. Le temps qu'elle se relève, ils avaient sauté dans une voiture. Isabelle est rentrée et ne sachant que faire, m'a appelée. Nous nous étions parlé déjà plusieurs fois. J'étais restée à Paris parce que les flics m'avaient demandé de ne pas quitter le territoire lorsque je les avais revus. J'avais voulu m'assurer de ce qu'ils lui avaient demandé de son côté, pour coordonner les réponses. Elle attendait ton coup de fil. Moi aussi. On était mortes de trouille… Puis elle m'a dit pour le numéro que tu lui avais laissé. Elle était paniquée. Je n'avais pas de nouvelles, elle non plus. Ne sachant que faire j'ai appelé… Je croyais que, peut-être, les ravisseurs…

Tommaso sentait la sueur perler sur son front. Sa main était glacée. Il réalisa que le silence s'éternisait.

— Tu as eu raison. Où es-tu ?

— Chez v… chez Isabelle. T'inquiète, je ne la quitte pas.

— Merci, Claire. Tu peux me la passer ?

La voix de Claire était gênée.

— Elle dort, je l'ai persuadée de prendre un truc, elle allait péter un câble.

— OK. Tu as bien fait.

Il essayait de réfléchir en même temps. Ses tempes battaient.

— Je reste là autant qu'il faut.

— Merci, répéta-t-il.

Il se tut une seconde puis sa voix reprit une tonalité plus normale. Il fallait réagir, vite et fort. Reprendre l'initiative. L'angoisse lui donnait envie de vomir.

— Reste là, s'il te plaît. Reste avec elle. Si tu as la moindre info, appelle-moi sur le numéro que je vais te donner. Et dis-lui de m'appeler aussi.

Il hésita encore une fraction de seconde.

— Dis-lui que je veux lui parler.

De l'autre main, il s'efforçait de faire comprendre à l'homme à la cigarette qu'il avait besoin du numéro d'appel du téléphone portable qu'il lui avait fourni.

L'homme sortit un crayon et griffonna une série de chiffres sur un papier qu'il lui tendit.

Tommaso épela le numéro.

— Tu es où ? Tu vas où ? Qu'est-ce qu'il faut faire ?

La voix de Claire se teintait d'inquiétude.

— Je ne peux pas te parler. Je te raconterai plus tard. Je serai en Tunisie dès que possible. Je te dirai quand. Tu as compris : tu m'appelles s'il y a quoi que ce soit, le plus petit truc nouveau. Il n'y a rien d'autre à faire. Et vous ne bougez pas de là…

— Tommaso ?

— Prends soin de toi.

— Toi aussi…

*****

Tommaso raccrocha et resta un instant immobile. Son esprit s'emballait. Il tournait en tous sens les paramètres régissant la situation, cherchant une prise pour saisir l'angoisse qui lui tenaillait la poitrine. « Mathilde, songea-t-il, mon bébé, dans les mains d'inconnus, terrorisée… » L'affolement montait en lui, gagnait son cerveau. Il crispa les poings, fermant les yeux pour chasser les images qui l'assaillaient. Il vacilla puis se força à se redresser. Il devait être plus fort, résister.

D'un bloc, il se tourna vers l'homme resté debout en retrait à quelques mètres.

— Il y a du nouveau, dit-il en anglais d'une voix dure. J'ai besoin de partir. Vite.

L'homme hocha la tête.

— Les papiers doivent arriver, répondit-il dans son mauvais anglais. Ce soir ou demain. Après tu pars…

— Oui, mais là aussi, il y a du nouveau. Je ne peux pas attendre. C'est une question de vie ou de mort. Et il faut que je puisse passer par Palerme.

L'homme le regardait sans bouger.

— Je vous en prie, ajouta Tommaso, faites tout ce que vous pouvez.

Comme il n'était pas sûr que l'homme ait compris, il répéta en anglais :

— Palermo, Sicily.

L'œil de l'homme traduisit son incompréhension puis la lueur d'étonnement s'éteignit aussitôt.

— OK, répondit-il seulement.

Tommaso esquissa un sourire de remerciement mécanique.

Il réfléchit une seconde et posa encore une question :

— Il me faut aussi un numéro de téléphone, celui-ci du consulat britannique à Palerme.

L'homme disparut sans un mot.

Resté seul, Tommaso se sentait groggy, anéanti par la nouvelle. Il lui semblait que toutes ses forces le quittaient. Il serra les dents. Déjà, l'homme revenait à grandes enjambées avec un papier à la main. Il le lui tendit.

— Voilà votre numéro.

Tommaso hocha la tête et composa le numéro sur le cadran de son portable. Nerveux, il regarda sa montre et fit un rapide calcul. Lundi, 17 h 30. Pourvu que le standard réponde.

Le correspondant décrocha.

— Je suis bien au consulat du Royaume-Uni ? demanda Tommaso en italien. Je souhaiterais parler à monsieur Baldwin, s'il vous plaît…

32

Brandon Kersey but son verre de lait avec une grimace de dégoût et songea que cet ulcère commençait réellement à lui taper sur les nerfs. Il pensa avec nostalgie au temps béni du début de sa carrière à la CIA, lorsqu'il travaillait avec acharnement à former des anticastristes et à lutter contre la subversion communiste de l'intérieur.

Foutue époque. Plus rien de simple à présent. Jamais son grand bureau de bois aux murs couverts de photos en noir et blanc, de diplômes et de citations ne lui avait paru aussi silencieux, aussi anonyme. Non, vraiment, plus aucune finesse. Et puis cette saloperie de terrorisme, cette passion pour les explosifs, les minuteries et les artificiers. C'est ça qui avait pourri le métier, supprimé les rapports humains, les visages, les dialogues, les connaissances. Oui, c'est bien ça, la manie des explosifs et les ordinateurs ; sans une goutte de whisky.

Tout avait changé. À commencer par lui. Il baissa les yeux sur ses mains autrefois puissantes et nerveuses, aujourd'hui enlaidies par l'empâtement. Il soupira et fit claquer doucement ses paumes sur ses joues. Ventre, menton, il avait épaissi peu à peu. Il ne gardait de cette époque que ses yeux noirs, mais ils lui paraissaient moins impénétrables, et ses cheveux aussi, qui avaient blanchi sans perdre leur force ni les épis qui avaient fait sa réputation.

— Bon Dieu, comme je déteste cette saleté de ville de Washington, grommela-t-il.

Les pages dactylographiées étaient sagement disposées sur son bureau, regroupées dans une chemise bleue frappée du sigle CIA et de plusieurs cachets qui indiquaient le caractère confidentiel du document. Il les feuilleta de nouveau en soupirant. La vision des Champs-Élysées et celle de la tour Eiffel se superposaient devant ses yeux. Il avait été à Paris à plusieurs reprises dans le cadre de son travail et une fois également en vacances au cours d'un tour d'Europe estival.

Là aussi, tout avait changé. Même si les formes et les manières de penser étaient demeurées les mêmes, de la distribution des sièges au Conseil de sécurité de l'ONU jusqu'à la faiblesse de l'Union européenne que beaucoup à l'agence continuaient à postuler, d'autres idées avaient émergé, en Europe comme ailleurs, pour se substituer au vieux schéma bipolaire de la guerre froide. Il s'étonna de ressentir quelque chose qui ressemblait à de la gêne. Était-ce Peter Grimsley, ce jeune analyste recruté sur le campus d'Harvard quelques années plus tôt, avec son air d'étudiant de première année et ses raisonnements glacials, qui lui faisait si forte impression ?

— Allez, allez, mon bonhomme, se reprit-il à voix basse pour se redonner confiance, ce petit gars n'était pas né que… et puis à quoi bon ?

D'un geste las, il étala la suite des clichés devant lui. Le Parlement britannique ravagé succédait au Palais-Bourbon.

Il soupira et laissa tomber la photo qu'il tenait en main sur le bureau. Elle glissa jusqu'au bord et disparut.

Il se leva et resta un long moment devant la fenêtre qui donnait sur un parc envahi de fleurs.

De quoi lui avait parlé Grimsley déjà, la dernière fois ? Ah oui, des larmes de Scipion le jour où cessa dans les flammes la résistance de Carthage. « Et savez-vous pourquoi il pleurait, monsieur ? avait demandé ce petit binoclard large comme deux allumettes. Personne n'a su le dire de façon crédible. C'est un mystère historique. »

La sonnerie de l'interphone le ramena à la réalité. Brandon Kersey tendit la main pour décrocher.

— Le conseiller du Président est arrivé dans l'enceinte du bâtiment, monsieur, dit sa secrétaire. Les autres sont tous dans la salle.

— Merci. J'arrive tout de suite.

Il prit son dossier et se dirigea vers l'ascenseur. La salle de réunion, selon l'une des mauvaises habitudes de la maison, était située au sous-sol du siège de la CIA dans la capitale, dans un lieu glauque éclairé au néon, aux murs de béton égayés seulement de téléviseurs éteints et de téléphones. Une table ovale, assortie de huit fauteuils en cuir étonnamment confortables, détonnait au milieu de ce décor spartiate sans en réchauffer le caractère. Kersey détestait ces salles dont le faux air d'abri antiatomique donnait à la plus anodine des réunions l'air d'un conseil de guerre. Dans le cas présent, cette affaire l'inspirait suffisamment peu.

À son entrée, il vit que Jason Taft, le conseiller du Président pour la Sécurité, était déjà là, promenant sa carrure d'athlète et le bronzage impeccable qui le faisait ressortir sur les photos où il se tenait au deuxième rang. Taft cessa de tripoter son stylo et Grimsley réajusta pour la centième fois la pile de feuilles alignées devant lui. Kersey s'assit après avoir salué tous les participants et glissé un mot d'excuse au conseiller, obligation qui renforça sa mauvaise humeur.

Sans le regarder, comme pour bien signifier qui était le centre de la réunion, Jason Taft demanda des éclaircissements.

— Je ne vous cache pas que je suis aujourd'hui assez réservé – ce qui signifiait en clair que le Président était proche de tout remettre en cause et mit du baume au cœur de Kersey – quant aux développements que pourrait connaître le dossier qui nous intéresse.

Le jeune analyste Grimsley rectifia les manchettes immaculées de sa chemise afin qu'elles tombent juste et releva la mèche châtain qui barrait son front et lui donnait un air d'étudiant attardé. Puis il redressa machinalement le nœud de sa cravate bleu nuit et acheva de reclasser ses feuilles sans regarder le conseiller qui poursuivait.

— Nous ne devons pas perdre de vue l'intérêt de nos relations avec nos alliés. Ce n'est plus la guerre froide. Il n'est pas tolérable que je ne sais qui s'amuse à détruire les symboles politiques du vieux continent sans que nous ayons le début du commencement d'une preuve sur qui est responsable et pourquoi cela arrive, conclut-il en faisant claquer sur la table la chemise beige posée avec soin devant lui, au centre du sous-main de cuir noir.

Kersey opina et se tourna vers Grimsley.

— Messieurs, commença celui-ci, il y a environ deux mille cinq cents ans, vivait en Grèce un homme du nom de Théodore de Phocée…

« Ça y est, il nous remet ça », songea Kersey en piquant du nez.

— … La postérité ne nous a transmis que quelques fragments de ses œuvres. L'essentiel de ce que nous connaissons de lui provient en fait de Pythagore, qui a repris la pensée de Théodore et l'a appliquée de manière beaucoup plus systématique à la pratique, en particulier, de l'architecture, avant que le fruit de ses travaux ne soit pour ainsi dire perdu.

— Ce qui signifie ? interrogea le conseiller du Président.

— Ce qui signifie que nous n'avons recueilli qu'une part infime des travaux de Pythagore qui synthétisaient les savoirs ancestraux de l'Inde et du Moyen-Orient, via l'Égypte… C'est un peu comme si nous n'avions à notre disposition pour comprendre les échecs qu'un échiquier sans les pièces et sans les règles.

— J'admets volontiers que c'est peu de chose, mais je crains de ne pas vous suivre. Quel est le lien avec les attentats commis sur le territoire de nos alliés ?

— Eh bien, monsieur, tout réside dans la nature de ces travaux manquants. Nous avons tout lieu de penser que leur caractère « révolutionnaire » est fondé sur la remise en cause de la conception mathématique et géométrique qui a toujours prévalu en matière d'architecture. Vous connaissez tous le thème du charme lié au lieu, de l'influence magique exercée sur les êtres humains par les édifices, celui de la Belle au bois dormant, de Merlin l'Enchanteur. Vous connaissez les gloses infinies qui ont été écrites sur l'architecture de l'Enfer de Dante, sur le Labyrinthe de Cnossos, et je ne parle même pas de celles qu'ont suscitées la Jérusalem céleste, le jardin d'Éden et les études kabbalistiques…

Kersey essuya la sueur qui lui coulait sur le front. Des lumières rouges hurlant « au secours » s'allumaient dans son cerveau.

— … eh bien le point commun est que tous ces mythes se heurtent à notre perception de la réalité géométrique.

— Monsieur Grimsley, coupa sèchement le conseiller, je n'ai effectivement jamais pris pour argent comptant le récit des chevaliers de la Table ronde. Êtes-vous en train d'essayer de me prouver que j'ai tort ? Si c'est le cas, je vous préviens qu'il va vous falloir produire des arguments plus parlants.

— Les exemples ne manquent pas, monsieur, mais ils peuvent bien sûr n'être considérés que comme des coïncidences, faute d'achèvement des travaux théoriques qui leur sont consacrés et nous sont disponibles. Je ne vous demande encore qu'un instant d'attention théorique, ajouta-t-il précipitamment devant un geste d'agacement du conseiller. Le fait est que nous raisonnons tous, par évidence, à partir de l'idée que l'homme donne sens aux bâtiments par son analyse esthétique de la vision que lui transmet l'œil. L'architecture est donc pour nous, sans que nous remettions jamais en question ce principe, l'art de rendre les bâtiments intelligibles aux autres, en les conformant à ce qui doit être leur destination. La recherche scientifique en architecture s'est établie sur cette base et l'ordinateur, dans la conception assistée qui est maintenant couramment répandue, se fonde également sur cette conception objective et mathématique. Et c'est aussi selon cette idée que l'on a cherché à mettre en équations les émotions esthétiques que suscitent les bâtiments sur l'homme. Les mythes dont je vous parlais ont toujours été reconstruits de cette manière. Nous avons fait là une erreur grossière, celle qui empêche de voir une mosaïque faute du recul nécessaire. Il nous fallait inverser notre postulat de base, accepter de construire une monstruosité scientifique, d'imaginer que peut-être les bâtiments, leur construction et leur agencement peuvent être dirigés de manière à influencer directement le comportement humain…

Pris par son discours, Grimsley esquissa un sourire.

Brandon Kersey échangea un regard avec le conseiller Taft. Le directeur adjoint sentait la sueur sur ses mains.

— Si jamais ce que vous dites est exact, coupa Taft, il s'agit d'un pouvoir fantastique. Un pouvoir qui nous serait aussi utile pour appuyer le déploiement de nos valeurs et de notre politique qu'il pourrait devenir destructeur pour le rayonnement des États-Unis au cas où il tomberait dans d'autres mains.

Le conseiller se tourna à son tour vers Kersey.

— Monsieur le directeur adjoint, quel est votre sentiment sur ces… supputations ?

Brandon Kersey pinça les lèvres.

— Nous finançons depuis cinquante ans les premiers programmes mondiaux sur la vie extra-terrestre et la télépathie, monsieur. Et pour le second avec de vrais succès. Alors je ne suis opposé par principe à rien de ce qui entre dans le champ possible de l'activité humaine…

— Je vous avoue que je ne pensais pas non plus que ces règles existaient il y a encore huit mois, reprit Grimsley. Mais un contact parvenu jusqu'à nous via le site Internet de Berkeley, un contact parisien, m'a convaincu du contraire. Ce contact nous a apporté des preuves convaincantes que ces lois avaient été connues il y a fort longtemps. La motivation de cet informateur a tardé à nous apparaître. Outre l'argent, il était essentiellement mû par la peur. Il semblait craindre une menace et ses appels envers nous étaient aussi une manière de s'en protéger. La menace existait sans doute vraiment, puisqu'il a été éliminé il y a de cela quelques jours à Paris. Le hic est que sa dangerosité provenait peut-être du fait qu'il était parvenu à reconstruire ces fameuses lois. Et qu'il a pu en faire profiter d'autres que nous sans jamais nous proposer de nous les vendre. D'autres qui l'ont tué, ce qui est la meilleure preuve qu'il disait vrai. D'autres qui pourraient fort logiquement être aussi ceux qui s'en sont pris à des bâtiments officiels sur le territoire de nos alliés. Les attentats à visée principalement architecturale ne sont pas courants…

— Qui sont ces gens ? questionna le conseiller du Président.

— Nous n'en avons aucune idée précise. Ce peut être un gouvernement, une société, un groupe terroriste… Nous assurons depuis plus de huit mois une veille active sur ce sujet de l'ensemble des bases de données et de recherche mondiale, par le biais de nos analystes et d'Internet. L'activité n'a cessé de s'intensifier, de natures et de provenances diverses : chercheurs, étudiants, sociétés écrans. Ça grenouille beaucoup là-dessus en Europe. Tout se passe comme si quelqu'un réagissait à l'apparition d'informations et craignait de les voir se disséminer. Ce n'est effectivement qu'un faisceau de présomptions, mais pour qu'il y ait eu meurtre et que soit organisée cette opération de destruction systématique, l'enjeu ne peut être que très important. Ceux qui sont à l'origine de ces opérations ont accepté le risque de renforcer leur visibilité et d'attirer l'attention sur eux pendant le temps où ils travaillent à éliminer les traces.

— Je ne vois pas là de preuves…

— Notre contact ne nous a pas livré la clé des secrets en sa possession. Mais il nous a indiqué la voie à suivre. L'Europe est aujourd'hui à une étape charnière de son évolution et du processus de sa structuration en tant qu'entité cohérente. Ceux qui agissent dans ce dossier veulent s'infiltrer dans ce processus et le contrôler en déstabilisant les systèmes politiques nationaux et en pesant sur la nature des nouvelles instances politiques de l'Union.

Kersey reprit la parole sans regarder directement le conseiller.

— Nous disposons aujourd'hui de deux pistes. La première concerne les agissements d'un archéologue italo-écossais sur lequel les Français enquêtent et qui semble lié à la mort de notre contact parisien. La deuxième nous avait été directement indiquée par le défunt juste avant sa mort et concerne le chantier actuellement en cours des nouveaux bâtiments de la future Commission européenne rénovée. Nous enquêtons sur les sociétés qui ont remporté l'appel d'offre.

— Que proposez-vous donc ?

— Étant donné l'urgence probable à agir et la complexité de l'investigation, reprit Grimsley, je suis pour ma part partisan, si vous me passez l'expression, d'un grand coup de pied dans la fourmilière.

Le conseiller soupira, ôta ses lunettes et eut une moue dubitative en se levant.

— Messieurs, je ne nie pas le caractère troublant et sensible de cette affaire mais je n'aime pas tellement avancer dans le noir. Je ne suis pas certain que nos alliés apprécieraient de nous voir jouer cavalier seul et nous intéresser à leurs affaires politiques pour une histoire de conte de fées. Mais nous ne savons pas qui est derrière ce petit jeu. Nous ne pouvons donc collaborer avec les Français, les Anglais ou les Allemands, pas plus que nous ne pouvons laisser déstabiliser l'Union européenne sans savoir où cela nous mène. Peut-être y a-t-il possibilité pour nous, après tout, de reprendre la main. Qu'entendez-vous par un « coup de pied dans la fourmilière » ?

— Les troubler, monsieur, en utilisant les mêmes méthodes qu'eux et à vrai dire toutes les méthodes possibles pour les déstabiliser à leur tour.

— Vous mesurez les risques que nous courons dans cette affaire ? demanda le conseiller d'un ton qui n'appelait pas de réponse. Nous pouvons tous gagner un aller simple pour la Lune si ça nous saute à la tête. Soyons donc bien clairs : je veux avant tout un dossier synthétique sur tout cela et un dossier logistique sur les opérations que vous envisageriez. Vous connaissant, ça ne devrait pas prendre trop de temps, tout est certainement déjà sur les rails ? conclut-il d'un air sinistre.

33

Par le hublot trempé sur lequel glissaient les gouttes d'une pluie d'orage, Tommaso vit apparaître la côte de Sicile et, dans la vallée, entre les deux contreforts montagneux dont les falaises s'abaissaient vers la mer, les pistes de l'aéroport. Puis l'avion bascula sur l'aile.

Dix minutes encore avant de toucher terre. Tommaso pensa que c'était son deuxième atterrissage en douze heures. Bucarest-Francfort-Palerme. Un curieux trajet. Le passeport dans la poche de poitrine de sa chemise noire avait une couverture rouge et non pas celle, bleue frappée des lions de la couronne, qu'il portait habituellement. Il était devenu 100 % italien, et s'appelait Giacomo Ponte. Il n'avait pas fallu vingt-quatre heures après l'annonce de l'enlèvement de Mathilde pour que les papiers arrivent au château perdu dans la montagne, sur la route vers Bucarest, où il était resté encore une nuit à ronger son frein, incapable de se reposer, dans la compagnie discrète de Tibor Kuryany. Le chauffeur qui l'avait récupéré devant le cimetière les lui avait apportés. Ils étaient accompagnés de deux cartes Visa et American Express. La suite avait été facile. Il avait gagné Bucarest en taxi et pris l'avion le soir même en choisissant une escale via

Francfort. Tommaso avait profité de ce supplément d'attente avant de redécoller pour vérifier depuis le business center de l'aéroport la provision des comptes numérotés ouverts au nom de Ponte. Le contact ne l'avait pas trompé. Il avait largement de quoi financer les premiers frais en urgence de son expédition et même la suite.

Il ferma les yeux.

Il avait encore dans les oreilles la voix blanche d'Isabelle quand il l'avait appelée le lendemain, pleine des efforts qu'elle faisait pour ne pas sangloter. Il avait à peine raccroché qu'il avait déjà envie de rappeler, d'entendre encore ces mots angoissés, d'essayer de les entourer des siens, de la calmer, de pallier le besoin irrépressible qu'il avait de la serrer dans ses bras. Dix fois, il avait résisté au besoin de recomposer le numéro.

La sueur froide qui l'avait envahi à l'annonce de l'enlèvement le glaçait avec une intensité inchangée. L'image de sa fille s'imposait à son esprit, occupait tout l'espace disponible, créant une spirale d'angoisse dont il ne parvenait à desserrer l'étreinte. Il avait envie de vomir. Son absence le touchait comme une atteinte physique. Il voulait hurler. Tous les doutes, toutes les incompréhensions, les rancœurs, tous les silences et les non-dits accumulés entre Isabelle et lui s'étaient évaporés en une fraction de seconde dans cette irruption brutale d'angoisse au cœur de sa vie. La certitude martelait son cerveau. Cette phrase tant entendue, remontée du passé : « Rien de pire que de perdre ceux qui sont les plus proches, sans s'y attendre, en un instant… » Il se revoyait comme dans un film, le jour de l'enterrement de ses parents, la main de son grand-père serrée sur son épaule, son regard absent que le petit garçon ne parvenait pas à capter, la prière qui tombe dans le vide.

La tête de sa voisine, une Italienne de soixante ans ravie de revenir dans sa ville après une visite à ses petits-enfants installés en Allemagne, roula sur son épaule tandis que l'avion effectuait un nouveau virage pour se mettre en ligne avant l'atterrissage. Le ronronnement caractéristique du train qui sortait se fit entendre.

La voix de l'hôtesse résonna au-dessus de lui.

— Pardon, monsieur, pouvez-vous s'il vous plaît relever votre tablette ?

Il hocha la tête et s'exécuta.

Trois minutes plus tard, les roues touchaient en douceur le tarmac battu par les vents et la pluie.

Jouant des coudes, Tommaso sortit dans les premiers et se rua vers la file des taxis, bousculant à demi un homme d'affaires pressé. L'homme poussa un juron en italien et lui saisit le bras avant de le relâcher devant le regard agressif que lui lançait l'archéologue. Malgré la faible attente, il était trempé lorsqu'il se glissa sur la banquette de l'Alfa Romeo blanche.

— Je vais au consulat britannique, indiqua-t-il au chauffeur en italien.

L'homme le fixa dans son rétroviseur, acquiesça sans un mot et démarra en trombe avant même que Tommaso n'ait eu le temps de préciser l'adresse.

*****

Les yeux fixés droit devant lui, Tommaso serrait les poings sur le siège arrière du taxi. Mâchoires crispées, il réprimait son envie de prendre le volant pour échapper au trafic qui bloquait complètement le boulevard menant au quartier résidentiel où était située la représentation britannique.

Il attendit encore cinq minutes. Le concert de klaxons se faisait plus insistant, à peine couvert par les roulements de tonnerre de l'orage qui semblait rebondir d'une colline sur l'autre comme s'il cherchait sans succès à échapper à la cuvette de la ville. Lorsque qu'une sirène de police vint s'y mêler et qu'il aperçut en se retournant les feux clignotants du véhicule coincé lui aussi dans l'embouteillage, Tommaso ouvrit la portière et salua laconiquement le chauffeur en lui tendant un billet dont le montant le dissuada tout net de se lancer dans les jérémiades qu'il avait déjà programmées.

Tommaso scruta l'horizon bouché par un brouillard d'eau. L'orage transperçait son blouson, l'eau froide s'infiltrant sous sa chemise, s'accrochant à ses sourcils puis coulant le long de ses joues sur son cou et sa poitrine. Il essuya son visage d'un revers de manche trempé. À vue de nez, il lui restait trois kilomètres à parcourir. Son sac de voyage à l'épaule, il essaya d'accélérer le pas et dut s'arrêter au bout de vingt mètres, rappelé à l'ordre par sa jambe blessée. Il s'appuya une seconde et tourna la tête pour constater que les voitures n'avaient pas bougé d'un pouce, puis il ôta sa veste et avec une profonde inspiration, il serra les dents et reprit sa route au milieu des hurlements des klaxons et des vociférations des conducteurs.

*****

Jeremy Baldwin observait la rumeur du soir qui, malgré l'orage, commençait à monter du centre de Palerme. En fouillant dans sa mémoire, il retrouvait peu d'affectations dont la localisation lui ait procuré autant de plaisir que celle de vice-consul dans la capitale sicilienne.

À soixante-sept ans, il savait qu'il ne pourrait éternellement prolonger une carrière diplomatique au service de Sa Majesté rendue chaotique par son goût pour le renseignement, jugé très excessif par ses collègues diplomates plus orthodoxes. Il en avait résulté une progression difficile à analyser, un parcours fait de méandres et de détours. Loin de le regretter, Jeremy Baldwin en concevait une sorte de fierté excentrique. Seule la perspective de devoir quitter le service nuisait à sa bonne humeur. Veuf, ses enfants installés loin de lui, l'un en Argentine et l'autre en Australie, il envisageait avec appréhension de devoir se retirer en Angleterre dans sa propriété familiale du Dorset.

La sonnerie du téléphone lui fit quitter sa terrasse et regagner à contrecœur son bureau. Le poste de sécurité lui annonçait l'arrivée d'un visiteur du nom de Giacomo Ponte. Il soupira et demanda qu'on le fasse monter.

Il hésita à remettre sa veste, renonça et rajusta machinalement sa cravate vert pomme. La glace lui renvoyait le visage lunaire d'un homme pâle aux yeux très bleus et aux cheveux blonds et ondulés presque roux, dont la disposition habile cachait mal une calvitie prononcée.

La porte s'ouvrit et une secrétaire introduisit le visiteur qui passa la porte en boitillant.

Les deux hommes s'observèrent un instant de part et d'autre de l'immense pièce décorée d'un tapis ancien et de tableaux de l'école napolitaine figurant des ruines antiques traversées de voyageurs scientifiques habillés à la mode du XVIIIᵉ siècle.

Jeremy Baldwin essayait de mettre ce visage fatigué et amaigri en rapport avec ce qu'il savait de Tommaso. Il l'avait connu tout enfant, lorsqu'il passait ses vacances avec les parents de Tommaso en Italie. Il avait ensuite suivi son parcours d'assez près, s'était proposé pour l'accueillir après la mort de ses parents, l'avait fait brièvement en deux ou trois occasions, malgré la méfiance du grand-père pour tout ce qui lui rappelait son fils. Ils s'étaient ensuite peu à peu perdus de vue, ne se rencontrant plus que de loin en loin pour un dîner, ou en échangeant une carte ou un mot. Jeremy avait cependant assisté à son mariage. Leur dernière rencontre remontait à une dizaine d'années, lorsque la trajectoire classique et officielle de Tommaso s'était brisée. Jeremy en avait été affecté et s'était réjoui ensuite de le voir refuser de renoncer à sa passion et s'efforcer de mener une activité de recherche privée.

Il s'éclaircit la voix et attendit que la porte fût refermée.

— Alors comme ça, tu voyages sous une fausse identité ? lança-t-il d'une voix ironique.

Tendu, Tommaso s'avança vers la terrasse sans répondre. Il glissa un œil par la porte-fenêtre et siffla légèrement.

— Sa Majesté fait encore bien les choses…

— Pas de persiflage sur ta souveraine, signore Ponte, grogna Jeremy.

Tommaso ne se retourna pas.

— Je suis italo-écossais.

*****

La nuit était tombée d'un coup sur Palerme. Sur la terrasse où il avait fait dresser leur table, ne restaient que deux tasses de café, deux verres encore à demi pleins de vin et une bouteille. Jeremy fixait Tommaso enfin silencieux. Le diplomate se doutait bien que le retour soudain du jeune homme, ce coup de fil impromptu sur le compte d'un passage à Palerme, dissimulaient une motivation plus grave. Mais il avait été loin d'imaginer cela... « Jeremy, ils ont enlevé ma fille... »

La suite du récit avait achevé de le déstabiliser. Jeremy considérait à présent Tommaso d'un œil incrédule. Chez toute autre personne qui serait venue lui annoncer que la CIA l'avait prise pour cible, Jeremy aurait été tenté de diagnostiquer une paranoïa aiguë. Mais il ne parvenait pas à trouver en Tommaso cette petite faille qui trahit le déséquilibre. « Ou alors je ne veux pas », pensa-t-il.

— Tu as des preuves de ce que tu avances ? questionna-t-il en se levant.

Tommaso ne parut nullement s'offusquer de la question. Il refusa la proposition de remplir son verre.

— Oui, bien sûr que j'ai des preuves.

Jeremy se retourna vers Tommaso après avoir pris un cigare dans une petite cave d'acajou posée sur une desserte. Interdit, il regardait la plaque métallique qui se balançait au bout d'une chaîne dans le poing de Tommaso.

— La plaque de l'agent mort à Jérusalem, dit l'archéologue en lançant l'objet.

Jeremy l'attrapa au vol.

— Et j'ai aussi ça.

Jeremy attrapa l'enveloppe que lui tendait Tommaso et l'ouvrit. Il y avait une dizaine de pages, fax et mails imprimés.

— J'ai pris ça en m'enfuyant.

Jeremy s'assit et posa les documents et la plaque devant lui. Puis il s'appuya contre le dossier de sa chaise et soupira longuement tout en coupant l'extrémité de son cigare. Toujours silencieux, il le fit rouler entre ses doigts avant de le glisser entre ses lèvres et de l'allumer avec un luxe de précautions pour que la flamme ne touche pas le tabac. Tommaso le regarda faire.

— Cubain, Roméo et Juliette, Churchill… Tu n'as pas changé de goût.

— Le bon goût ne se démode pas, commenta Jeremy sans cesser son opération d'allumage.

Il contempla avec satisfaction la braise rougeoyante et releva les yeux vers Tommaso. L'air furieux de celui-ci ne lui laissait rien présager de bon. Pas plus que la petite veine qui palpitait sur sa tempe. Une curieuse impression l'habitait. « J'ai déjà vécu cette scène », pensa Jeremy.

L'image du père de Tommaso s'imposait à son esprit. Le même regard, le même tempérament, le même sang bouillonnant.

— Qu'est-ce que tu attends de moi exactement ?

— J'ai besoin de ton aide. Tu as encore des réseaux fiables au sein des services américains. Je veux savoir ce qu'ils veulent, ce qu'ils savent de l'opération qui est mentionnée là-dedans, ajouta-t-il en désignant les documents alignés devant le diplomate. Opération Tanit. J'ai besoin que ça s'arrête.

Il serrait les poings et les détendait machinalement. Puis il assena un coup violent du plat de la main sur la table qui vibra sous le choc.

— Dis-leur de ma part que s'ils ont enlevé ma fille, je vais leur pourrir la vie si fort qu'ils vont être obligés de changer de sigle.

— Tommaso, Tommaso…

— Jeremy, Mathilde a disparu ! martela-t-il. Elle s'est volatilisée. Et tu veux que je me calme ?

Son regard brûlait comme sous l'effet de la fièvre.

— Je ne peux même pas prévenir la police parce que c'est moi que la police cherche. Je ne peux même pas les aider ! Ma fille, Jeremy ! Elle a cinq ans !

Impassible, le diplomate anglais s'approcha du jeune homme et le prit par le bras. Il sentait la nervosité et la tension qui l'habitaient.

— Je vais leur dire. Et je trouverai d'autres arguments.

— Tu as ma parole que je ne suis pour rien dans ces folies et que je n'ai rien fait de mal, reprit Tommaso.

Jeremy sourit.

— Ne dis pas de bêtises, Tommaso.

Il se leva et se dirigea vers la balustrade.

Il contempla les lumières fixes de la ville et celles au loin, vacillantes, des bateaux qui rentraient dans la baie. Il tira une longue bouffée et regarda les volutes se dissiper dans le ciel couleur d'encre.

— Du vent, dit-il en se retournant. Le temps va se gâter demain. Allez viens, rentrons. Tu vas m'attendre. Je vais appeler mon ami Brandon Kersey. Et puis nous allons boire un verre, tu vas être obligé d'accepter de jouer aux échecs avec moi et peut-être de me laisser gagner une partie…

Tommaso se leva et s'approcha avec émotion.

— Merci, Jeremy.

La main qui tenait le cigare eut un mouvement d'oscillation pour signifier que ce n'était rien.

*****

Assis sur une banquette de velours vert, Tommaso se redressa d'un bond en entendant le claquement des pas sur le marbre qui indiquait le retour de Jeremy.

— Qu'est-ce qu'ils t'ont dit ?

Jeremy eut une moue dubitative.

— Ils disent qu'ils n'y sont pour rien. Rien non plus pour l'agent en Israël et pour ton enlèvement. Bien sûr, c'est le discours type. Mais j'ai confiance en

Kersey. S'il me dit que pour lui Tanit n'existe pas, c'est qu'a priori il n'en sait rien. Il m'assure qu'ils n'avaient et n'ont encore sur les attentats et ces histoires qu'une mission d'observation, rien d'opérationnel, des renseignements recueillis via une source qu'ils traitaient, certes, mais rien de plus. Bien sûr, ces histoires les inquiètent, mais…

Tommaso tournait en rond dans la grande pièce.

— Une source ? Quelle source ?

— Je ne sais pas, je ne suis pas sûr qu'ils le sachent très précisément eux-mêmes. Les contacts étaient anonymes. L'argent versé sur un compte numéroté…

Il sentit qu'il avait perdu l'attention de Tommaso.

— Écoute-moi, poursuivit Jeremy.

Il haussa le ton.

— Écoute-moi ! répéta-t-il. Je ne crois pas que les Américains y soient officiellement pour quelque chose. Ils mènent une enquête. Si c'est une opération officieuse, il n'est pas dans leurs habitudes de la poursuivre alors qu'ils se savent pistés. Et si c'est une opération totalement clandestine, les officiels vont faire assez de barouf avec leurs gros sabots pour prévenir les responsables et obtenir le même résultat. Nous avons donné un coup de pied. Les fourmis vont se terrer. Un temps au moins. Dans l'immédiat, le plus utile pour chercher Mathilde…

Tommaso le fixa d'un regard de fou. La tension éclata de nouveau.

— La chercher où ? coupa-t-il. Je suis là, comme un con, au milieu de Palerme, et elle a disparu on ne sait où, mais à trois mille kilomètres. Le temps que j'y aille… Et en plus je ne peux même pas remettre les pieds en France…

Sa voix était tendue, au bord de se briser.

Jeremy attendit une seconde avant de poursuivre.

— Écoute-moi ! L'essentiel est de ne pas perdre de temps. Ceux qui l'ont enlevée, CIA ou non, veulent ce qu'il y a dans cette épave. Il faut aussi s'assurer d'être en position de force lorsqu'ils voudront négocier. Et tu ne seras en position de force que si tu possèdes ce qu'ils veulent.

Sa main se posa sur le bras de Tommaso.

— Il faut reprendre un coup d'avance.

Il se tut une seconde. Puis dans un éclair, il éleva soudain le ton.

— Bon Dieu, reprends-toi ! La seule chose utile que tu puisses faire, c'est de mettre la main sur ce qu'ils cherchent, quoi que ce soit ! Elle a besoin de toi ! Et c'est comme cela que tu peux l'aider. Et seulement comme cela.

L'archéologue chancela et tourna le visage vers le diplomate.

Ils se toisèrent une seconde en silence, puis Jeremy relâcha son étreinte.

— Tu as raison, dit Tommaso d'une voix soudain plus calme, tu as raison.

34

Seul le ronronnement au loin des moteurs de voitures passant sur l'avenue troublait le calme de la nuit. Dans le parc, au-delà des fenêtres du grand bureau du directeur adjoint, les oiseaux ne chantaient plus.

Brandon Kersey reposa le mémo sur son bureau, referma la pochette frappée des sceaux indiquant le haut niveau de confidentialité des informations contenues dans ces notes et se laissa aller en arrière sur sa chaise. Les yeux clos, il se passa la main sur le front puis à travers ses cheveux. Il pensa qu'il était peut-être trop vieux pour ce métier. Il avait eu du mal à ne pas lâcher plus d'informations à Baldwin, pas au nom de leur amitié vieille de quelques dizaines d'années, mais à cause d'un point de lassitude qui le taraudait comme une méchante migraine.

Tout était écrit là, noir sur blanc, sous ses yeux. La preuve qu'une partie des services menait une opération clandestine sans informer sa hiérarchie et au mépris des règles d'engagement de l'agence. Et maintenant, il fallait envoyer ce papier, ce qui revenait à dégoupiller une grenade sur laquelle il était assis.

— C'est amusant d'attirer l'attention de l'administration sur sa propre incompétence, murmura-t-il.

Comme pour se donner du courage, il se pencha de nouveau en avant et attrapa un autre dossier plus volumineux sur la gauche de son bureau. Celui-là portait la couleur mauve des dossiers d'enquêtes émanant de la direction de l'information. Il l'ouvrit et étala les photos en les chevauchant. Devant ses yeux, il avait un paysage de terreur, quelques-uns des plus fameux monuments du monde réduits en cendres.

Kersey resta un instant à contempler les clichés avant d'appuyer sur l'interphone qui le connectait à son assistante.

— Pouvez-vous récupérer un mémo à faire porter d'urgence à monsieur Taft, s'il vous plaît ?

Il hésita avant de poursuivre.

— Et m'apporter un double expresso ?

Elle acquiesça d'un mot sans que cela lui apporte le moindre réconfort. Cette migraine-là n'était pas du genre qui passe avec un café serré.

35

— Et s'il a dérapé sur le fond ? Ou s'il s'est cassé ?

Installés sur une petite table pliante dans le cockpit du bateau, en tee-shirt et en short militaire, Tommaso et Antoine évaluaient une à une les hypothèses que laissaient entrevoir les éléments parcellaires dont ils disposaient au sujet de l'épave et de leur première plongée de préparation.

Tommaso leva les yeux une seconde. À travers la vitre, il apercevait les hommes d'équipage tunisiens travailler à préparer le matériel de plongée, à remettre en état l'armement du robot photographe et celui du submersible orangé qui pouvait accueillir deux passagers, suspendu à une grue sur le flanc tribord. La chaleur étouffante créait des effets de brume sur l'extrémité du pont et sur la mer turquoise.

Par-delà le stress de l'instant et le climat d'inquiétude qui planait au-dessus de leur entreprise, Tommaso goûtait ce retour dans l'élément qu'il affectionnait, le royaume de la surprise permanente et de l'insécurité. Il avait eu le même plaisir, par anticipation, en découvrant six jours auparavant le bateau loué pour l'expédition et dont le nom incompréhensible pour lui se traduisait, avait indiqué Antoine, toujours précis, par

Le Cygne des rochers. La silhouette trapue du navire, sa rusticité, la simplicité de sa conception alliée à la sophistication de ses instruments électroniques et de son équipement de recherche l'avaient convaincu de prime abord. L'équipage avait travaillé d'arrache-pied, motivé par les primes promises par Antoine et par la perspective de reprendre du service après des mois passés dans l'inaction à cause de l'abandon d'un chantier de fouilles dans la baie d'Alexandrie, interrompu pour de sombres raisons de rivalités entre instituts archéologiques.

Ils avaient appareillé trente-six heures plus tard, dès réception du petit sous-marin.

À la dérobée, Antoine guettait les signes de lassitude ou de perte de concentration qui trahissaient à intervalles réguliers la résurgence de l'angoisse chez Tommaso.

Il fit glisser son doigt sur la carte.

— J'espère que leurs coordonnées sont bonnes, parce que sinon, pour deux cents mètres on prend possiblement cette faille et cent vingt à trois cents mètres de fond supplémentaires…

Tommaso hocha la tête. La présence de cette faille était depuis le début l'épée de Damoclès de leur expédition. Garcieux avait analysé les documents en historien, pas en géologue. Et s'il avait correctement repéré, avec même une remarquable précision, le lieu exact du naufrage, il avait négligé le courant sous-marin et l'effet de succion causé par la dépression qui s'ouvrait à quelque distance.

— Tant qu'on n'aura pas tout vu, on n'a aucune raison de penser qu'il ne s'est pas arrêté et planté là, tout entier. Et de toute façon on a le petit sous-marin *Lagune*. Au pire, on perd du temps, mais on peut faire. Le problème, c'est qu'on ne sait pas ce qu'on cherche. Garcieux a réussi à retrouver toutes les pièces disséminées un peu partout pour recouper l'itinéraire probable du bateau, les aléas et au final le lieu du naufrage. La seule chose qu'il n'explique pas est comment il a su – si c'est le cas – que ce mystérieux objet était à bord... ni ce que c'est.

Antoine se leva pour se servir un café au thermos posé de l'autre côté du cockpit.

— Tu en prends un ? proposa-t-il à Tommaso. Tu devrais, il est excellent. Et c'est du café équitable, en plus.

Tommaso sourit.

— J'en attendais pas moins de toi, mais non merci. Je sais pas comment tu peux boire ça, il fait déjà deux mille degrés dans ce cockpit.

Le soleil brûlant envahissait déjà l'espace et seul un léger courant d'air qui desséchait la gorge et la peau circulait. L'archéologue reprit une page en main.

— Pour le reste, les descriptions dans les documents de la douane portuaire sont sommaires. C'était seulement un voyage de routine, un truc d'antiquaires ou de marchands travaillant pour des collectionneurs et utilisant le label des recherches officielles pour camoufler du trafic d'objets d'art de moindre valeur...

Antoine se pencha pour apercevoir la liste par-dessus l'épaule de Tommaso.

— Comme quoi il n'y a rien de neuf sous le soleil. Et c'est pour ça qu'ils n'ont jamais fait de recherches, tu crois ?

— Non, je pense que personne n'avait réussi vraiment à localiser le lieu.

Tommaso tourna le regard vers son ami. Un sourire désabusé flottait sur ses lèvres.

— Mais tu as raison. C'est exactement le genre de combines qui m'a fait virer du milieu officiel parce que je pensais naïvement que les universitaires et les marchands n'étaient pas du même côté de la barrière.

Antoine lui donna une petite tape sur la tête.

— Et c'est toujours Candide qu'on envoie aux galè-res…

Lorsqu'ils s'étaient retrouvés à Carthage, six jours auparavant, Antoine avait été frappé par l'impression d'épuisement qui émanait de Tommaso. Ajoutée à la fatigue de la détention, la disparition de Mathilde le rongeait. Au cours des jours suivants, tandis que Tommaso s'enquérait sans cesse de nouvelles possibles, il avait constaté qu'il dormait et mangeait à peine. Il surveillait son téléphone en permanence, guettant un appel d'Isabelle.

L'embarquement seul avait paru lui redonner un coup de fouet, comme si l'immersion complète dans la recherche d'un objectif immédiatement mesurable pouvait lui accorder un souffle d'oxygène.

L'archéologue baissa la tête vers les cartes marines.

— On va commencer par étalonner ce qu'on a au premier coup d'œil, enchaîna Tommaso. Tu as vérifié le matériel de FAO[1] ?

Antoine fit signe que oui.

— Et tu crois que les images seront de qualité suffi-sante ? demanda encore l'archéologue.

Son ami fit la moue.

— Au vu des essais réalisés ce matin, non, mais je vais redescendre le robot pour en faire de plus précises de l'état du fond dès que possible, et on va commencer à modéliser. On aura une idée plus claire de ce qu'il manque éventuellement de la structure et on pourra juger si on attaque direct là-dessus, ou si on pousse plus avant dans la faille pour voir s'il y a des paliers sur les versants qui auraient pu retenir des éléments.

---

1. Fouille assistée par ordinateur.

Tommaso hocha la tête.

— OK. Pousse pas trop quand même. T'es guère plus en forme que moi. Et surtout pas de blagues avec la faille, OK ? Et tu descends pas toi-même sans me tenir au courant !

Antoine sourit en repliant soigneusement la carte entre ses grosses mains.

*****

Tommaso ouvrit un œil avec peine. Il lui semblait impossible de bouger ses mains et ses jambes, tant le sommeil qui l'avait englouti était profond. Incapable de parler, il voyait le visage d'Antoine s'agiter au-dessus de lui sans parvenir à l'entendre. Il referma les yeux et bloqua sa respiration pour s'arracher à la torpeur qui essayait de le faire glisser de nouveau dans l'abandon du sommeil.

— Qu'est-ce qu'il y a ? bredouilla-t-il.

Il se redressa dans l'étroit habitacle de la cabine. Décorée de manière spartiate, elle ne contenait qu'une couchette encadrée au-dessus et au-dessous par deux coffres de rangement, une table pliante et un lavabo.

Antoine agitait un paquet de feuilles devant ses yeux.

— J'ai un truc.

Il s'assit sur le lit.

— Regarde : ce sont les premières images éclairées de l'intérieur. Je viens de les imprimer.

Tommaso écarquillait les yeux pour essayer de se concentrer.

— Et…

— Et on a au moins la moitié d'un chargement à l'intérieur. Là, des statues et des vases, et là, adossées, des stèles. Le reste a peut-être glissé plus loin, peut-être même jusqu'à la faille. Elle est plus proche qu'on ne le pensait. J'ai jeté un premier coup d'œil, les versants sont en paliers successifs. Et là...

Ses gros doigts s'agitaient devant le visage de Tommaso. Celui-ci saisit la photo et la recula de quelques centimètres de ses yeux.

— On y va, dit-il en repoussant le drap qui le recouvrait.

*****

Le petit sous-marin stabilisa sa vitesse dans les eaux bleu foncé et ralentit sa descente. Tommaso admirait la dextérité avec laquelle Antoine manœuvrait, limitant au maximum l'amplitude de ses gestes pour les adapter à l'exiguïté de la cabine. La chaleur était éprouvante dans l'habitacle. Les yeux fixés sur le sonar, Antoine jaugeait la situation.

— Attention les yeux, murmura-t-il.

Le submersible entama un demi-tour et reprit une descente très lente.

— Dix mètres encore. Top là !

Tommaso scrutait alternativement l'écran radar et le pinceau des phares latéraux qui peinaient à trouer le brouillard noir des eaux profondes.

Gagné par l'excitation, il se pencha en avant, écarquillant les yeux. La masse noire apparut lentement dans l'obscurité.

Devant eux, à vingt mètres à peine du nez du sous-marin, se dessinait nettement, fine et majestueuse, la proue d'un navire englouti.

À demi enfoncée dans le sable, la coque d'acier était recouverte de sédiments et rongée par le sel et les courants. Ils s'approchèrent encore jusqu'à une distance de dix mètres, puis Antoine maintint le submersible de poche le plus immobile possible pendant que Tom-

314

maso filmait ce qui apparaissait dans le champ du projecteur fixé au-dessus de la bulle de plexiglas du poste de pilotage. Le rond lumineux rendu flou par la densité de l'eau et la pénombre ne dépassait pas un mètre cinquante. Tommaso avait l'impression de se promener dans une chambre avec une lampe de poche. D'autres images de ses nuits d'enfant, dans la chambre de Barbe-Bleue, lui revenaient en mémoire. Il jouait ainsi à se faire peur, debout au pied de son lit, en promenant lentement le faisceau de sa torche, découvrant par morceaux les silhouettes inquiétantes du monstre et de ses victimes, robes rouges, vertes, jaunes, aux pieds pareillement détachés du sol...

— Écoute, suggéra Tommaso, on va essayer de longer le bateau par tribord. D'après les plans, la prise de cale par laquelle était chargée la cargaison s'ouvrait à un mètre du plat-bord tribord, entre les deux mâts, juste à gauche de la cheminée.

Antoine leva le pouce pour signifier son accord.

Ils reprirent leur mouvement, le pinceau découpant des morceaux du métal meurtri. Le long du bastingage, on distinguait des bosses et des trous dont certains provenaient probablement du naufrage. Ils suivaient la coque depuis vingt mètres lorsque le pinceau du projecteur sombra dans le vide.

— Merde, il s'est bien cassé en deux, remarqua Antoine d'une voix inquiète.

— Fais demi-tour et essaie de passer au-dessus, mais en faisant gaffe aux mâts, il peut rester des tronçons à la base, qu'on aille pas taper.

Le submersible prit quelques mètres de hauteur et s'inclina doucement pour amorcer un demi-tour.

Tommaso orienta le projecteur au maximum vers le bas pour balayer le pont en dessous d'eux.

— Là, je vois l'entrée, dit-il. Ralentis. Les panneaux ont disparu. Il faudra aller voir dedans mais en tout cas, la cassure est après. Comme une partie de la cargaison y est encore, tout dépend si la cassure s'est faite en percutant le fond ou avant. Si on a de la chance, ça ne se sera pas répandu sur un champ trop large.

— Ça peut être surtout au fond de la fosse. Et même si le bateau ne s'est brisé qu'à l'impact, il y a une chance sur deux que la deuxième partie ait glissé dans ce trou.

Tommaso sentit un frisson lui parcourir les épaules. « Encore heureux que l'épave entière n'ait pas basculé », pensa-t-il.

Puis il se retourna vers Antoine.

— Prêt pour un passage au-dessus du grand canyon ?

Antoine hocha la tête en inclinant le gouvernail.

— C'est comme si on y était.

Devant eux, dans la pénombre, ils ne percevaient pas la nature du décor. Ils progressaient lentement, attentifs à chaque élément. Antoine, les yeux collés au radar comme Tommaso, scrutait les fonds à travers les parois de plexiglas.

— On y est.

La voix d'Antoine ne pouvait masquer son trouble.

Tommaso baissa les yeux en orientant les phares. En dessous de lui, il percevait à peine le bord de la faille, d'un gris sombre où remuaient des éléments vivants. Puis c'était le noir absolu.

— Elle doit faire cent ou deux cents mètres de large, murmura Antoine.

Tommaso sentit la réticence de son ami à s'engager franchement dans cet espace aveugle, bouteille d'encre où plus aucun repère n'indiquait les distances et les directions.

— On descend plus bas dans la faille ? interrogea-t-il.

Pour toute réponse, Antoine inclina le manche et plongea de dix mètres.

Tommaso sentit l'anxiété gagner du terrain. Le phare ne parvenait plus à trouer l'obscurité. Ils descendirent encore d'un palier puis le submersible reprit sa marche en avant.

Antoine se retourna vers Tommaso. Immobile, celui-ci scrutait l'horizon d'encre.

— Eh ben, s'il faut aller chercher le deuxième bout là-dessous on n'est pas arrivé, bougonna Antoine. Enfin, maintenant qu'on est là, autant aller faire un tour jusque là-bas…

Tommaso se contenta de baisser les yeux sur la carte marine qu'il tenait pliée sur ses genoux.

*****

Tommaso venait de déverrouiller l'écoutille et de pousser la porte avant de s'extraire en se contorsionnant de l'habitacle étroit du submersible. Il fit un pas et aspira goulûment l'air brûlant de l'après-midi. Par contraste, au sortir de l'atmosphère surchauffée et étouffante du petit sous-marin, il lui semblait d'une divine fraîcheur.

Les quatre jours de fouilles étaient passés comme un instant. Ils avaient fait des progrès à une vitesse qui le stupéfiait lui-même et l'aurait plongé en temps normal dans une douce euphorie. La passion était bien là, mais tempérée cette fois par l'angoisse permanente liée à l'absence de Mathilde, renforcée par l'écoulement fatidique des heures. Chaque nuit revenait plus intense l'interrogation : avait-il fait le bon choix en concentrant

317

ses efforts sur l'épave ? Heureusement les fouilles avançaient vite…

La voix le ramena à la réalité.

— Tenez, nous avons reçu les nouvelles images.

Il enleva son tee-shirt trempé et attrapa la serviette que lui tendait un des hommes d'équipage.

Tout en frottant son torse et ses cheveux, il observait Antoine extirper à son tour sa grande carcasse du minuscule véhicule. Les grimaces de son ami lui arrachèrent un sourire. Il lui jeta la serviette sur la tête.

— Faut que t'arrêtes de manger, le gros ! lança-t-il.

Seul un grognement lui répondit.

Sans chercher à décrypter plus avant les insultes probables dont il était porteur, Tommaso se dirigea vers le poste de commande.

Il atteignait tout juste la porte lorsqu'un bruit de tonnerre déchira le ciel.

— Au radar, hurla un homme d'équipage en jaillissant du poste de pilotage.

Manquant de bousculer l'archéologue, il se rua vers le garde-corps. Tommaso tourna la tête. L'homme désignait l'horizon plein ouest. Le grondement gagnait en puissance.

— Deux échos…

Le reste de la phrase se perdit dans le vacarme tandis que deux points noirs apparaissaient à l'horizon.

Tommaso leva les yeux, plaçant une main en visière pour masquer le soleil qui l'éblouissait. Le bruit insoutenable faisait vibrer l'air autour de lui. Il se tourna vers Antoine. Enfin sorti du sous-marin dégoulinant d'eau qui tanguait encore au bout du palan, celui-ci demeurait interdit, sourcils froncés. Les deux hommes chargés d'arrimer les câbles destinés à stabiliser le submersible s'étaient figés. À leur tour, ils cherchaient des yeux la raison du vacarme. Tommaso et Antoine échangèrent un regard inquiet et bondirent vers l'escalier qui montait à la passerelle. Tommaso se saisit des jumelles que lui tendait l'homme de quart. Les points grossissaient à une vitesse vertigineuse, Tommaso distinguait à présent nettement les rotors et l'empennage de la queue. Il balaya le reste de l'horizon d'un mouvement circulaire.

— Des hélicoptères de combat, murmura-t-il d'une voix blanche.

Le hurlement des rotors était assourdissant.

— Qu'est-ce que c'est que ce bordel ? gronda Antoine à côté de lui.

Tommaso détourna ses jumelles pour fixer la surface de la mer. Il s'immobilisa en apercevant les deux petits sillages parallèles qui dessinaient une gerbe d'écume et se dirigeaient droit vers le bateau selon une trajectoire perpendiculaire à leur propre déplacement.

Abasourdi, il abaissa ses jumelles.

— Des grenades sous-marines, cria une voix à côté de lui.

— Évacuez le navire, hurla Tommaso en reprenant ses esprits, vite !

Levant de nouveau les yeux vers les hélicoptères, il vit un chapelet de projectiles tomber à la verticale de leur point de recherche. Les rotors des deux hélicoptères lancèrent un éclat dans le soleil puis s'inclinèrent aussitôt sur leur gauche pour dégager vers l'horizon.

Tommaso sentit une poigne ferme sur son bras.

— Viens, cria Antoine en l'entraînant. Viens !

Il n'essaya pas de résister, conscient qu'aucune manœuvre ne pouvait être tentée.

— L'épa… essaya-t-il de dire.

Un souffle brûlant s'enfonça dans sa gorge, éteignant les mots, tandis qu'il était arraché à la main d'Antoine et projeté dans les airs dans un déchaînement de bruit et de flammes. Il eut l'impression que son corps se disloquait et qu'il était devenu sourd. Il s'efforça de respirer et n'arracha à l'air brûlant qu'un souffle d'oxygène. Un voile rouge couvrit ses yeux. Sa bouche s'emplit d'eau. Il sut qu'il allait perdre connaissance. Au moment où il touchait la surface, le deuxième missile percuta sa cible et la mer entière s'embrasa.

36

Tommaso ouvrit les yeux et les referma aussitôt, aveuglé par la lumière crue. Il voulut bouger ses bras pour se relever et n'y parvint pas. Sa tête retomba sur l'oreiller. Le bruit des explosions bourdonnait encore dans ses oreilles. Il essayait de se souvenir. L'alerte, les avions…

— Des torpilles, murmura-t-il.

— Des missiles plus exactement, deux missiles anti-navires AGM-84 Harpoon lancés par un hélicoptère Seahawk. À vrai dire, il n'y a pas de regret à avoir. Il n'y avait pas grand-chose à faire.

La voix qui venait de parler éveillait dans l'esprit douloureux de Tommaso un écho familier. Ce son métallique…

— Les hélicos n'avaient même pas besoin de vous voir. Ils sont passés pour filmer et parce que vous ne présentiez aucun danger, mais l'attaque était déclenchée de bien plus loin et guidée par laser. Si on rajoute le passage pour couvrir la zone d'exploration de grenades Mk-46, on peut dire que vous avez été soignés.

Tommaso tourna la tête vers la voix grave et entreprit de rouvrir les yeux. Le mouvement déclencha une douleur insupportable qui vrillait ses tempes.

— Ne bougez pas. Vous êtes encore sous le choc. Vous avez eu de la chance.

Tommaso sursauta.

— Mathilde, où est Mathilde ?

La voix se rapprocha de son visage.

— Ne bougez pas, je vous dis.

— Où est-elle ? Et Antoine ? murmura encore Tommaso.

— Nous n'avons pas d'autres nouvelles de la petite fille. Quant à votre ami, il a eu de la chance lui aussi. Il dort à côté.

La voix s'approcha et Tommaso distingua une silhouette massive qui vint s'asseoir près de lui. Il voyait mieux, à présent. L'homme, d'une stature athlétique, avait les cheveux noirs, une mèche barrant son front, et le visage mangé par une barbe. Des yeux sombres brillaient au milieu de son visage anguleux. Il était vêtu d'un pull bleu foncé de marin.

Tommaso regarda autour de lui. Dans la pièce aux murs blancs, sans fenêtre, meublée simplement d'un bureau et d'étagères de bois clair, il avait l'impression d'être dans une chambre d'hôpital

— Où sommes-nous ?

L'homme posa sa main puissante sur le bras de Tommaso.

— Pas de questions. Plus tard. Vous allez aller mieux, mais il faut un peu de temps. Vous pouvez vous vanter d'appartenir désormais au club très fermé des cibles ratées par l'aviation américaine. Et pourtant, c'était facile. Deux hélicos dont un en couverture, quarante minutes de vol depuis la base sicilienne de Sigonella, une minute sur zone, deux passages, trente minutes de vol retour pour apponter sur un porte-hélicoptères de la 6e flotte et l'affaire est faite. Officiellement, une opération secrète au prétexte de détruire un bateau chargé d'armes à destination du Hezbollah, du Hamas, ou de je ne sais qui. Les raisons ne manquent pas et on est quasiment dans la routine. Comme personne ne croise dans le coin et que vous meniez votre opération en solitaire, un bon moment peut passer avant que quiconque se rende compte qu'un bateau a été coulé ici hier. Du point de vue des Américains, je pense que vous êtes considéré comme une affaire réglée. C'est au moins ça.

Tommaso essaya de se redresser et retomba en arrière sur le lit de métal blanc avec une grimace de douleur.

— Mais comment…

— … Êtes-vous encore là ? Eh bien disons que je surveillais moi aussi vos actions, et que j'étais assez près pour vous récupérer au bon moment ainsi que votre camarade. Rien à faire en revanche pour ceux qui étaient à bord. Vous vous en êtes sortis juste parce que vous étiez sur le pont et à l'inverse de l'endroit de l'impact. Mais l'équipage a coulé avec le navire. En trente secondes.

— Mais comment n'ont-ils pas vu votre bateau ?

L'homme sourit et se leva.

— Reposez-vous. Je vous reverrai tout à l'heure.

Sa silhouette se brouilla un instant dans les yeux de Tommaso avant de redevenir nette. Il avait presque atteint la porte lorsqu'il se retourna.

— Et quant à votre dernière question, qui vous parle d'un bateau ?

*****

— Un sous-marin ?…

Tommaso regardait son interlocuteur avec des yeux ronds. Il ne savait pas combien de temps s'était écoulé depuis sa première visite. Il avait dû dormir. Il n'en gardait aucun souvenir. Il savait seulement qu'il s'était réveillé, et que l'homme était là de nouveau, assis à côté de lui, silencieux.

L'homme à la barbe noire hocha la tête.

— Un sous-marin, oui.

Tommaso écarquilla les yeux. Rien dans le décor ne pouvait laisser imaginer qu'on se trouvait à bord d'un submersible. Seul le bruit lancinant et étouffé d'un moteur signalait que l'on était en mouvement.

L'homme se leva et alla frapper du plat de la main sur la cloison face au lit. Le mur rendit un bruit métallique.

— Le monde moderne est plein de ressources, plein de talents inexploités et d'opportunités de donner une nouvelle vie à des matériels obsolètes. Ce submersible a été détruit officiellement il y a six ans, dans le cadre d'un accord de désarmement des ex-républiques soviétiques. En fait, il a seulement été temporairement désarmé avant d'être réaménagé.

Tommaso se demanda s'il ne rêvait pas.

— Mais qui êtes-vous ?

— J'ai tellement d'identités que je m'y perds moi-même. Disons que vous pouvez m'appeler du nom qu'il vous plaira. Nemo par exemple. Vous connaissez Jules Verne ? *20 000 lieues sous les mers* ? Eh bien c'est assez ça, non ? Sauf que moi, je ne coule pas les navires, je récupère juste les naufragés… Sérieusement, admettons que je m'appelle Adrian. Ce n'est pas mon prénom, mais en anglais c'est ce qui s'approche le plus de la réalité, laquelle est imprononçable dans votre langue.

Il revint s'asseoir près de Tommaso.

— Je vais essayer de remplir les trous dans votre vision de la longue histoire qui nous réunit aujourd'hui. Je ne représente ni consortium, ni société secrète, ni rien de tout cela. Je suis seulement un homme qui a une vision assez pessimiste du monde dans lequel nous vivons. Pessimiste mais réaliste, parce que fondée sur des choses que je sais et qui échappent à la connaissance du reste du monde, y compris des grands qui nous gouvernent. Des choses que vous avez approchées sans prendre conscience de ce qu'elles étaient.

— Tanit ?

— Exactement. Tanit. Que savez-vous de cela ?

— Le signe, je sais qu'il se retrouve très au-delà de Carthage. Je l'ai vu à Jérusalem…

L'homme eut un sourire admiratif.

— Je sais qu'il est présent à New York, à Moscou, à Bruxelles, j'imagine aisément dans un certain nombre d'autres lieux. À Rome, Paris. Je sais qu'il est en rapport avec les attentats commis ces dernières semaines en Europe ; qu'il correspond à une marque, un peu comme celle des tailleurs de pierre, mais une marque autrement plus significative. Elle indique non seulement que des constructions comprennent des points de correspondance, de résonance…

Tommaso s'interrompit en entendant curieusement sonner dans sa bouche un mot de Garcieux. Il hésitait à évoquer ce que lui avait montré Gowitz.

— … mais aussi que le lieu précis qui est marqué correspond à un endroit où celui qui se tient reçoit ou exerce des influences particulières.

Il s'interrompit de nouveau un instant.

— Quel secret peuvent cacher de telles choses ? s'étonna-t-il.

L'homme le regardait avec intérêt.

— Reprenons dans l'ordre. Pour ce qui concerne Tanit, vous avez raison. C'est une sorte de marque de fabrique. La marque de règles très anciennes et inenvisageables pour des esprits modernes et des logiciels de conception assistée par ordinateur.

Il prit sa respiration avant de poursuivre.

— Pour être bref, sachez qu'il y a plusieurs milliers d'années, à une époque où l'on croyait encore que l'homme était seulement un petit élément du tout et non l'alpha et l'oméga du monde, il était assez naturel d'imaginer que notre petite liberté et notre non moins petite volonté étaient toutes deux bornées par des influences extérieures. Des influences présentes dans le milieu naturel, mais qui peuvent en revanche être reproduites et concentrées par des artifices humains de construction. Ces influences obéissent à des règles, mais pas des règles mathématiques. Des règles harmoniques. Ces règles ont été transcrites et ont donné lieu à un enseignement d'architecture dispensé à quelques érudits. En Chine, puis en Égypte, en Mésopotamie et par contagion dans le Proche-Orient, en Grèce, etc. Jusqu'à Carthage. L'idée était notamment de placer ceux qui étaient dépositaires dans les meilleures conditions pour exercer leur pouvoir, en écartant d'eux la tentation et les effets de ce que les Grecs appelaient *hubris*, l'excès, la passion, susceptible de mener à l'incompréhension et à la guerre.

Tommaso se redressa un peu. Le visage de Gowitz s'imposait à son esprit : le vieil universitaire avait eu raison en lisant à travers les questions mystérieuses de Garcieux.

— Il ne s'agissait pas du tout de comploter, poursuivait Adrian, ni de prendre le pouvoir. C'est une chose inconcevable de nos jours : il s'agissait seulement pour un groupe de techniciens particuliers maîtrisant un élément de la nature de le mettre au service de tous et de la Cité, en permettant que ceux qui étaient choisis pour présider aux destinées du plus grand nombre le fassent de manière éclairée.

Ces règles permettaient d'établir à quel moment le message politique devait être délivré pour être le mieux entendu, le mieux compris et le plus convaincant. Elles indiquaient la distance entre les personnes, les volumes géométriques auxquels elles devaient être exposées, le temps de cette exposition... Ces règles sont perdues. Mais pas totalement. Des bribes ont continué d'être utilisées, à travers le temps.

L'homme s'interrompit un instant, son regard perçant fixé sur Tommaso, avant de poursuivre :

— Vous avez entendu parler du Feng Shui ? Cet art chinois vieux de trois mille ans est une sorte d'application à l'architecture des principes de l'acupuncture, pour définir la circulation de l'énergie dans un lieu et en équilibrer les flux en fonction notamment de l'écoulement du temps et du déplacement des planètes. Un principe utilisé très couramment dans une forme simplifiée en architecture dans la Chine moderne. Eh bien, vous seriez étonné de considérer la forme des boussoles et des règles utilisées traditionnellement pour ces calculs, ce que les Chinois nomment *luo pan* ou *pa kua ;* ou encore l'idéogramme pinyin qui désigne le mot Feng Shui. Partout, la même racine déformée à travers le temps...

Levant la main, il esquissa un geste rapide dans l'air.

— Un cercle surmontant un triangle...

Tommaso sentait ses tempes battre comme s'il était pris de vertige. L'homme perçut son trouble. Il se pencha en avant, ses yeux précis étudiant les traits de l'archéologue qui s'efforçait de reprendre son souffle.

— Vous allez bien ? Vous voulez que j'appelle le médecin ?

Tommaso refusa en levant une main.

— Vous voulez dire… parvint-il à articuler.

— Que les lieux de pouvoir dans lesquels nous ne voyons que des morceaux d'histoire influencent et orientent en effet depuis des siècles le destin de nos peuples. Le façonnent même, parfois…

— Mais c'est insensé !

Tommaso avait presque crié.

L'homme l'observait froidement, comme s'il regardait progresser dans son esprit le germe qu'il venait d'y semer.

— Vous êtes-vous déjà posé la question de savoir pourquoi l'Empire chinois s'est effondré le jour où l'influence occidentale à la cour du dernier empereur a mis à mal l'équilibre architectural immuable de la Cité interdite, en abattant des seuils de portes et des cloisons pour que Pu Yi puisse faire du vélo dans son palais ? Vous êtes-vous posé sérieusement la question de savoir pourquoi Brasilia a été construite *ex nihilo* dans un pays où l'instabilité était la règle et l'unité politique un serpent de mer ?

— Pour une question de… répondit d'une voix éteinte Tommaso.

— … symbole ! C'est cela que vous alliez dire ? Symbole ! Est-ce pour un symbole aussi que les nazis ont incendié le Reichstag en 1933 ? Un symbole, la destruction et la reconstruction du Temple de Jérusalem ? Et comment expliquer le récit de l'interprétation par le prophète Daniel des mots apparaissant sur le mur du palais de Balthazar, le dernier roi de Babylone, pour lui annoncer la chute de son royaume ? Ouvrez les yeux, Tommaso ! C'est la vérité que je vous expose qui est logique. Pas l'accumulation de situations incompréhensibles, de contradictions et de fables dont regorge l'histoire du monde et dans laquelle vous acceptez de vous laisser enfermer.

— Mais si cela était vrai, le monde serait pacifié ?

— Justement non. Le problème est qu'à travers l'histoire, toutes les tentatives ont été bâties sur des éléments incomplets. Beaucoup de gens ne possédaient qu'une connaissance parcellaire de cette science. Assez pour essayer de retrouver les règles. Mais pas suffisamment pour réussir dans le long terme. Et les résultats ont été à la hauteur de cette imperfection : ils ont influencé la marche du monde, mais comme des créations imparfaites et mal dominées, inachevées. Certaines conséquences ont pour autant été durables : la paix politique en Angleterre, pour n'en citer qu'un exemple. Mais jamais ces règles n'ont pu être utilisées pleinement, faute d'être connues, dans la plénitude de leurs potentialités. Ceux qui savaient qu'elles existaient et essayaient d'appliquer le peu qu'ils en connaissaient pouvaient limiter les influences néfastes. Mais rien de plus.

Il fixa Tommaso.

— Vous vous sentez la force de faire quelques pas ? Je voudrais vous montrer quelque chose.

Tommaso se redressa lentement et mit pied à terre en s'appuyant sur le bras d'Adrian. Chaque mouvement lui paraissait un effort gigantesque. Une fois debout, il resta une minute immobile puis fit signe qu'on pouvait se mettre en mouvement.

Avec une infinie lenteur, ils gagnèrent le seuil, traversèrent le couloir et parcoururent vingt mètres dans l'étroite coursive. En arrivant devant une porte en bois qu'Adrian ouvrit sans le lâcher, Tommaso se sentait épuisé. Adrian l'aida à s'installer dans un fauteuil puis se dirigea vers la bibliothèque qui recouvrait un mur entier. La pièce où ils se trouvaient ressemblait à un bureau à une échelle réduite. Tout avait été calculé pour maximiser le petit espace où avaient été placés trois fauteuils et une table basse ainsi qu'un bureau, tous fabriqués dans le même bois foncé et verni.

Adrian saisit un carton à dessin et l'ouvrit avec précaution sur la table qu'il tira ensuite pour la rapprocher du fauteuil de Tommaso. Il désigna une feuille usagée.

— Regardez le plan de Rome, de la Rome sur laquelle a travaillé Vitruve.

Tommaso baissa les yeux vers le plan de la Rome impériale.

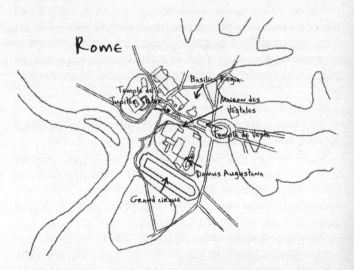

Sidéré, il vit Adrian commencer à tirer des traits à travers la ville.

— Vous reconnaissez ?

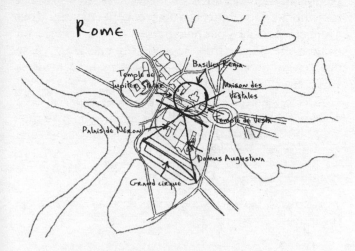

ROME

Temple de Jupiter Statue
Basilica Regia
Maison des Vestales
Temple de Vesta
Palais de Néron
Domus Augustana
Grand cirque

Adrian tourna quelques pages.

— Et voici la Rome du déclin. La Rome post-Néron. Celle remodelée par l'incendie qui l'a presque totalement détruite et par lequel Néron a tué son propre pouvoir, sa propre capacité de faire entendre et respecter ses décisions.

Il se recula d'un pas pour observer l'expression incrédule qui habitait le visage de Tommaso.

— Vous voulez que je continue ? Faut-il que l'orgueil des hommes soit grand pour que leur aveuglement soit si complet ! Cela ne vient pas de vous. C'est difficile à croire, parce qu'on vous a éduqué, comme tous depuis des générations, dans l'idée que l'homme commande et qu'il est la mesure du monde.

Tommaso était pâle.

— Et c'est bien cela qu'a redécouvert Garcieux ? demanda-t-il. C'est cela qui était indiqué sur les plans ? Il recherchait dans quelle mesure tel ou tel édifice était bâti selon ces principes ?

331

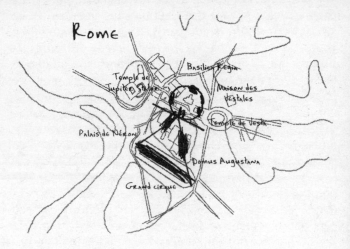

ROME

Temple de Jupiter Stator
Basilica Regia
Maison des Vestales
Palais de Néron
Temple de Vesta
Domus Augustana
Grand cirque

Adrian reprit le ton calme de l'exposé.

— En partie. Ce qu'a redécouvert Garcieux, ce sont les premiers éléments de cet ensemble. Il y en a trois. Les deux premiers fournissent le fondement des règles à suivre dans la construction intérieure d'un lieu de pouvoir, et des règles pour la disposition entre eux des lieux de pouvoir, au sein d'une capitale, ou d'un pays. En clair, il s'agit de règles qui, selon qu'on les respecte ou qu'on les viole, font que les dirigeants amenés à prendre des décisions le feront de manière audible, seront plus aptes à convaincre, etc.

— Et le troisième élément ?

— Il est plus puissant, il s'appuie sur des correspondances entre les énergies à l'œuvre dans l'univers et les réalités terrestres. Il est celui qui permet d'achever le travail, celui qui a conféré à la petite Carthage la capacité extraordinaire de rivaliser avec la toute-puissante Rome pendant trois cents ans. Il confère à celui qui le posséderait et l'appliquerait un rayonnement plus vaste encore, une force et une énergie plus grandes. À ce stade, lorsque la prise de parole d'un homme prend en compte l'équilibre général de l'univers, le temps et l'espace, de la disposition des planètes jusqu'à la position de l'orateur par rapport à ses auditeurs, alors le mot acquiert une force de conviction insoupçonnable et réellement insurmontable. Cette force, les premiers philosophes grecs la nommaient *aléthéia*, le dévoilement. Et elle transparaît dans la première phrase de l'Évangile : « Au commencement était le Verbe ». L'organisation de l'agora, cette place publique des premières cités grecques où chacun se déplaçait pendant les assemblées des citoyens, les écoles de pensée où l'enseignement se faisait en déambulant, tout cela est lié. Lié par des règles édictées pour les petits nombres et fonctionnant dans le cadre de la communication directe. Des règles que les guerres, les errements de l'histoire et les distorsions induites par l'agrandissement des Empires et des royaumes – sans parler des moyens modernes de communication audiovisuels ou informatiques – ont déformées et dénaturées jusqu'à en faire disparaître la mémoire exacte.

— Stonehenge, murmura Tommaso, Nazca...

— Exactement, c'est la plus probable explication de ces phénomènes incompréhensibles. Mais ce troisième niveau s'est réellement perdu. Les deux premiers aussi pendant longtemps, pendant exactement mille cinq cents ans, entre la destruction de Carthage par Rome et la découverte en Italie, dans le monastère du mont Cassin, du manuscrit original disparu de Vitruve, *De Architectura*. Un manuscrit sauvé mille ans auparavant par saint Benoît, qui avait perçu sa portée et les risques qu'il ferait courir au monde s'il échouait en de mauvaises mains. Il n'avait pas osé le détruire mais avait choisi de l'emporter avec lui dans la tombe, au sens propre. Il y est resté jusqu'à ce qu'un moine érudit comprenne et ose violer la sépulture du fondateur de l'ordre.

— *De Architectura* ? Mais c'est un simple précis d'histoire ?

— Dans ses dix premiers livres, oui. Mais il en comptait onze. Un onzième livre pratique qui résumait les règles des deux premiers niveaux, fruit des recherches menées par Vitruve sur le site de Carthage. Des recherches efficaces quoique inachevées. Ce qu'a trouvé Garcieux, c'est ce Livre XI. Où, Garcieux n'a jamais voulu me le dire. Mais en tout état de cause, cela faisait déjà de lui un homme précieux pour certains et dangereux pour d'autres. D'autant plus qu'il a su déchiffrer les mécanismes à l'œuvre, au fil du temps, dans de nombreux bâtiments officiels de par le monde. Car le manuscrit de Vitruve, après 1411, a connu une destinée itinérante. Il est passé par Corfou, où il a été dérobé et ramené à Constantinople, puis emporté à Rome d'où il a essaimé par un cercle d'initiés vers Paris, Londres, mais aussi les Indes.

Ses yeux brillaient.

— Jusqu'à trouver des applications bien plus récentes. Mais de cela, je vous reparlerai plus tard. Sachez seulement que c'est à ce moment que j'ai rencontré Garcieux. J'avais observé les bribes qu'il ne pouvait s'empêcher de dévoiler au détour de telle communication dans un colloque international. Elles ne voulaient rien dire pour ceux qui ne savaient pas. Et personne n'aurait pu imaginer une réalité aussi folle. Mais pour moi, c'était limpide…

— Mais si vous saviez, que vous apportait Garcieux ?

— Je croyais d'abord en le contactant pouvoir le contrôler. Et puis Garcieux avait quelque chose que je ne possédais pas. Il n'a pas seulement mis la main sur le manuscrit du livre caché de Vitruve. Il a trouvé mieux. Il a trouvé à Tunis, par un autre canal…

— Gowitz, murmura Tommaso. Fibonacci…

Adrian continua sans relever

— … le journal d'un militaire !

— Le lieutenant-colonel Humbert.

L'homme acquiesça.

— Tout juste. Celui-ci avait fait une découverte importante, que personne n'avait relevée. Les Romains, comme tous les autres chercheurs par la suite, ont fouillé le Tophet à la recherche des objets sacrés des Carthaginois. Rien de plus logique que de chercher les choses précieuses sur le lieu le plus sacré. Et d'ailleurs, les résultats de leurs fouilles leur ont donné en grande partie raison. C'est ainsi que Vitruve a retrouvé des stèles qu'il a traduites ensuite dans son manuscrit, son Livre XI. Les Carthaginois avaient laissé la plupart des choses en place, parce qu'ils ne pensaient pas un instant perdre cette guerre finale. Et ils ne pensaient pas la perdre parce qu'ils croyaient que leurs connaissances leur offraient une force supérieure, une position inexpugnable. Ils avaient seulement négligé la possibilité d'une trahison. Celle de leur général en chef, Hasdrubal. Celui que sa femme a maudit avant de s'immoler dans le feu. On dit que c'est parce qu'il s'était rendu. Mais c'est surtout parce qu'il avait indiqué aux Romains les points stratégiques qu'il fallait abattre dans les défenses pour briser la force des Carthaginois. Puis, quand ils ont vu qu'ils étaient perdus, dans les ultimes jours du siège, les derniers Carthaginois ont voulu dans l'urgence déplacer une partie de leur trésor. Et c'est ainsi que ce n'est pas dans le Tophet qu'il aurait fallu chercher le plus précieux des biens de l'antique Carthage. Humbert a refait leur parcours. Il a fouillé des endroits jugés mineurs, autour de l'ancien arsenal en particulier. Et il y a trouvé des monceaux de choses de valeur inégale, mais qu'il a décrites assez précisément, en bon marchand, pour que Garcieux relève dans son inventaire des signes troublants, des signes qu'Humbert ne pouvait pas comprendre parce qu'il n'avait pas lu le manuscrit de Vitruve. Pour lui, c'était du chinois. Pour Garcieux au contraire, qui disposait des deux éléments, il était possible d'imaginer la nature de ces objets mystérieux. Après, il a fallu retrouver les éléments sur ce bateau que vous cherchiez ces derniers jours. Mais cela, vous le savez, parce que cette partie-là des recherches de Garcieux, vous l'avez eue entre les mains. Déterminer la position de ce navire contenant des objets, dont celui susceptible de révéler le troisième niveau, celui cherché en vain par Vitruve et Scipion sur le site de Carthage, et resté là-bas, égaré, jusqu'à ce que l'avidité des fouilleurs marchands le sorte de terre et l'embarque de manière anonyme dans un lot à destination du Louvre, au XIXe siècle. Un lot englouti dans un naufrage.

— Ce que j'ai vu ?

Un éclat traversa le regard de l'homme.

— Peut-être…

Il sourit.

— Ça ferait un récit formidable pour les gens qui aiment croire à la malédiction des choses surgies du passé. Vous avez failli suivre la trace de tous ceux qui se sont intéressés à ce secret et y ont perdu la vie. Garcieux, notamment.

Tommaso fit un effort et se redressa dans le fauteuil. Sa tête battait à tout rompre et il souffrait terriblement du côté droit. Il sentit que son bras était tenu par une attelle.

L'homme posa ses mains sur sa poitrine pour stopper son mouvement.

— Doucement, doucement. Vous n'avez pas de traumatisme crânien et rien de vraiment cassé, mais en plus de douze points de suture à la tête, huit au poignet droit, votre coude gauche est luxé et vous avez quelques côtes en vrac, peut-être une ou deux cassées. Alors de grâce, pas de précipitation. Nous avons peut-être déjà été trop vite. Je vais vous ramener.

Tommaso ne répondit pas, mais accepta sa main pour se lever et parcourir de nouveau à petits pas le court chemin vers sa chambre.

Tommaso s'allongea sur son lit et resta immobile un instant pour reprendre des forces. Il sentait la présence silencieuse d'Adrian à côté de lui. Rouvrant les yeux, Tommaso le fixa d'un regard dur.

— Qui a tué Garcieux ? demanda-t-il.

37

Une ombre passa sur le visage d'Adrian. Son torse puissant se déplaça d'avant en arrière à plusieurs reprises, ses mains dressées, ouvertes devant lui, comme s'il s'apprêtait à étrangler Tommaso.

— Les mouvements, les questions ! Vous avez la manie d'aller plus vite que la musique.

Il se leva et s'écarta du lit sans cesser de marcher.

Le ton de Tommaso se fit méfiant.

— Répondez-moi.

L'homme hésita puis se rapprocha du lit.

— La question n'est pas bonne. La question est : pourquoi Paul Garcieux est-il mort ? Et la réponse est : parce qu'il aimait trop l'argent.

Il soutint une seconde en silence le regard de Tommaso. L'archéologue pensait à la comptabilité retrouvée dans la maison d'Auvergne.

— Quand Paul Garcieux a commencé à comprendre ce qu'il avait découvert, je suis entré en contact avec lui. Il a accepté de collaborer avec moi. Une collaboration très généreusement rémunérée, mais qui ne lui a pas suffi. Et quand les Américains ont commencé à lui faire les yeux doux de leur côté, ou plutôt quand il a été les appâter, il a cru pouvoir me doubler et leur donner la primeur de ses informations en faisant monter les enchères.

La voix se durcit.

— Cher monsieur Mac Donnell, je n'aime pas qu'on me double et qu'on se moque de moi. J'ai même gagné ma liberté économique dans un monde difficile, il y a de cela bien des années, en refusant que cela se passe ainsi. Mais je ne suis pas un tueur pour autant. Et Garcieux serait sans doute en vie si ce fou n'avait pas cru pouvoir se vendre au clan des faucons les plus inquiétants que recèle Washington aujourd'hui. Cela, je ne pouvais l'accepter.

Il se tut de nouveau un instant. La tension se faisait plus sensible.

— J'ai essayé de le raisonner. De lui faire peur. Il m'a ri au nez. Il se croyait le plus fort. Les dollars de la CIA – ou de ce qu'il croyait être la CIA – confortaient son sentiment de puissance. Garcieux était devenu de plus en plus arrogant, de plus en plus fou pour dire vrai, cupide et malfaisant, imperméable à la raison.

Il marqua un temps d'arrêt.

— Alors oui, nous avons dû l'éliminer. Pour éviter qu'il ne livre aux Américains ce qu'il avait découvert, ou plus probablement qu'il organise une petite chasse au trésor en douce avant de mettre aux enchères le fruit de sa récolte.

Tommaso était bouleversé. Il pensait à Claire, à sa quête de l'assassin de son père, à sa colère lorsqu'il avait dépeint en creux, imaginant sans le savoir la réalité décrite par Adrian, son père comme un bandit. Et quand il rencontrait cet homme, c'était parce qu'il venait de lui sauver la vie. Il pensa qu'il allait falloir annoncer la vérité à la jeune femme.

— La chasse au trésor pour laquelle j'ai été contacté ? reprit-il d'une voix mal assurée.

— Exactement. Et qui a été annulée par la mort de Garcieux. D'où le recul de votre contact.

— Mais pourquoi monter une opération en solitaire si les Américains étaient prêts à payer ?

Adrian lissa sa barbe en souriant.

— C'est là effectivement un point curieux, je vous l'accorde.

Tommaso essaya de bouger en avant et réprima un cri de douleur.

— Je vous ai dit d'être raisonnable, gronda Adrian en l'aidant à se réinstaller sur l'oreiller.

— Vous avez dit quelque chose sur la CIA ? Qu'est-ce que ça signifie ?

— Blessé, mais attentif. Je ne suis pas certain que ce soit une opération officielle. J'ai de bonnes raisons de penser qu'il s'agit d'une action hors de toute filière hiérarchique autorisée, même celles déjà fort discutables qui permettent à la CIA de savoir et de n'être pas mouillée. Non, là, je crois qu'un groupe a pris la liberté de s'affranchir de sa hiérarchie. D'ailleurs si ce n'était pas le cas, il y aurait eu d'autres moyens de recherche pour vous traquer après votre évasion. S'ils n'ont pu les mobiliser c'est qu'ils auraient eu beaucoup de mal à justifier votre identité une fois qu'ils vous auraient localisé.

Tommaso cligna des yeux pour acquiescer.

— C'est aussi mon sentiment. Mais cela n'explique pas comment ils m'ont retrouvé.

Il tourna le regard pour observer de nouveau Adrian.

— Les attentats ? questionna-t-il.

— Croyez-moi ou non, mais je n'y suis pour rien. Je n'aurais pas les moyens logistiques, ou difficilement. Ça n'entre pas dans mes méthodes d'action. Et surtout, pourquoi voudriez-vous que je tue la poule aux œufs d'or ?

— Que voulez-vous dire ?

— Depuis vingt ans que j'ai découvert une partie de ces règles, j'ai eu le temps d'observer dans quelle mesure elles s'appliquaient aux lieux de pouvoir dans le monde et singulièrement en Europe. Servi en particulier par la chance formidable de l'écroulement du bloc de l'Est, j'ai eu la chance ensuite de reconstruire ou d'influer sur l'évolution de la plupart de ces lieux de pouvoir.

— Comment ? coupa Tommaso.

— Mais le plus honnêtement du monde, mon cher. En répondant à des appels d'offres, en concourant à des concours d'architecture, via des structures diverses. Et plus rarement, en opérant quelques petites modifications en toute discrétion.

— Les travaux…

— Oui, les travaux. Tenez, je ne voudrais pas vous fatiguer, mais je vais vous donner deux exemples. Un qui ne me concerne pas et un sur lequel j'ai travaillé. Savez-vous tout d'abord quelle est la caractéristique de la chambre des Communes à Londres ?

Tommaso fit signe que non.

— C'est que tous les députés n'y ont pas de siège. La taille du lieu ne le permet pas. Mais ces dimensions ont en revanche des vertus qui vont bien au-delà de l'influence fédératrice de la promiscuité que Winston Churchill revendiqua après guerre pour empêcher une modification des lieux. Deuxième exemple, quand vous aurez un instant, documentez-vous sur le sens d'entrée en séance en vigueur au Parlement français, au Palais-Bourbon. Vous verrez qu'il a été modifié il y a quelques années et rétabli dans le sens originel, indiqué par les figures des statues portant les piliers de la salle des quatre colonnes. Un élément passé inaperçu aux yeux de beaucoup. Et pourtant porteur d'un vrai pouvoir, parce que déterminant le sens de circulation et d'entrée des parlementaires, en particulier à l'occasion des votes solennels.

— Mais quelles influences concrètes exerçaient ces paramètres ?

— Des influences diverses selon les pays. Hormis l'Angleterre, je vous l'ai dit, havre de stabilité, ils permettaient peu à peu, à petites touches, de dessiner un visage plus cohérent du continent politique, que les rivalités s'atténuent, que les arguments réciproques soient mieux entendus et mieux compris de chacun des protagonistes. Le bâtiment nouveau en cours de construction pour la Communauté européenne était un élément important de ce dispositif. J'y travaillais avant l'attentat. Sous couvert de préconisations architecturales, j'espérais façonner à ma manière ce bâtiment, y organiser une plus grande capacité de dialogue, plus de fluidité.

— Pourquoi me dites-vous tout cela ?

— Parce que vous le saviez déjà. C'est cela, n'est-ce pas, que vous êtes allé vérifier à Bruxelles, prenant un risque qui a failli vous être fatal ? Et puis aussi parce que je vous fais confiance. En vous observant depuis quelques semaines, j'ai constaté que vous n'êtes compromis avec aucun de mes adversaires. Vous avez la compétence pour faire le travail. Vous avez compris que posséder ces éléments était votre meilleure assurance-vie. Tout cela m'allait très bien. Jusqu'à ce que la Navy s'en mêle…

— Mais alors les attentats ? Qui pouvait être au courant ?

— Très peu de gens, je vous l'accorde. Moi, Garcieux, les Américains s'il les a informés. Moi, je n'avais pas intérêt à empêcher que se réalisent ces travaux.

Tommaso ouvrit des yeux éberlués.

— Vous voulez dire que…

— Des francs-tireurs émancipés de la CIA, poussés au crime par la dérive impérialiste de certains membres de l'Administration, ont décidé d'opérer des attentats terroristes sur le sol de leurs alliés. C'est exactement ce que je crois.

— Mais pourquoi ?

— Parce qu'ils ne possédaient pas la maîtrise de ces éléments et craignaient d'intervenir trop tard. C'était en quelque sorte une série de frappes préventives. Et votre bateau coulé n'est qu'un épisode dans la même lignée. Ils préfèrent tout détruire et que personne n'ait rien plutôt que d'autres possèdent ce qu'ils n'ont pas.

Adrian sourit.

— N'oubliez jamais : à qui profite le crime ?

Tommaso resta silencieux un instant. Il repensait à sa réflexion : « La seule question qu'ils ne m'ont jamais posée est à propos des attentats. »

— Et Garcieux les aurait guidés dans le choix des cibles ?

— Oui.

— Ils nient y être pour quoi que ce soit.

Adrian leva un sourcil interrogateur.

— J'ai pris contact avec un diplomate anglais depuis longtemps versé dans les relations avec les services américains. C'est pour cela que je voulais passer par Palerme, où il est en poste. C'était un ami de mon père, un ami très proche. Il a accepté de se renseigner, et de prendre contact avec un de ses propres amis en qui il a toute confiance au sein de la CIA. Je lui ai fourni la plaque de l'agent tué à Jérusalem et les copies des documents que j'ai volés en Roumanie.

— Ce n'est pas contradictoire. Je vous dis qu'à mon sens les officiels ne sont pas au courant.

Tommaso se rembrunit de nouveau.

— Cela ne règle pas l'essentiel. Que savez-vous de l'enlèvement de ma fille ?

— Vous êtes tout de même extraordinaire ! Je vous sauve la vie et vous voulez absolument me soupçonner de tous les méfaits de la terre !

Adrian se pencha en avant. Toute ironie avait déserté sa voix.

— Soyons très clairs. Je ne tue pas et je n'enlève pas les gens, sauf cas de force majeure. Je vole oui, ou tout au moins je profite de l'anarchie ambiante et de la cacophonie entre les peuples pour tirer mon épingle du jeu. Mais seulement au détriment de gens qui ne méritent pas de considération et ne jouent le plus souvent qu'avec de l'argent qui ne leur appartient pas. Alors, pour la dernière fois, je n'ai rien à voir dans l'enlèvement de votre fille. Pas plus que je n'ai essayé de vous tuer l'autre jour dans l'appartement de Garcieux.

— Mais alors qui ? Les mêmes ?

— Nous allons voir. Il faut tout d'abord pousser notre avantage à l'égard de nos amis américains. Achever de les mettre en difficulté.

Une ombre de plaisir passa sur son visage.

— Et pour ça, j'ai quelque chose : le film entier de l'attaque et de la destruction du bateau. Quelque chose dont je doute que le Pentagone se réjouisse qu'il puisse être diffusé par les principaux médias dans les vingt-quatre heures. Je pense même que vous feriez bien de repasser un coup de fil à votre ami anglais. Ça pourrait compléter utilement la petite conversation qu'il a eue avec son correspondant…

38

Le directeur adjoint Brandon Kersey baissa la tête et accéléra le pas pour sortir de la zone dangereuse. Les pales du rotor faisaient onduler l'herbe à la ronde et créaient des turbulences qui soulevaient sa veste pied-de-poule et sa cravate verte.

Sans se retourner, il traversa le pré et s'engagea sur l'esplanade couverte de graviers qui bordait le bâtiment blanc au toit rouge. Il leva les yeux au ciel et espéra que les nuages menaçants qui montaient à l'horizon n'empêcheraient pas son hélicoptère de repartir vers Boston puis Washington dès l'entretien terminé. Il avait toujours détesté ces convocations toutes affaires cessantes, et la météo difficile avait cette fois rendu plus désagréable encore le voyage improvisé dans le bruit fatigant des rotors et du moteur. Il n'avait aucun goût non plus pour la capitale, mais en cet instant, rien ne lui paraissait plus délectable que l'idée de la regagner dès que possible.

— Jamais compris cette passion pour les mises au vert à Cape Cod, grogna-t-il.

L'agent du Secret Service en faction devant le perron descendit les marches d'un pas rapide et alla au-devant de lui pour le saluer.

— Bienvenue, sir. Il vous attend.

Kersey répondit à peine d'un hochement de tête et lui emboîta le pas.

Ils entrèrent par une porte donnant sur une colonnade vitrée qui desservait plusieurs pièces en enfilade au premier étage. Il se rappela une photo publiée par *Time*, avant la dernière campagne présidentielle, pendant la période où les médias désespéraient de mettre en scène un vrai combat pour la tenue des primaires.

L'homme qui accompagnait l'actuel président des États-Unis d'Amérique sur la photo se matérialisa soudain devant lui. Vêtu d'un jean et d'un polo de sport, il ressemblait à n'importe quel manager souriant et bronzé. « Quitte à faire deux mille kilomètres en hélico au milieu des trous d'air et sans avoir le temps de faire une valise, juste pour se faire engueuler, autant que ce soit par lui », songea Kersey.

Au moins Jason Taft, le conseiller spécial pour la Sécurité, savait-il de quoi il parlait…

— Merci d'être venu si vite. Le vol n'a pas été trop pénible ?

La poignée de main franche et puissante trahissait le professionnel. La carrière active de Taft dans l'armée était loin et malgré ses quarante-cinq ans, l'homme était déjà devenu un vrai professionnel de la politique.

— On ne nous a pas tiré dessus, répondit Kersey, je ne peux donc pas me plaindre.

Taft eut la délicatesse de rire un peu plus que nécessaire.

— Vous ne direz rien, hein, j'ai votre parole ? répondit-il en désignant son sweat-shirt aux couleurs des Yankees.

— C'est vrai que je vous aurais davantage vu aux couleurs des Red Socks, répondit, flegmatique, le directeur adjoint en ôtant son imperméable vert mastic.

« Comme tous tes électeurs », pensa-t-il en se remémorant les bruits de couloir sur les velléités du conseiller de se faire élire à Boston.

— On ne se refait pas, sourit Taft avec un regard faussement contrit.

— Je peux comprendre, répondit Kersey sur le même ton. Premier match ?

— 1969, contre les Red Socks justement. J'avais six ans.

— Alors vous êtes inattaquable.

— Tant mieux. Montons, nous serons mieux dans mon bureau pour travailler.

Kersey acquiesça et s'engagea à sa suite dans l'escalier en pensant que le round d'amabilités achevé, il n'aurait sans doute plus guère l'occasion de revoir ce magnifique sourire aujourd'hui.

Comme ils atteignaient le palier, un grondement de tonnerre fit naître en lui une inquiétude plus tangible sur ses chances de revoir Washington dès ce soir.

*****

— Je suis vraiment désolé d'avoir été obligé de vous faire venir ici pour si peu de temps, mais votre dossier m'a effrayé. Et je dois voir le Président demain, commença le conseiller, le regard posé sur la chemise que Kersey reconnut comme le document ultra-confidentiel qu'il avait transmis vingt-quatre heures plus tôt.

Le professionnel avait repris sa place devant le politique.

— Votre source, cet Anglais, il est fiable ?

Kersey hocha la tête.

— Vous avez vu le rapport détaillé. Jeremy Baldwin est absolument fiable.

— J'avais compris à l'issue de notre dernière réunion que nous devions étudier des scénarios pour pousser nos adversaires à se dévoiler…

— Moi aussi, monsieur.

— Je ne crois pas avoir vu ces scénarios…

— Moi non plus, monsieur.

— Mais nous avons perdu à Jérusalem un agent qui enquêtait sur ce dossier manifestement sans que j'en sois informé.

— Moi non plus, monsieur, enfin j'ai été informé de son décès, mais officiellement dans un accident de la route.

— Et ensuite pour compléter votre mémo déjà très inquiétant, nous recevons via nos amis anglais un magnifique document sur les capacités d'intervention de nos hélicoptères en Méditerranée dont là aussi ni le directeur adjoint ni le conseiller à la sécurité n'ont été informés…

— Officiellement, c'est une opération de suite sur une enquête de livraison d'armes à destination d'un groupe…

Le conseiller coupa sèchement en jetant le dossier sur le bureau dans un geste de rage.

— Nous n'avons pas de temps à perdre avec ces conneries ! Alors épargnez-moi les salades qu'on sert aux journalistes ou aux curieux.

Il fit un effort pour se dominer et reprit d'un ton plus calme :

— Comprenons-nous bien. Je vous sais gré de m'avoir informé. Et j'ai conscience qu'il ne doit pas être très agréable de devoir attirer l'œil de l'administration sur le fait qu'une part de l'activité de vos personnels vous échappe totalement. Mais j'ai besoin de comprendre et de savoir jusqu'où ce bordel peut nous mener.

Il fixa Kersey intensément.

— Parce que personne ne croira que vous et moi et peut-être d'autres personnes ne savions pas. Qui était sur ce bateau et quel est le fin mot de ce merdier ?

Il chercha un paquet de cigarettes, en proposa une à Kersey qui accepta et l'alluma. Il tira une bouffée et s'apprêtait à répondre lorsque le conseiller reprit la parole sans lui laisser le temps.

— Et surtout, dites-moi qu'il n'y a rien de pire à endosser que d'avoir coulé un navire dans l'espace maritime d'un pays allié.

Kersey respira et ravala la phrase désagréable qu'il s'apprêtait à lancer. Une autre réponse se forma dans son esprit, et il se demanda comment il allait pouvoir…

— C'est-à-dire, commença-t-il, je crains que les interventions menées hors de la chaîne de commandement, en marge de l'enquête dont vous aviez été informé, ne se soient pas bornées à des actions à proximité de territoires alliés… En fait, je suis même convaincu que les atten…

Un roulement de tonnerre éclata à proximité, interrompant Kersey. Dans la lumière de l'éclair qui jaillit à travers la fenêtre à petits carreaux, le visage du conseiller Taft était si blanc que toute trace de sang semblait s'en être retirée.

39

— Regardez par vous-même !

Adrian s'effaça pour laisser la place à Tommaso, l'invitant d'un geste ample à prendre sa place devant le périscope. Dans le poste de pilotage du sous-marin, les hommes d'équipage allaient et venaient avec cette dextérité particulière des hommes habitués aux espaces confinés. Sous la lueur blafarde des néons bleutés, ils se tenaient en silence, se déplaçant avec souplesse d'un des écrans à l'autre. En retrait, près de la petite porte, presque voûté pour ne pas heurter les conduites qui couraient sur le plafond d'acier, Antoine considérait le spectacle d'un air méfiant, torturant entre ses doigts la cigarette qu'il ne pouvait allumer.

L'archéologue saisit l'une des deux poignées et colla son front contre le rebord de l'optique. Vêtu du même pull bleu foncé qu'Adrian et les deux hommes d'équipage qui veillaient au pilotage du submersible, il paraissait l'un d'eux. Seul son bras en écharpe tenu par un foulard et le pansement qui ornait encore sa tête le distinguaient. Tout dans son attitude nourrissait une impression de familiarité, témoignage des six jours passés dans l'espace confiné.

— Vous le voyez ? reprit Adrian.

— Antoine ! s'exclama Tommaso, la voix étouffée par la colonne du périscope, c'est l'*Aquilon*, droit devant nous à…

— … dix miles, compléta Adrian. Mais c'est bien lui, en effet.

Resté au fond de la pièce contre la porte, Antoine ne répondit pas. Il ne parvenait pas à se sentir à l'aise dans l'habitacle restreint où sa carrure paraissait plus imposante encore et le contraignait à une gymnastique permanente pour ne pas heurter les murs et les plafonds des coursives. Ni les livres ni la petite salle de gymnastique mis à leur disposition n'avaient réussi à désarmer sa répulsion pour l'exiguïté des lieux. Seule la qualité des repas lui avait permis de retrouver une part de son allant.

— Nous allons patienter jusqu'à la nuit, poursuivit Adrian qui n'attendait pas de réponse, tandis que Tommaso continuait à observer la surface. Puis nous remonterons et l'annexe vous mènera à bord. Mieux vaut être discret. Après tout, vous êtes officiellement mort pour ceux qui voulaient vous tuer. C'est un avantage à ne pas gaspiller.

Tommaso se recula en repliant l'une après l'autre de son bras valide les poignées latérales qui commandaient le viseur électronique.

— Pour ceux qui ont kidnappé ma fille également.

Adrian lissa sa barbe, l'air songeur.

— Ce n'est pas certain. Rien ne nous dit que ce soient les mêmes. Ni qu'ils se parlent ou disposent des mêmes informations. Mais c'est bien sûr une hypothèse. Ils l'enlèvent pour faire pression sur vous, attendent de voir, puis paniquent ou jugent que le risque est trop grand et passent à l'action directe.

Tommaso frémit intérieurement en songeant que s'ils se mettaient à prendre peur, Mathilde était encore plus en danger...

Adrian eut une moue sceptique.

— C'est un scénario. Mais à mon sens peu plausible.

Antoine fit un pas en avant.

— Ils n'ont même pas demandé quoi que ce soit ? dit-il du ton exaspéré de celui qui se heurte à un mur d'incompréhension. Et ils ont choisi de tuer tout le monde, délibérément ?

Adrian regarda Tommaso. Silencieux, celui-ci ne trahissait rien de ses pensées.

Un instant passa, puis Adrian rompit le silence.

— Allons dans ma cabine, nous y serons plus à l'aise pour attendre.

Et en maître du bord, il ouvrit le chemin sans attendre de réponse de ses hôtes.

*****

La cabine du propriétaire était un curieux mélange de luxe des années quatre-vingt et d'antiquités anciennes. Des vestiges de l'époque où le bateau appartenait à l'armada soviétique traînaient encore de-ci de-là, boutons de portes de placards, fauteuils profonds engoncés entre les cloisons étroites en bois sombre.

Adrian proposa un verre aux deux hommes qui refusèrent, se servit un whisky et désigna deux fauteuils avant de retourner le siège en demi-lune placé contre un minuscule bureau d'acajou sur lequel il prit place.

— Je vous dois encore des explications, entama-t-il d'un air enjoué. Sur mon rôle, et sur l'enjeu de cette histoire à laquelle vous êtes maintenant enchaînés.

Son regard passait de l'un à l'autre.

— Et puis j'aurai une question, mais chaque chose en son temps. Pour ne pas être trop long, retenez seulement que j'ai eu de la chance. La chance d'une rencontre, avec un architecte. C'était aux États-Unis, il y a plus de trente-cinq ans. J'étais très jeune, j'avais fui mon pays et j'étais riche. Je vous épargnerai les détails, mais sachez que je suis né quelque part dans le Caucase, au sud de l'actuelle Tchétchénie. Mon père était russe, de la race des pionniers envoyés sur place au nom de l'idéal soviétique. Ma mère était une enfant des tribus locales. J'ai passé mon enfance et ma jeunesse déchiré entre ma patrie humiliée et la propagande de la glaciation soviétique. Puis les premiers heurts de guerre civile sont apparus, à une époque où rien n'en filtrait à l'Ouest. Mon père y a trouvé la mort, et ma mère a organisé mon exfiltration vers la Turquie, où elle avait de la famille. Elle m'a accompagné un jour jusqu'à un bateau, sans rien me dire. J'avais quatorze ans. Je ne l'ai jamais revue. Là-bas, j'ai choisi de travailler pour les services occidentaux, les Britanniques puis les Américains. J'ai fait du renseignement. J'ai aussi livré des armes. Quand j'ai eu assez d'argent, je suis parti. Je voulais mener une autre vie. J'ai réussi à entrer aux États-Unis. C'est là que j'ai rencontré un homme. Cet architecte était âgé, inquiet. Il s'appelait Louis Kahn. Nous partagions le même sentiment désabusé à l'égard des puissants de ce monde. Mais le même diagnostic ne nous menait pas aux mêmes conclusions. J'étais en colère. Il observait, comme il l'avait fait toute sa vie. Cela m'a intrigué, puis à force de questions, dans la relation de confiance que nous avions, fondée sur l'expérience commune du déracinement, il m'a livré la raison de sa sérénité. Il avait percé une partie des règles qui régissent la vie des bâtiments. C'est l'histoire de Pythagore et du nombre d'or. Il y a autour de ce nombre et des recherches qui l'ont entouré deux choses qui n'ont pas été perçues : la première est que ce qui est vrai est ce qui est beau, pas ce qui est. Et la deuxième : ce qui compte est ce que l'homme perçoit. Or la nature est infiniment plus puissante que l'homme. De même qu'elle est capable de lui faire croire à une perspective qui n'existe pas par la grâce du nombre d'or, de même elle peut influencer les sentiments qui animent l'individu et les rapports qu'il entretiendra avec ses semblables. Cela, les hommes le savaient, mais ils ne le savent plus, parce qu'ils raisonnent à partir de deux autres erreurs majeures : primo, ils croient que l'homme est supérieur à la nature et secundo, que le rapport de l'homme à la nature est objectif. Double terrible méprise. Mon ami Kahn avait compris ces erreurs et étudié très attentivement tous les lieux de pouvoir. À partir des ouvrages les plus simples…

Il se leva et tira d'une bibliothèque un petit volume de cuir rouge qu'il tendit à Tommaso.

— … comme celui-ci : *L'Architecture des édifices parlementaires et la culture politique*, Charles T. Goodsell. Étude de science politique très amusante. Il faut que vous le lisiez.

Il se rassit, ses mains jouant de nouveau devant lui, comme prises par la passion.

— Puis il est allé au-delà, comparant les conceptions et les architectures. Savez-vous par exemple que le Palais impérial de Tokyo est bâti sur un schéma absolument identique au Temple de Jérusalem ? Lui le savait. Et il en avait déduit des règles mises en œuvre dans ses constructions, améliorées patiemment peu à peu. Par amour de l'humanité. Vous avez vu le siège de l'ONU ? C'est la première illustration de l'influence encore indirecte de mon ami Louis Kahn. Et très imparfaite, je dois l'avouer. Ces règles, je l'ai aidé à les développer de manière industrielle et non plus artisanale. Puis j'ai fait de cet héritage un instrument. Pas de domination – ma science était trop parcellaire et il est mort trop tôt – mais de puissance. Je ne savais pas assez pour créer l'harmonie. Je savais assez pour la troubler. Pour créer la division. Pour empêcher que la puissance publique ne contrôle trop bien. J'ai été un artisan du chaos, j'ai profité du désordre, de la division, de l'impuissance, pour prospérer et mener en toute tranquillité toutes sortes de commerces que d'aucuns appelleraient trafics. La division, l'émiettement de l'Europe est de ce point de vue le plus beau terrain de jeu. Louis était un idéaliste. Le dernier d'une lignée d'expérimentateurs tracée à travers l'histoire et connue de très peu. Une lignée faite de tâtonnements, d'échecs et de demi-succès. Il rêvait vraiment de renouer avec l'harmonie perdue. Il n'a eu le temps de le faire que dans deux bâtiments : la bibliothèque de Yale et le Parlement du Bangladesh à Dacca.

Il montra successivement du doigt deux photos assez petites, en noir et blanc, serties dans des cadres dorés, qui décoraient la cabine.

— Regardez l'histoire de ce pays récent et regardez ce bâtiment, poursuivit-il en désignant la première photo. Vous vous rendrez compte que la transition sur vingt ans vers une démocratie plus équilibrée qu'a connue le Bangladesh entre 1971 et 1991 est bien plus facile à expliquer si vous considérez que ce bâtiment a exercé une influence active.

Il se pencha pour attraper la photo et la tendit à Tommaso.

— Les formes géométriques découpées dans les murs ne vous rappellent rien ?

Il reposa la première photo. Son regard glissa vers la seconde.

— Quant à Yale, n'est-ce pas amusant que personne n'ait analysé le rôle que le bâtiment qui l'abrite a joué dans la démultiplication du rayonnement des conversations entre les chercheurs ?... Et encore était-ce le fruit d'une connaissance parcellaire, imparfaite. Louis avait bien essayé de retrouver le rapport avec la lumière naturelle, rajouter des variables en analysant les saisons, en les intégrant dans sa conception de l'ouvrage...

Il se tut un instant, les yeux dans le vague.

— Vous savez ce que disait tout le temps Louis ?
« La question, c'est de savoir ce que les bâtiments souhaitent être. »

Adrian remit la deuxième photo à sa place, comme à regret.

— Moi je n'étais pas un idéaliste, ni un optimiste. Et je n'avais pas son talent. Entre-temps, mes jeunes années m'ont rattrapé. Mes anciens amis des services américains voulaient que je reprenne du service. J'ai choisi de disparaître, de rester dans l'ombre. J'ai prospéré dans la clandestinité… Avec les années seulement, fortune faite, j'ai essayé de suivre davantage les traces de Louis. Voilà, conclut-il en saisissant son verre qu'il vida d'un trait. Vous savez presque tout. Ce qui concerne l'irruption de Garcieux, son génie et sa médiocrité, sa cupidité aussi, je vous l'ai déjà raconté. En mêlant les deux récits, vous comprenez aisément quels espoirs j'ai fondés sur ses découvertes et quelle a été ma déception.

— Je crains de comprendre quelle est votre question, coupa Tommaso d'un ton amer.

Adrian tourna vers lui un regard perçant où luisaient de la joie et une sorte de férocité.

— Je n'en attendais pas moins de vous, mon cher.

— Vous vous demandez ce que nous avons eu le temps de mettre au jour avant d'être coulés.

Adrian sourit.

— Exactement. En tant que financier de l'expédition, ce n'est d'ailleurs que justice, non ?

Tommaso acquiesça.

— Ça l'est. À ceci près que le rapt de ma fille change un tout petit peu la donne. Ne vous méprenez pas, ajouta-t-il froidement devant l'air intrigué d'Adrian. Je ne mets pas en doute votre parole. Vous m'avez sauvé la vie, presque à deux reprises. Mais je ne suis sûr de rien. Trop d'éléments étranges se sont mêlés dans cette histoire, trop d'éléments que je ne parviens pas à mettre en relation mais qui me donnent le sentiment d'avoir été joué et manipulé. Je ne veux plus l'être. Je veux jouer avec mes règles et mes cartes. Je vous demande donc comme une faveur de ne pas m'en vouloir de vous cacher encore quelques jours le fruit de notre travail.

Adrian se pencha en avant, son visage en lame de couteau et sa silhouette tout entière captivée par la conversation.

— Mais tout a été détruit. Même si vous aviez remonté des choses, elles seraient reparties par le fond en miettes…

Tommaso eut un geste évasif. À côté de lui, Antoine comptait sur ses doigts en évoquant chaque hypothèse :

— Un : j'ai une bonne mémoire. Deux : nous avons été ravitaillés une fois pendant le travail. Trois, Claire n'était pas avec nous. Quatre, nous travaillons en FAO, en fouille assistée par ordinateur, ce qui fait que tout ce que nous voyons est scanné et mémorisé en images. Et cinq, aussi efficaces que soient les torpilles américaines, elles n'ont rien détruit de ce qui se trouvait dans la faille en contrebas du lieu du naufrage.

Il laissa sa main ouverte une seconde devant lui puis referma son poing.

— Cela fait cinq bonnes raisons, chacune d'entre elles suffisante, de n'être pas si sûr que cela, conclut-il.

Pendant que son ami parlait, Tommaso essayait d'imaginer ce que Claire et Isabelle pouvaient faire ou penser. Elles devaient attendre un appel, chaque jour, craindre sûrement le pire. Il avait hâte de les entendre.

Adrian se rencogna dans son fauteuil.

— Vous dites cela parce que vous avez peur de ne pouvoir entrer en contact avec les ravisseurs, ou pire, qu'ils comprennent que vous n'avez plus rien à négocier.

Tommaso sourit à son tour.

— Il n'y a qu'à moi que vous pouvez faire confiance, poursuivit Adrian. Alors, soit : il faut démasquer celui ou ceux qui ont fait cela, CIA ou non, et sauver votre enfant. Il faut donc bluffer si rien d'autre n'est possible. Et avec tout le monde, je veux bien vous suivre. Mais alors parole pour parole : je vous donne dix jours et dans dix jours, je veux le fin mot de tout cela. C'est entendu ?

Tommaso hocha la tête gravement.

— C'est entendu.

Un coup bref fut frappé à la porte qui s'ouvrit.

— L'appareil est prêt pour faire surface, monsieur, dit le marin qui venait de troubler la conversation.

— Venez, dit Adrian à l'intention d'Antoine, l'air frais vous attend.

Les deux amis se levèrent. Les yeux de Tommaso tombèrent sur une petite statue chinoise de terre cuite.

Adrian saisit son regard.

— Elle est jolie, n'est-ce pas ? Une acquisition merveilleuse. Je l'aime beaucoup. Le marchand qui me l'a vendue l'a sortie de Chine en contrebande.

Tommaso acquiesça.

— Elle est très belle.

Adrian sourit.

— Elle a même un nom. Mais je ne peux vous le dire parce que c'est un nom secret. C'est entre elle et moi, plaisanta-t-il.

Tommaso sursauta, comme frappé par une décharge électrique. L'élément qui lui échappait depuis des jours, ce morceau de puzzle qu'il avait traqué en vain dans sa mémoire, alors qu'il était au bord de l'épuise-

ment durant sa détention, venait de resurgir brutalement dans sa conscience.

Adrian se leva à son tour et se dirigea vers la porte
sans se rendre compte du trouble qui venait de saisir
son protégé.

— Vous venez ? interrogea-t-il, arrivé dans l'embrasure qu'Antoine venait de franchir avec peine en se
recroquevillant.

Tommaso resta une seconde encore les yeux fixés
sur la statue, comme frappé de stupeur. Adrian le considéra d'un air interdit.

Enfin, l'archéologue s'arracha à sa rêverie. En silence,
il s'engagea à la suite d'Adrian dans la coursive éclairée de néons.

La tête lui battait. Il était pris de vertige. Tout était
devant ses yeux. Depuis le début.

Il se ressaisit et régla son pas sur celui de son mystérieux hôte.

Tout était clair à présent dans son esprit.

40

La petite annexe n'était plus qu'un point à l'horizon, avalé par les vagues et la nuit, le bruit de son moteur un murmure imperceptible.

Tommaso garda encore un moment les yeux fixés sur la mer, là où le sous-marin venait de disparaître. Puis, comme à regret, il détacha ses mains serrées autour du garde-fou et se dirigea vers le cockpit.

Le décor familier et paisible de son bateau endormi rejetait les événements des jours passés dans une sorte de vertige irréel que corrigeait seulement la douleur aiguë de l'absence de Mathilde. Il pensa à Isabelle. La prudence commandait d'attendre, de ne rien faire qui puisse les mettre en danger plus encore. L'envie pourtant de décrocher le téléphone était si forte ! Il consulta la montre qui lui avait été fournie à bord du submersible, comme les vêtements et les chaussures qu'il portait. Elle indiquait 23 h 30.

Épuisé, Antoine venait de descendre se coucher.

— Tu me réveilles s'il y a quoi que ce soit ? s'était-il inquiété en se retournant sur les marches du petit escalier qu'écrasait sa silhouette massive.

Tommaso avait souri.

— Oui, oui, t'inquiète, va dormir. Je ne vais pas tarder à descendre moi-même.

— Tommaso ?

— Tu ne dors pas encore ?

— On va s'en sortir. On va la retrouver.

Il avait hoché la tête sans regarder son ami.

— Je sais, avait-il glissé tandis qu'Antoine descendait l'escalier.

Pas un souffle d'air ne troublait la quiétude de la nuit. L'atmosphère baignée de calme rendait plus frappante encore pour Tommaso l'émotion qui faisait battre son cœur et fonctionner son cerveau à toute allure. S'il avait raison, il avait peu de temps. Très peu de temps. Peut-être se trompait-il ? Tout s'enchaînait pourtant si nettement.

Il frémit en levant les yeux vers le ciel bleu foncé. Il ne tarderait pas à en avoir le cœur net. De toute façon, il n'avait pas le choix. Quel qu'il soit, il fallait appâter l'ennemi. Et pour cela il ne pouvait jouer qu'une carte.

Il s'accorda encore une minute puis, à regret, il s'arracha enfin à sa réflexion et se dirigea d'un pas déterminé vers le carré. En quittant le pont, il eut le sentiment que le calme de la nuit ne le suivrait pas à l'intérieur. Le besoin d'appeler Isabelle ne le quittait pas. Il hésita puis se résolut à faire les choses dans l'ordre qu'il avait arrêté. Il avait un autre coup de téléphone à donner avant.

À l'autre bout du fil, Jeremy répondit à la première sonnerie. Sa voix était claire. Il ne dormait pas.

— C'est moi.

— Tommaso ! Mais où étais-tu passé ?

— Je te raconterai. Je n'ai pas le temps. Il faut que je te parle. Je suis sur l'*Aquilon*. J'ai besoin de toi, encore.

— Mathilde ?

— Je n'ai pas de nouvelles. Pas de revendication. Rien. Mais j'ai du nouveau.

La voix de Jeremy faillit s'étrangler.

— Encore du nouveau ? Le film que j'ai reçu d'on ne sait où était déjà pas mal. Si c'est dans la même veine, mes correspondants vont finir par ne plus apprécier nos échanges.

— C'est moins visuel mais c'est la suite. Écoute, il faut juste que tu leur dises que j'ai ce qu'ils cherchent. Que j'ai l'objet. Dis-leur juste ça : il a l'objet. Ils comprendront. Dis-leur que leurs putains de missiles n'ont servi à rien. Que c'est une mauvaise nouvelle pour eux, mais que je suis bien vivant et que s'ils essaient encore un truc de ce genre, je vends ce que j'ai à n'importe qui, sauf eux.

— Ce que tu as ? Mais…

— Excuse-moi, Jeremy, mais on aura cette conversation plus tard. Je leur donne vingt-quatre heures pour reprendre contact s'ils ont quelque chose à me dire sur Mathilde. Tu entends ? Vingt-quatre.

— OK, Tommaso, je vais leur dire.

Il y eut un silence puis la voix de Jeremy reprit :

— Tu m'as fait drôlement peur avec ton film, animal. Tommaso ?

— Oui.

— Tu vas bien ?

— On fait aller.

— Prends soin de toi.

Tommaso entendit la tonalité qui marquait que Jeremy avait raccroché. Il resta un instant figé avant de reposer à son tour le combiné sur le socle noir. Il jeta un regard sur le ciel. À travers la vitre, il paraissait toujours aussi paisible. Il essaya d'absorber un peu de cette quiétude à travers la paroi de verre puis baissa les yeux de nouveau sur le cadran.

La nuit était loin d'être finie. Il songea avec plaisir qu'il allait d'abord appeler Isabelle. Il sourit en tendant la main pour composer le numéro. Bien profiter de chaque instant, de sa voix, d'elle. Après, il y aurait d'autres coups de fil à passer. D'autres lignes à jeter à l'eau.

41

Adrian apparut dans l'embrasure de la porte qui s'ouvrait dans le mur rond de la chambre. Tommaso sursauta. Comment Adrian était-il entré sans que son grand-père le voie ? Et pourquoi s'approchait-il du mur où gisaient les femmes décapitées ? Il remonta le drap au-dessus de sa tête, hésitant à crier. À travers la toile translucide, il voyait la silhouette longer le mur. Il allait leur donner vie.

La sonnerie du téléphone dans le cockpit fit sursauter Tommaso et l'arracha à son rêve. Il se précipita pour décrocher.

— Tommaso ?

Il reconnut la voix de Claire.

— Où es-tu ? demanda-t-il.

— Toujours à Paris.

Il y eut un blanc.

— Je suis dans une cabine. Si ton numéro est clair…

— Vas-y. Tu peux parler.

Tommaso sentait la tension dans sa voix. Une tension froide. Plus rien de l'inquiétude lorsqu'il l'avait appelée, la veille. Elle avait été soulagée d'entendre sa voix.

— J'ai eu peur. Je ne savais même pas pour le bateau. Mais impossible de te joindre…

Il lui avait dit que tout était incroyable, qu'il lui raconterait, qu'il n'avait pas le temps. Puis il lui avait parlé des recherches…

Les mots le ramenèrent brutalement à la réalité de cette nouvelle conversation.

— J'ai du nouveau, poursuivit-elle. Ils m'ont contactée.

— Ils ?

La voix de Tommaso tremblait. Le manque de sommeil : il était resté dans le poste de pilotage sans discontinuer, incapable de descendre se coucher, somnolant seulement par intermittence, d'un mauvais sommeil peuplé de cauchemars, comme celui dont il venait de s'éveiller.

— Les ravisseurs. Ils m'ont appelée.

Elle hésita.

— Je n'en ai pas parlé à Isabelle. Je voulais t'avoir d'abord…

Tommaso respira profondément avant de répondre.

— Tu as bien fait. Qui sont-ils ?

— Je ne sais pas. La voix était déformée. Ils m'ont dit que nous aurions des instructions. Ils veulent cet objet, Tommaso, ce que tu as remonté là-bas avant que le bateau ne coule. Ils veulent faire un échange.

— Quand ?

— Dans trois jours. En Écosse.

Stupéfait, il tarda à reprendre la parole.

— En Écosse ?

— Oui, dans l'Est, ils doivent me donner des instructions. Ils veulent que tu viennes seul, avec moi. Et que tu apportes ce qu'ils cherchent.

— Et quelles garanties j'ai ?

— C'est pour cela que nous devons être deux. Ils veulent un moyen de récupérer l'objet rapidement après notre entrevue. Une heure maxi. Et dans le même délai, on récupère Mathilde. Tommaso, tu es là ?

Tommaso essayait de contrôler l'adrénaline qui coulait dans ses veines.

— Claire, je prends le premier vol pour Londres. Dès que tu as les instructions, pars de ton côté. Je ne veux pas qu'ils nous filent. J'ai besoin d'être libre. Je t'appellerai en arrivant. Loue une voiture et va où ils te disent. Rassure-les. Je m'occupe du reste. Et je m'occupe aussi d'Isabelle.

Elle acquiesça.

— Claire ?

— Oui.

Sa voix était teintée d'inquiétude à présent.

— Merci. Tu avais raison. Je suis là-dedans jusqu'au cou. Et c'est moi qui te mêle à ça maintenant. Mais ne t'inquiète pas. J'ai assez de cartes en main. Je te rappelle demain.

Dans la fraîcheur du soir, il sentit en reposant le combiné une sueur moite couler au creux de sa main.

L'image de Mathilde, obsédante, tournait devant ses yeux.

*****

— Réveille-toi !

Antoine se dressa à demi dans le lit. Arraché à un sommeil profond, il tressaillit avant de se retourner et d'apercevoir Tommaso. Assis sur le lit, l'archéologue avait les traits tirés, les yeux rougis de fatigue.

Antoine se retourna sur un coude et attrapa le petit réveil posé à côté du lit. Le sommier craqua de manière inquiétante lorsque sa masse se déplaça vers le bord.

— Putain, il est 2 heures ! Qu'est-ce qui se passe encore ?

— Je vais t'expliquer. Antoine, j'ai peut-être trouvé le moyen de récupérer Mathilde. Alors, s'il te plaît,

habille-toi vite, répondit doucement Tommaso en dépo-
sant au pied du lit les vêtements ramassés sur la chaise
près de l'entrée de la petite pièce. J'ai besoin de toi et
on n'a pas de temps à perdre.

Antoine bâilla et se frotta les yeux puis fit basculer
ses jambes pour se retrouver assis sur le bord du lit qui
craqua plus fortement encore. Il enfila un tee-shirt
blanc frappé des mots « drive slow, sail fast » et se
dressa d'un coup.

— On va où ?

Sa voix avait retrouvé son accent flegmatique.

42

Le soleil pâle des terres d'Écosse disparut sous le front de nuages noirs qui barrait l'horizon. La lumière s'abaissa d'un coup, projetant une clarté irréelle sur l'herbe d'un vert cru, battue par les vents.

Tommaso s'apprêtait à embarquer sur la petite vedette qu'il avait louée dans le port d'Oban. Il s'arrêta sur la passerelle et leva les yeux vers le large. L'île de Mull se dessinait droit devant lui à quelque distance et, sur la droite, on apercevait la langue de terre qui fermait l'un des accès au loch Awe. La silhouette du phare planté à l'extrémité de cette pointe se dessinait au loin. Il savait qu'il lui faudrait quarante minutes à peine pour l'atteindre, dix de plus pour jeter l'ancre et rejoindre la berge. Malgré la concentration, il ressentait le plaisir indéfinissable de se retrouver juste au cœur de son univers. De retour chez lui.

Il baissa le regard, jeta son petit sac dans l'étroite cabine et sauta à bord.

Le dernier ferry régulier qui assurait la liaison entre Oban et Mull venait de quitter l'île pour rejoindre le continent. Derrière sa masse sombre qui doublait la pointe de l'île, on distinguait le sillage profond creusé dans la mer tempétueuse. L'orage était prévu vers

21 heures seulement, mais un vent de mer annonciateur soufflait déjà au-dessus des toits d'ardoise de la cité marine, fouettant les étendards qui battaient au-dessus de la distillerie d'Oban.

Tommaso était en avance. Il commença sans se presser à vérifier l'état du moteur. Il huma le vent frais qui jouait dans ses cheveux et sourit en retrouvant le goût salé de l'air marin. Il sentait la tension dans tout son corps, jusqu'à l'extrémité de ses doigts qui tremblaient en enroulant le coupe-circuit autour du bloc moteur. Machinalement, il toucha le col de sa veste, le remit en place. Tout était lancé à présent, il ne pouvait plus contrôler autre chose que sa propre conduite. Pour le reste, il n'y avait plus qu'à prier qu'il n'ait pas commis d'erreur d'appréciation…

Ils avaient pris deux avions différents avec Antoine. Deux vols indirects, avec les passeports fournis par Adrian. Antoine transitait par Paris, pour récupérer Isabelle. Ils ne s'étaient même pas croisés à Londres, Antoine arrivant directement à Glasgow. À mesure que les instructions se précisaient via Claire, Tommaso adaptait son propre plan. Conformément aux instructions reçues, ils devaient arriver séparément sur l'île.

Maintenant, plus rien ne pouvait être modifié.

Le moteur démarra du premier coup. Il se dégagea lentement de sa place et traversa le port à petite allure avant de mettre le cap sur les tours de Torosay Castle.

Le petit débarcadère en ciment était désert. Les anneaux rouillés et le coin ébréché qui laissait apparaître les armatures de fer trahissaient la déshérence de l'endroit depuis qu'il n'y avait plus de gardien.

Tommaso sauta à quai, l'amarre dans la main, et attacha son bateau. Surpris, il pensa qu'il devait être le premier. Ou bien Claire avait-elle pris soin de camoufler sa propre embarcation ?

À pas lents, il grimpa la pente herbeuse qui menait à l'esplanade du phare. Comme il l'atteignait, le bruit d'un moteur le fit se retourner. Il chercha un instant avant de distinguer le zodiac noir qui remontait le loch Linnhe, de l'autre côté, en provenance de Port Ramsay. La silhouette de Claire, vêtue d'un ciré bleu, se détachait sur la mer grise. Il l'observa accoster puis la suivit des yeux tandis qu'elle le rejoignait, ne la perdant de vue qu'un instant, masquée par le sommet de la butte, avant qu'elle ne réapparaisse en plein vent.

Les mains dans les poches, il la regardait avancer vers lui, baignée de l'éclat cru de la lumière d'orage. Comme elle approchait, il croisa l'éclat inquiet de ses yeux sombres. Quelques gouttes commençaient à tomber, mêlées aux rayons du soleil.

43

Claire s'approcha, parcourant les derniers mètres qui les séparaient. Elle se pencha pour l'embrasser sur la joue et lui serra le bras, comme pour l'encourager.

— Nous sommes en avance, dit-elle en se retournant vers le phare.

Puis, comme Tommaso demeurait silencieux :

— J'espère qu'ils ne vont pas tarder.

Elle effleura de nouveau sa manche.

— Tout va bien se passer. Juste un moment et ce sera fini.

Le vent balayait à présent l'herbe haute de bourrasques régulières.

— Tu as apporté ce qu'ils attendent ? reprit-elle en s'écartant de quelques pas.

Il acquiesça de la tête, secouant le sac à dos à son épaule.

Un sourire illumina son visage tandis qu'elle frissonnait sous une rafale de vent. Elle se retourna d'un mouvement svelte et s'écarta vers le rebord du plateau. Tommaso regardait sa nuque, ses cheveux courts, son allure élégante tandis qu'elle s'éloignait.

Il sortit les mains de ses poches, passant machinalement les doigts de sa main gauche sur la cicatrice presque refermée de son poignet, et fit un pas en avant.

— Quand j'étais petit, je suis venu ici une fois avec mon père. Je crois que c'était exactement ici, parce qu'un Mac Donnell a été capturé et exécuté à deux pas, dans le château dont tu vois la tour, en face des îles, Duart Castle.

L'intonation de sa voix se fit plus sèche.

— Et tu sais ce qui est drôle ? C'est que la seule fois où j'ai vu ton ami maître Lowell, l'avocat anglais, il m'a offert un whisky assez simple et peu connu qui est fabriqué occasionnellement dans une petite distillerie à l'autre bout de l'île… Nous bouclons la boucle, en quelque sorte.

Il fit encore un pas vers elle. Elle s'était raidie mais sans se retourner vers lui.

— Personne ne va venir, n'est-ce pas ? laissa-t-il tomber d'une voix froide.

Elle se retourna, son sourire figé dans un air d'incompréhension.

— Pas plus la CIA que n'importe qui ? ajouta-t-il.

La jeune femme restait sans répondre.

— C'est toi qui ne dis plus rien ? reprit-il.

Il leva les yeux vers le ciel.

— Je ne veux pas m'impatienter, mais il fait froid. Personne ne va venir. Pas d'hélicoptère, pas de sous-marin. Alors je ne sais pas ce que tu attendais ou quelle était la suite de ton petit scénario, mais il faut achever.

Il serra ses paumes l'une contre l'autre puis remit ses mains dans ses poches.

— C'est fini, Claire.

— N'avance pas !

Elle fit un geste rapide pour porter la main à sa hanche, soulevant la veste de quart qui masquait sa silhouette. Un pistolet d'un noir mat apparut dans sa main droite.

Tommaso sourit.

— C'est la deuxième fois que tu me tiens en joue.

Elle leva sur lui un regard interrogateur.

— Et comment en es-tu arrivé à comprendre ?

— C'est l'e-mail. Mais j'ai mis beaucoup de temps…

— Quel e-mail ?

— Celui de ton père. Enfin pas de ton père justement. Chez Lowell, j'ai trouvé une adresse postale, celle de ton père, et une adresse e-mail, dont j'ai cru naturellement qu'elle était à ton père. Elle était différente de celle de son bureau, mais c'était normal de dédier une adresse spécifique à ce dossier. C'était même indispensable. pgarcieux@hotmail.com, c'était forcément lui. Quel idiot, j'aurais dû comprendre bien avant que c'était toi, pgarcieux, et pas lui.

Claire ne répondit pas, mais arma le pistolet en tirant la culasse. Le bruit métallique résonna dans l'air silencieux de l'orage qui montait.

— P, ce n'était pas Paul. C'était Paola. Comme sur la photo chez vous, à la campagne. Mais j'ai compris bien tard.

Elle tendit le bras.

— Trop tard. J'aurais dû m'en débarrasser.

— Lowell savait ?

— Non, c'était pratique. Lowell ne savait rien.

— Et le coup de téléphone lui demandant d'arrêter les frais ?

— Je l'ai donné moi-même.

Il hocha la tête.

— Et pourquoi tout arrêter ?

— J'étais frappée par la mort de mon père. J'avais peur. Et je ne voulais pas que la CIA ni les autres cinglés remontent jusqu'à moi. Je préférais différer et couper les pistes. J'avais raison, puisque toi, tu es remonté jusqu'à moi.

— J'avoue que j'ai eu aussi un doute en voyant que la CIA ne pouvait pas être responsable de tout. S'ils tiraient les ficelles, alors ils devaient avoir des infos que je n'avais pas. Or ce n'était pas le cas. Et s'ils en étaient réduits à pulvériser le patrimoine de leurs alliés, c'est qu'ils avaient du retard. Ils croyaient que c'était sur moi. Mais moi je savais que ce devait être sur quelqu'un d'autre. Et puis tu ne m'as jamais posé de question sur mon passé professionnel, sur l'affaire du CNRS : évidemment, puisque tu savais déjà tout via Lowell. Enfin il fallait bien que quelqu'un les renseigne sur où j'étais, pour qu'on me retrouve si facilement… Et quelqu'un qui sache où tendre un piège à Isabelle…

Il fit un geste. Claire affermit sa main.

— N'avance pas, Tommaso.

— Mais pourquoi ?

— Mon père ne savait pas valoriser ce qu'il possédait. Et il était devenu parano, perdu dans sa manie de la persécution. Il se méfiait même de moi, il voulait m'écarter de tout, me priver de l'héritage auquel j'avais droit. Il se serait fait doubler. Je voulais juste aller plus vite que lui. C'est pour cela que j'ai contacté de mon côté, incognito, la CIA. Je les connaissais bien, tu sais ; je les ai côtoyés autrefois, quand j'étais au Vietnam. Et puis ils payaient très bien. J'ai gagné beaucoup d'argent. Et je vais en gagner beaucoup plus encore. Petit à petit, j'ai récupéré des infos sans vraiment les comprendre, surveillé ses travaux, lu et relu les indications de ses mails. Il ne se rendait compte de rien. J'ai nourri l'inquiétude au sein de la CIA de ceux que les contacts officiels avec mon père frustraient. Ils craignaient de ne pas le contrôler. Ils pensaient que puisqu'il avait parlé à d'autres, cela pouvait mettre en place en Europe quelque chose qui dresserait face à l'Amérique une puissance, réelle peut-être, en tout cas une puissance autonome. Et ils ne voulaient pas cela, ils voulaient diviser l'Europe. Ils voulaient la garder faible. À tout prix.

— Au prix même des attentats, compléta Tommaso.

— Bien sûr. Ils savaient que la hiérarchie ne supporterait pas l'idée mais pensaient qu'elle serait ravie que d'autres fassent sans qu'elle ait à assumer. Ils ne voulaient pas que l'Europe puisse sortir de la cacophonie. Je les ai aidés, je leur ai expliqué où frapper. Faute de contrôler les choses, ils préféraient les détruire.

Il murmura.

— Hasdrubal...

Elle eut un sourire moqueur.

— Tu connais cette histoire ? Eh bien oui, il y a de cela. Et puis peu à peu, j'ai compris l'importance de l'épave. Il me manquait juste les coordonnées. Je me doutais que mon père les avait, mais je n'ai pas eu le temps de mettre la main dessus avant qu'il ne soit assassiné. Et maintenant il ne me manque que l'objet lui-même.

— Pourquoi tout ce cinéma ?

— Je ne savais pas qui avait tué mon père. J'ai eu peur que les Américains essaient de me doubler. Quand tu es entré dans le jeu par hasard, en remontant la piste à Paris, j'ai d'abord été furieuse et puis après la fusillade, j'ai compris l'intérêt que cela avait pour moi. Tu étais mieux à même de suivre cette piste que moi et en prime, tu m'offrais une magnifique couverture en attirant les regards et les soupçons sur toi. Je n'avais qu'à te laisser travailler, dénicher les indices, les interpréter. Et je savais bien qu'à un moment, tu retrouverais les documents sur le bateau et tu saurais donner sens à tout cela. Enfin, aux yeux de ces fous, tu étais sincère et donc moins inquiétant que je ne pouvais l'être. Ils n'auraient jamais eu confiance en moi et m'auraient percée à jour tout de suite.

La voix de Tommaso était incrédule :

— Pour de l'argent ? Tu as fait tout ça pour de l'argent…

Claire le foudroya du regard.

— Qu'est-ce que tu crois ? L'argent oui, bien sûr ; après tout, qui comprend autre chose ? Mais je voulais surtout montrer une bonne fois pour toutes qui j'étais, à ses yeux à lui et à ceux des autres. Je voulais être la plus forte. Tu es assez naïf pour gober ce système où chacun parle de vérité et justifie ses actes à longueur de temps ? Mais il n'est jamais question que de tuer, Tommaso. Tuer et s'enrichir.

Elle s'exaltait en parlant.

— C'est toi l'enfant. Tu veux que je te dise comment il est, ce monde ? Quand je suis partie au Vietnam, je croyais moi aussi qu'on pouvait soulager les souffrances, organiser les choses pour qu'il y ait plus de paix et d'équilibre. Et puis j'ai vu l'action de l'ONU, minée par la corruption, affaiblie par la médiocrité, instrumentalisée par les services secrets… Tu sais ce qui m'a fait partir ? Un jour, dans le secteur où je m'occupais de l'aide humanitaire, un diplomate européen s'est mis en tête de recenser les prisonniers détenus dans deux centres géants contrôlés chacun par une faction différente. Comme le protocole de l'ONU le lui demandait, et comme la CIA l'a encouragé à le faire en sous-main sans qu'il s'en rende compte, il a informé tout le monde de sa visite prochaine et de son dessein. Soi-disant qu'il était là pour protéger les prisonniers. Mais quand nous sommes arrivés, les prisons étaient vides. Ils les avaient tués. Tous. Trois ou quatre mille personnes, des femmes, des enfants. Pour que nul ne témoigne des horreurs commises. Et que l'on ne sache pas non plus quel rôle jouaient les services occidentaux dans ce conflit… C'est cela, Tommaso, la réalité de ce monde. Alors quand j'ai vu ce que ces fous prétendaient faire, j'ai décidé que c'était assez, que puisque le chaos était la vérité de ce monde, j'allais faire en sorte de tirer mon épingle…

— Tu as très bien joué le jeu, coupa Tommaso d'un ton où perçait une pointe d'amertume.

— Ce n'est pas un jeu, Tommaso. Tu n'avais rien à faire là-dedans. Mais si tu t'étais vu ! Tu étais si charmant à ne plus savoir où donner de la tête. J'ai presque cru que tu étais amoureux de moi, tu sais. Mais tu étais trop occupé à faire les comptes de la faillite de ta vie personnelle…

Il la coupa.

— Où est Mathilde ?

— Où est l'objet ?

Un éclat de colère traversa le regard de Tommaso.

— Je ne vais pas te le demander deux fois. Ton sac à dos.

Elle jeta un œil à droite et à gauche.

— C'est ta dernière chance, Tommaso. Ne fais pas l'imbécile.

Impassible, Tommaso la fixait sans bouger. Puis il déboucla son sac à dos et le lança. Elle s'agenouilla sans le quitter du regard et ramassa le sac avec précaution.

Elle cria :

— Vide ! Mais tu ne comprends pas qu'elle va mourir aussi !

Elle tremblait. Tommaso regardait l'orifice noir du canon osciller face à son visage. La voix de Claire retomba d'un coup.

— Tu ne croyais pas que j'allais venir avec ? reprit Tommaso. Je veux Mathilde d'abord. Tu l'auras ensuite…

— Tu ne l'as pas, n'est-ce pas ? coupa Claire. Tu bluffais. Toute l'histoire de la faille et de la plongée, c'était juste un rideau de fumée pour te protéger…

Il la toisait toujours du regard.

— Qu'est-ce que tu crois, au fond de toi ? demanda-t-il

La colère faisait briller ses yeux sombres.

— Je vais te tuer, Tommaso.

Sa deuxième main vint se poser sous la crosse de l'arme, pour donner plus de stabilité à son tir. Elle s'efforçait de contrôler son regard qui cherchait à s'assurer à droite et à gauche contre toute intrusion.

Elle eut une grimace de mépris.

— C'est ça, ma force. Que tu sois incapable de ne pas me faire confiance.

Elle ajusta sa cible.

Le coup de feu déchira le silence en un long claquement. L'écho de la falaise renvoya le son décomposé de la détonation.

Tommaso sursauta.

Le deuxième coup couvrit l'écho tandis que l'arme de Claire décrivait une longue arabesque dans l'air, scintillait dans le soleil avant de retomber plus loin dans l'herbe. Le bras tendu à demi vers le ciel, Claire resta encore une seconde oscillante. Puis elle s'effondra d'un coup.

Mains ouvertes, Tommaso vit la tache sombre s'élargir au milieu de sa poitrine. Il se précipita et se pencha vers elle. Les yeux fixes, Claire était déjà morte.

Tommaso se releva, cherchant où se cachait le tireur. L'écho du deuxième coup, celui tiré nerveusement par Claire dans sa chute, s'éteignait lentement. Le vent en rafales reprit sa danse. Un nuage noir couvrit un instant la lumière. À perte de vue, Tommaso ne distinguait pas âme qui vive.

« Mathilde... », songea-t-il le cœur serré.

44

Tommaso n'aurait su dire s'il s'était écoulé une, cinq ou dix minutes. Les nuages noirs s'étaient emparés de la totalité du ciel, plongeant la presqu'île dans une nuit précoce. Le vent qui hurlait le fit frissonner. Il ne parvenait pas à détacher ses yeux du cadavre de Claire. Les rafales faisaient osciller ses cheveux sombres, rabattaient le col de sa veste par intermittence. Il avait dans la bouche un goût amer.

La porte du phare s'ouvrit avec un grincement métallique puis un claquement sec lorsque le vent la saisit pour la rabattre contre les pierres blanches de la tour. Tommaso plissa les yeux. À travers les gouttes épaisses qui commençaient à tomber, il aperçut deux silhouettes vêtues de blousons noirs, portant des bonnets noirs eux aussi. L'une d'entre elles tenait un fusil. Elles restèrent à distance. La deuxième avait sorti des jumelles. Tommaso se demanda si ces hommes étaient les mêmes qui avaient tué Paul Garcieux. L'une des silhouettes leva un bras.

Un grondement différent des roulements du tonnerre lui fit lever les yeux. Dans la nuit tourmentée, deux taches rouges et vertes venaient d'apparaître en provenance de la côte. L'hélicoptère volait bas, lentement, au-dessus des vagues qui claquaient sur les rochers. Tommaso observait la manœuvre experte du pilote. Il jugea que c'était une folie d'avoir pris l'air par ces conditions atmosphériques. Mais il n'était pas étonné, connaissant assez celui qui avait donné l'ordre du décollage.

L'appareil vint se placer au-dessus de la presqu'île pour préparer son atterrissage. Lentement, il descendit jusqu'au sol. Les perturbations du rotor se superposaient à celles du vent, plaquant la végétation. Trempé jusqu'aux os par la pluie qui se renforçait, Tommaso attendit que l'hélicoptère soit posé, moteur tournant, pour s'approcher de la cabine. La porte s'ouvrit et il reconnut Adrian, courbé en deux. Il retenait d'une main la casquette de base-ball surmontée d'une capuche qui protégeait sa tête et portait un coupe-vent bleu nuit. Deux hommes le suivaient. L'un resta près de l'appareil tandis que le deuxième rejoignait le tireur et son acolyte avant de se diriger vers le cadavre toujours gisant sur la lande.

Tommaso se précipita, mais Adrian lui indiqua par gestes qu'il n'entendait rien et lui fit signe d'aller vers le phare. À grandes enjambées, ils atteignirent le petit auvent qui surmontait l'escalier principal et s'y abritèrent.

— Où est Mathilde ? cria de nouveau Tommaso.

Adrian posa ses deux mains sur ses avant-bras.

— En sécurité. Sur un bateau en route vers l'Écosse, comme vous le pensiez. Nous avons surveillé les communications de Claire pour le repérer. Et nous l'avons arraisonné alors qu'il croisait au large de l'Irlande. Il a remonté le long du golfe de Gascogne, contourné la Bretagne puis fait route vers l'Irlande et caboté autour de l'île. Quatre hommes d'équipage, des petits voyous minables recrutés je ne sais comment, pour leurs capacités nautiques j'imagine. Ils n'ont pas hésité plus de cinq minutes à nous donner les codes servant à leurs échanges avec Claire.

— Comment va Mathilde ?

— Bien. N'ayez aucune crainte. Elle est à bord du sous-marin avec Isabelle. Elle sera demain en Angleterre. D'après votre femme, elle est très secouée mais en parfaite santé. Elle n'a pas été maltraitée.

Adrian poussa la porte de l'épaule et fit signe à Tommaso d'entrer. L'archéologue le suivit sans mot dire. Il avait envie de le serrer dans ses bras. Il ne parvenait pas à parler. D'un coup, le soulagement irradiait son corps, toute la tension accumulée jusqu'au face à face avec Claire s'évacuait à flots, comme lavé par la pluie froide d'Écosse.

À l'intérieur, le silence était reposant. Le fracas des intempéries ne parvenait qu'à peine à traverser les murs épais et les vitrages renforcés.

Ils entrèrent dans une pièce à vivre aménagée au temps où un gardien était présent sur le site pour lui permettre de se reposer. Tout était resté en l'état, meublé dans les années cinquante. Adrian écarta le rideau d'une fenêtre et observa ses hommes. Ils chargeaient le corps à bord de l'hélicoptère.

— Elle aurait tiré, dit Adrian. Elle allait tirer.

Tommaso essuya son front ruisselant d'un geste inutile. Il ôta à son tour son manteau et s'assit sur un fauteuil recouvert de skaï en face d'Adrian.

— Je sais. Mais votre tireur doit être un expert. Il aurait pu la blesser seulement : si nous n'avions pas trouvé Mathilde…

Adrian eut un sourire féroce.

— Par ces conditions, à cette distance, même les experts prennent des précautions. De toute façon, nous avions Mathilde. Et puis…

— Et puis ? répéta Tommaso.

— Et puis vous êtes un type étrange, Tommaso Mac Donnell. Cette femme a enlevé votre fille, vous a utilisé, mis en danger en même temps que les vôtres. Elle a menti, triché, était prête à tout. Je vous ai connu un tempérament moins pacifique et plus sanguin.

— N'en jetez plus, coupa Tommaso. Je ne vous reproche rien. Je me demandais juste – mais je reconnais que c'est un peu hors de propos – si ce choix avait été une solution de simplicité, d'efficacité ou d'habitude.

Dehors, le vent et de la pluie paraissaient redoubler. Adrian le considérait avec une sorte d'ironie bienveillante.

— Vous êtes incroyable. Personne ne m'a jamais parlé comme cela, et je ne parviens pas à être en colère contre vous. Vous avez l'art de désamorcer vos grenades. Eh bien si vous voulez savoir, je ne tenais pas à ce que Claire Garcieux puisse continuer de nuire et raconter ce qu'elle savait, même si elle en savait beaucoup moins que d'autres.

Tommaso hésita.

— Beaucoup moins que moi ?

Adrian acquiesça.

— Infiniment moins que vous.

— Mais pourquoi ne pas l'avoir abattue avant, alors ? reprit Tommaso en dégrafant le microphone caché dans le col de sa veste posée à côté de lui. Pourquoi aller jusqu'au bout, pourquoi le micro et tout ce jeu ? Vous ne pouviez pas me prévenir pour Mathilde à cause du risque d'interception des communications mais…

Il s'arrêta net. Ses yeux se plongèrent dans les yeux noirs d'Adrian.

— Vous vouliez vérifier que je n'avais vraiment pas l'objet ? reprit-il.

— Tout juste là aussi, répondit Adrian d'une voix douce. Rien n'est plus sûr qu'une arme braquée sur vous par quelqu'un de déterminé pour faire dire la vérité. Mais vous me pardonnerez ce petit stratagème, n'est-ce pas ?

Tommaso se mordit la lèvre.

— J'aurais mauvaise grâce.

Tout en parlant, il s'était levé et observait par la fenêtre l'avancement des préparatifs autour de l'hélicoptère. Deux hommes inspectaient le périmètre où était tombée Claire pour effacer toutes les traces. Les deux autres se dirigeaient vers l'embarcadère.

Adrian se retourna vers Tommaso.

— Vous repartez avec nous ? Il ne fait pas très bon voler ce soir, mais naviguer n'est guère plus sûr et de surcroît mes hommes auront coulé votre barque et le zodiac dans quelques instants.

— Mais le bateau qui disparaît, n'est-ce pas…

— … plus inquiétant ? En fait non, car je m'occupe de déclarer sa perte, au nom qui l'avait loué et n'est évidemment pas le vôtre. Le propriétaire sera dédommagé, en bonne et due forme. Aussi bien que le propriétaire de ce pauvre bateau coulé en Méditerranée.

Sa voix s'assombrit légèrement.

— Et les familles des marins qui ont sombré avec lui. Vos noms étaient faux. Pour les Tunisiens, tout le monde est mort. Et les Américains ont fait ce qu'il fallait pour que l'affaire soit étouffée.

Les deux hommes se regardèrent en silence. L'orage s'éloignait en direction de l'océan. On voyait de nouveau jusqu'à l'île, noyée pendant un moment dans un brouillard de pluie et le bruit.

Adrian consulta sa montre.

— Nous allons partir dans cinq minutes. Nous vous déposerons à côté de Glasgow. Mieux vaut gagner Londres sans tarder.

Il sourit.

— Dans moins de vingt-quatre heures, vous serrerez votre famille dans vos bras.

Tommaso plongea ses yeux dans les siens.

— Vous pensiez vraiment que j'avais peut-être l'objet et que je ne vous l'avais pas dit ?

Adrian eut une moue amusée.

— Pas vraiment, c'était plus une volonté de ne rien laisser au hasard.

— Assez quand même pour que vous vous déplaciez en personne aujourd'hui.

— J'avais peut-être seulement envie de vous dire adieu. Vous avez votre liberté.

Il remit sa veste de quart, ouvrit une fermeture éclair verticale sur le devant et en sortit une enveloppe qu'il tendit à Tommaso.

— Le premier numéro correspond à un compte. Le deuxième est le mot de passe. L'adresse en dessous est celle de l'établissement. Je tiens toujours mes promesses.

Stupéfait, Tommaso contemplait le morceau de papier dans ses mains.

— Cela devrait couvrir vos frais. Retournez vers votre passion. Oubliez ces histoires.

— Et vous, qu'allez-vous faire ?

La question avait jailli spontanément.

Adrian haussa les épaules.

— La même chose : me servir de la vanité et de la cupidité des grands de ce monde. Profiter du chaos, l'entretenir un peu à la marge et utiliser les no man's land créés par la cacophonie des hommes et leur incapacité à s'entendre pour faire prospérer mes intérêts. Et aussi un peu…

La phrase resta en suspens.

Il hésita encore une seconde.

— Vous noircissez le tableau plus que de raison, corrigea Tommaso. Je suis sûr que vous…

Adrian l'interrompit d'un geste.

— Un jour peut-être… reprit-il. Vous savez, sans doute est-ce mieux ainsi. Les hommes ne sont pas prêts, ou plus exactement ne sont plus prêts. Je ne crois pas qu'un des habitants de cette planète pourrait se servir d'un tel secret sans tenter d'en tirer un intérêt personnel. Et puis nul ne sait vraiment même à quel objet rêvait Garcieux, n'est-ce pas Tommaso ?

L'archéologue sourit.

— Et si je savais moi quel est cet objet et que je pensais préférable de le savoir entre vos mains ?

Adrian ne répondit pas. Son regard avait pris une intensité plus forte, vissé dans les yeux de Tommaso.

Celui-ci sortit un stylo et un bloc-notes de la poche de son blouson et griffonna quelques lignes avant d'arracher la feuille et de la tendre à Adrian.

— Le premier numéro est celui d'un coffre de la succursale de la Chase Manhattan à Londres. La ligne du dessous est le nom sous lequel ce compte est ouvert. La troisième est le code qui permet d'ouvrir ce coffre.

Adrian saisit le papier sans mot dire.

— Vous noircissiez le tableau, répéta Tommaso. Vous avez mieux à faire que de profiter de la médiocrité humaine.

Adrian sourit furtivement.

— En tout cas, moi je le crois, conclut Tommaso.

— Merci, répondit seulement Adrian.

Et du geste il indiqua la direction à suivre. Au pied de l'hélicoptère, les hommes en noir patientaient sous les dernières gouttes de l'averse.

Avant d'arriver à l'appareil, Tommaso ne put s'empêcher de jeter un regard à l'endroit où était tombée Claire. L'herbe y était à peine couchée.

45

Ôtant sa casquette, Jeremy Baldwin la posa sur le banc à côté de lui et se recoiffa. Puis il prit une nouvelle tranche de pain de mie dans le sac en plastique posé de l'autre côté du banc et recommença à l'émietter méthodiquement avant de le lancer aux cygnes qui s'étaient approchés, attirés par l'appât.

Heureux d'avoir retrouvé pour quelques jours un cadre de vie londonien, le diplomate jeta un regard circulaire satisfait sur les allées désertes qui tournaient autour du grand bassin de Saint James Park. Comme il reprenait son activité, la silhouette de Tommaso apparut devant le bosquet qui limitait la visibilité de Baldwin à cinquante mètres sur sa droite.

Le bruit des pas sur le gravier fit relever la tête au diplomate.

— Tu es en retard, dit-il d'un ton flegmatique où perçait une pointe d'amusement.

— C'est mon côté écossais. J'adore faire patienter les fonctionnaires de Sa Majesté.

Il s'assit à son tour sur le banc. Baldwin acheva de lancer les dernières miettes puis se frotta les mains et se tourna vers son visiteur.

— Je ne savais pas que la rancune de l'Écosse se portait jusqu'à notre ancienne colonie de l'autre côté de l'Atlantique. Parce que c'est surtout à eux que tu as fait avoir des cheveux blancs.

Tommaso s'accouda sur le dossier pour se rapprocher.

— Ils ont même tellement peur du scandale que les règlements de comptes vont se faire très vite, reprit Jeremy. Ils n'ont jamais été très à l'aise avec Tanit et sont assez contents d'imaginer que c'est fini et disparu. Je les soupçonne d'avoir envoyé une petite expédition – officielle celle-là – vérifier les dégâts de leur bombardement. À demi-mot, ils m'ont expliqué que les militaires étaient ravis de leur efficacité, ce qui signifie qu'il ne reste rien du bateau de recherche ni de l'épave…

— Et moi, on me promeut ou on m'accidente ?

— Ni l'un ni l'autre. Toi on t'oublie, ainsi que les tiens et toutes tes activités. Et en échange de ton silence sur les documents que tu possèdes et qui vont rester dans un joli coffre ici à Londres, nos amis t'assurent un petit cadeau : te blanchir totalement aux yeux des policiers français. La manière dont ils ont gobé leur version pourtant rocambolesque sur la guerre contre le terrorisme est un modèle du genre. En bref, aux yeux des Français, tu étais un agent américain et aux yeux des Américains, je crois qu'ils conservent quelque doute sur le fait de savoir si tu es un agent anglais…

Tommaso sourit.

— Merci, Jeremy.

Le diplomate eut une grimace signifiant qu'il ne pourrait tolérer des effusions excessives.

— Qu'est-ce que tu vas faire maintenant ? demanda-t-il.

— Aller manger des pâtes arrosées de vin italien. Et puis emmener ma femme et ma fille sur l'*Aquilon* pour achever mon chantier. Toutes les questions d'argent ont disparu. Fini les voyages et les séparations. Je vais terminer ça et puis peut-être qu'après…

Il suspendit sa phrase une seconde :

— Je rachèterai un château en Écosse…

Baldwin fit la moue en le regardant de biais.

— Ah ! Là, c'est davantage le côté italien qui parle.

Jeremy rangea le paquet de pain rassis et soupira.

— Bon, eh bien…

Il hésita et parut se raviser avant de se retourner vers Tommaso. Ses yeux légèrement plissés accentuaient les petites rides qui descendaient sur les pommettes.

— Et ton curieux sauveur, ce mystérieux…

Tommaso le fixa en souriant.

— Il n'a toujours pas de nom.

— Tu ne m'as pas raconté tout ce qu'il t'a dit ?

— Une autre fois, Jeremy…

— En tout cas tu me dirais si vous étiez de nouveau en contact, par exemple sur une piste pour retrouver cet objet… Ou si tu étais au courant du fait qu'il compte poursuivre ses activités ?

Tommaso ne répondit pas.

46

Dans un ruissellement d'écume, le caisson tiré par un câble d'acier s'arracha aux eaux bleutées et surgit dans l'éclat du soleil. Antoine indiqua d'un geste au pilote qui commandait le palan de ralentir la cadence. La masse s'éleva encore de quelques mètres avant de se stabiliser en équilibre au-dessus de la mer, mue seulement par un léger mouvement d'oscillation. Puis dans un mouvement de balancier, la masse s'ébranla cette fois dans un sens horizontal, jusqu'à parvenir à la verticale du pont. Là elle s'immobilisa de nouveau avant de descendre lentement. Elle toucha le sol dans un fracas métallique qui fit sursauter Mathilde. La petite fille plongea le visage contre les jambes de sa mère, l'enserrant de ses deux bras. Isabelle sourit en lui caressant la tête.

Antoine tourna la tête vers le zodiac immobile à la verticale de l'épave, là où le caisson avait jailli. Il resta un instant à scruter la surface, une main en visière pour réduire la luminosité, puis traversa d'un bond la passerelle pour se pencher vers les hommes qui s'affairaient autour du caisson.

— Attendez ! cria-t-il. Attendez que Tommaso soit remonté.

Le pouce levé, l'un des hommes fit signe qu'il avait compris le message.

Le bruit du moteur du zodiac que l'on venait de relancer fit se retourner Antoine.

— Il est à bord, dit Isabelle en désignant du doigt la silhouette assise à l'avant du hors-bord, occupée à se défaire de son scaphandre.

Un instant plus tard, le zodiac accostait l'*Aquilon*. Tandis que le pilote stabilisait l'embarcation, Tommaso bondit sur le pont. Antoine sourit en voyant l'éclair qui brillait dans ses yeux.

Tommaso s'inclina dans un geste théâtral devant son ami.

— À toi l'honneur.

Antoine hésita une seconde puis débloqua les deux vérins qui maintenaient le caisson fermé. L'eau ruissela sur le pont lorsqu'il entrouvrit la porte, manquant le faire tomber. Il ouvrit la porte plus largement et s'arrêta net. Un rayon de lumière fit scintiller une seconde le chargement masqué dans la pénombre de la caisse.

Tommaso sourit. Une serviette à la main avec laquelle il essuyait ses cheveux et son visage dégoulinant d'eau de mer, il tendit la main pour toucher le métal terni, puis se retourna vers Isabelle qui tenait Mathilde dans ses bras.

— Au printemps 1692, une ambassade discrète du roi de France traversa les Pyrénées pour rejoindre Madrid. Officiellement, elle avait pour mission de transmettre des documents relatifs à la situation de la reine de France, ex-infante d'Espagne, Marie-Thérèse. Officieusement, elle venait solliciter le soutien financier de l'Espagne pour les préparatifs militaires de la campagne que Louis XIV avait d'ores et déjà programmée contre son voisin de l'Empire : construction d'armes, de bateaux, poursuite du programme pharaonique de fortifications sous la houlette ingénieuse de Vauban. L'accord signé n'était connu en France que de trois personnes : le roi, son ministre des Finances, et le négociateur. Au terme de cet accord, quatre goélettes françaises devaient venir chercher l'or prêté par la couronne espagnole, ravie de faire une bonne opération diplomatique en réglant ses propres conflits par personne interposée. Seule condition, qu'un secret total soit conservé sur cette manœuvre, qui entrait en contradiction avec les traités d'entraide signés par l'Espagne. Deux des bateaux firent route en novembre ou décembre 1692. Les deux autres en janvier 1693. Trois seulement sont rentrés au port. Le quatrième, sous le commandement du chevalier de Lauzun, est parti de Gibraltar mais n'est jamais arrivé. Entre-temps la guerre faisait rage et aucun moyen n'était disponible côté français pour rechercher ce bateau. Quant aux Espagnols, ils se seraient bien gardés de rechercher une cargaison qui avait été livrée et en même temps était censée n'avoir jamais existé. Le petit nombre de personnes au courant aidant, le secret s'est perdu. Quinze ans plus tard, tous les protagonistes étaient morts. Et voilà comment l'or de l'Espagne nous a attendu tout ce temps…

Il détacha les fixations de la bâche qui recouvrait le monceau de barres, arrachant une exclamation au petit groupe amassé autour de lui.

Il leur jeta un regard puis hocha la tête lentement.

— Oui, il y en a pour une fortune, une vraie fortune !

Isabelle avait posé Mathilde à terre, la tenant par la main. Saisie par le spectacle, elle s'approcha de lui à pas lents. Il passa sa main autour des épaules de sa femme puis se tourna vers Antoine en riant.

— Tu te rends compte de ce qu'on va pouvoir faire ?

Son ami le dévisageait d'un air stupéfait.

— Est-ce qu'il y a quelque chose au monde que tu aimes davantage que piloter un sous-marin dans une faille ?

Il hésita devant la mine incrédule d'Antoine.

— Parce qu'on pourrait retourner plonger au large de la Tunisie…

Antoine fit mine d'attraper un extincteur et de le jeter sur lui.

Tendant les bras, Tommaso souleva Mathilde. Il la lança en l'air et la rattrapa pour la faire tournoyer. Les cheveux de la petite fille volaient au rythme des éclats de son rire en cascade. Dans la lumière dorée de la fin d'après-midi, le métal terni de la petite silhouette stylisée qu'elle portait au cou jetait des reflets éclatants.

Épilogue

Extrait du New York Times,
10 juillet 2014

[...] Le Président en exercice de la Communauté européenne, le Premier ministre grec Stavros Angilis, et le président de la Commission européenne, le Letton Paul Inaustas, ont inauguré ensemble hier à Luxembourg la nouvelle extension du bâtiment de la Cour de Justice des communautés européennes sur le site du Kirchberg. Quelques années seulement après la quatrième extension de la Cour, dont le bâtiment initial remonte au début des années soixante-dix, cette modification en profondeur des espaces de travail et des couloirs de circulation est présentée comme l'achèvement définitif du lieu de résidence de la plus haute juridiction européenne. À quelques mois de l'entrée en vigueur de la nouvelle constitution ratifiée par les vingt-sept États membres et à un an de l'élection au suffrage universel direct du président de la Communauté européenne, processus dont la Cour aura à surveiller la légalité et le bon déroulement, cette inauguration symbolise

le nouvel élan de l'ensemble européen, moins de dix ans après l'échec de la première tentative de Constitution. L'ensemble des candidats possibles au poste suprême était bien sûr présent à Luxembourg [...]

Note de l'auteur

Ce livre est un roman. Mais si ses principaux personnages, Tommaso, Claire, Mathilde, Isabelle, Adrian, Antoine, sont de purs produits de l'imagination, la plupart des lieux et des personnages historiques évoqués, en revanche, ont bien existé. Les grands architectes ou bâtisseurs, de Sinan l'Ottoman à Jai Singh l'Indien, Christopher Wren le Britannique et jusqu'à l'Américain Louis Kahn, ont réellement mené un travail assez original ou incroyable pour me permettre de tisser entre eux un réseau de correspondances qui, lui, relève de la fiction.

Ainsi, si Louis Kahn n'a jamais été dépositaire des savoirs que lui sont prêtés dans ce livre, il a bien exprimé dans son œuvre architecturale une conception originale du rapport entre les volumes et l'attitude psychologique des utilisateurs, assez fascinante pour laisser place à la construction romanesque.

Seuls deux parmi les bâtiments ou chantiers évoqués dans ces pages n'existent pas. Il s'agit du nouveau siège bruxellois de la Commission placé dans le quartier en rénovation de Tour et Taxis et de la cinquième extension du bâtiment de la Cour de Justice de Luxembourg, la quatrième étant encore en voie d'achèvement sous la conduite de Dominique Perrault.

De même, la plupart des éléments de contexte et des exemples cités en appui des recherches de Tommaso ou des explications d'Adrian ou d'Aaron Gowitz sont très largement conformes à la réalité. Les querelles autour des fouilles sur le site du Temple de Jérusalem, le mystérieux astrolabe découvert en mer Méditerranée, la réapparition du manuscrit de Vitruve au monastère du mont Cassin, l'histoire du temps de Ptolémée Philadelphe, l'évocation du Feng Shui ou le naufrage en 1874 d'un bateau venant de Carthage et chargé d'antiquités... tout est fondé sur des faits réels. J'ai seulement choisi de les interpréter tous à la lumière d'une clé de lecture fictive.

Celle-ci, symbolisée par le signe de Tanit, est une pure invention. J'ai ainsi pris la liberté de donner une apparence scientifique à une expérience subjective réelle, bien que de l'ordre du sentiment. Qui peut affirmer en effet que ses pensées ou réflexions personnelles, et au-delà la nature de ses conversations et de ses sentiments, ne sont en aucun cas influencées par la configuration des lieux dans lesquels son activité intellectuelle ou sociale se déroule ? Par la lumière naturelle ou artificielle et son évolution, la disposition des pièces et des meubles, la distance qui sépare les interlocuteurs ?

Et qui peut contredire le fait, si l'on se tourne vers le monde du pouvoir, que la prise en compte de ces paramètres y est l'objet d'une attention méthodique, chaque débat ou discours à une tribune provoquant d'infinis débats sur la hauteur des sièges et des tables, l'angle des caméras et des micros, etc. ?

L'explosion des moyens de transport et des nouveaux modes de communication, en réduisant artificiellement notre sentiment de contrainte lié au temps et à l'espace, estompe sans doute ce sentiment, en même temps qu'elle estompe le lien unissant l'être humain au monde dans lequel il évolue.

Il n'est pas besoin cependant de creuser longtemps pour retrouver en soi le souvenir de telles expériences d'influence de notre humeur suscitée par la situation spatiale ou architecturale dans laquelle nous évoluons. Telle pièce disposant d'une grande hauteur sous plafond où l'on a le sentiment de jouir d'une plus grande liberté ou de respirer plus aisément.

Et il en va de même des mises en scène symboliques des fonctions du pouvoir politique destinées à susciter l'adhésion des citoyens aux desseins de leurs dirigeants. Il suffit pour s'en convaincre d'observer le soin apporté lors des campagnes électorales non seulement au contrôle de l'image et de la parole des candidats, dans leurs meetings comme dans les débats les opposant, mais aussi à leur placement dans l'espace par rapport à ceux auxquels ils s'adressent. Ces précautions sont tellement connues qu'elles sont même une des clés de la défiance manifestée par les citoyens qui dénoncent volontiers le « marketing électoral ».

Chacun d'entre nous, c'est légitime, déteste l'idée d'être manipulé et voudrait croire que son jugement est libre de toute influence cachée. Ce livre offre à cet égard une consolation, mince, mais une consolation tout de même : celle de savoir que ceux qui croient nous manipuler, dirigeants, lobbyistes, prescripteurs ou publicitaires, ne sont peut-être eux aussi que des jouets dans la main d'un Ordre du Monde qui les dépasse...

www.lordredumonde.com

Remerciements

Un grand merci à Gilles et à Thibauld pour leurs conseils et lumières sur ces deux mondes des profondeurs que sont la plongée sous-marine et les services spéciaux. Merci à Patrick pour ses talents de guide bruxellois. Merci également à Lorraine, Magali, Olivier, Sylvain, Christel et à toute l'équipe des éditions Timée pour leur patience, leur enthousiasme, leur compétence et leur mobilisation au long cours. Et merci à Christophe, pour sa confiance et son amitié.

Luttes pour le pouvoir

(Pocket n° 12944)

Paris, 1661 : le jeune Louis XIV s'apprête à gouverner sans le cardinal Mazarin. Complots, trahisons : ils sont nombreux dans l'entourage du roi à vouloir profiter de l'agonie du Premier ministre. Traqué par des ennemis sans visages, Gabriel de Pontbriand, détenteur malgré lui d'un secret volé au cardinal, va être emporté dans le tourbillon de l'Histoire et jouer un rôle déterminant dans le destin de la France et l'avènement du Roi-Soleil.

Il y a toujours un Pocket à découvrir

D'or et de sang

(Pocket n° 13167)

1510. L'Europe s'éveille à peine à la Renaissance que ses peurs ancestrales resurgissent : une série de crimes inspirés des tableaux infernaux de Jérôme Bosch ensanglante les abbayes d'Italie. Déterminé à connaître la vérité, le pape confie l'enquête à Léonard de Vinci, artiste prodige et roi de l'intrigue. Témoin involontaire de ces manigances, Gabriela Benci, une noble Florentine, se retrouve plongée dans ce tourbillon machiavélique. De Milan à Venise, du royaume de France au palais du Vatican, débute alors une enquête aussi dangereuse que fascinante...

Il y a toujours un Pocket à découvrir

Partie machiavélique

Stephen Carter

Échec et mat

Roman

Pour découvrir la vérité,
il doit fouiller dans la vie
de son père

POCKET

(Pocket n° 12098)

Le célèbre juge fédéral Olivier Garland vient de mourir, mais les causes du décès restent troubles. Magistrat républicain issu de la haute bourgeoisie noire, Olivier Garland avait perdu son poste à la Cour Suprême suite à un terrible scandale. Le souvenir de cette affaire éclabousse encore sa famille, tout particulièrement son fils, Talcott. Pour découvrir la vérité sur la mort de son père, il va devoir se replonger dans une histoire qu'il n'aurait jamais dû déterrée...

Il y a toujours un Pocket à découvrir

Composé par Nord Compo Multimédia
7, rue de Fives, 59650 Villeneuve-d'Ascq

Impression réalisée par

C P I
Brodard & Taupin

50405 – La Flèche (Sarthe), le 07-01-2009
Dépôt légal : janvier 2009

POCKET – 12, avenue d'Italie - 75627 Paris cedex 13

Imprimé en France